CIEŃ
ZWYCIĘSTWA

WIKTOR SUWOROW

CIEŃ ZWYCIĘSTWA

Pierwsza część trylogii „Cień zwycięstwa"

Przekład
Andrzej Bobrowicki i Edward Więcławski

DOM WYDAWNICZY REBIS
Poznań

Tytuł oryginału
Тень победы

Opracowanie graficzne i projekt okładki
Zbigniew Mielnik

Fotografie na okładce
CORBIS

Wydanie II poprawione (dodruk)
Poznań 2016
Na podstawie wydania I, które ukazało się w 2002 r. nakładem
Wydawnictwa Adamski i Bieliński

ISBN 978-83-7301-953-9

Dom Wydawniczy REBIS Sp. z o.o.
ul. Żmigrodzka 41/49, 60-171 Poznań
tel. 61-867-47-08, 61-867-81-40; fax 61-867-37-74
e-mail: rebis@rebis.com.pl
www.rebis.com.pl

Poświęcam znaczącemu człowiekowi
o imieniu Lew

Spis treści

Rozdział 1

Zaliczyć do grona świętych...

Nasi zmarli nie opuszczą nas w biedzie...
WŁODZIMIERZ WYSOCKI

I

Związek Radziecki u schyłku swych dziejów niespodziewanie zatracił większość narodowych idoli. Wyniesieni na piedestały przywódcy okazali się bandą kryminalistów i łajdaków. Z kolei wystarczy uważnie przyjrzeć się klasycznym radzieckim gierojom, którzy mieli służyć za wzór obywatelom ZSRR, a wszelki heroizm znika bez śladu. Jeden konkretny przykład. Legendarna bitwa 16 listopada 1941 roku na przedmieściach Moskwy, pod rozjazdem Dubosiekowo. Z jednej strony – dwudziestu ośmiu żołnierzy z czwartej kompanii 1075. pułku piechoty 316. DP generała majora Iwana Panfiłowa. Za uzbrojenie mają jedynie karabiny, granaty i butelki z benzyną. Z drugiej strony – Niemcy, mają do dyspozycji 54 czołgi. Działania hitlerowskich pancerniaków wspiera dwadzieścia baterii artylerii i moździerzy.

Przed samą bitwą politruk Dijew miał wypowiedzieć słowa, które niebawem obiegły cały kraj: „Wielka jest Rosja, ale cofać się nie możemy: za nami Moskwa!" Bohaterscy panfiłowcy padli w boju, ale zdołali zniszczyć wiele nieprzyjacielskich czołgów i wroga nie przepuścili. Prezydium Rady Najwyższej ZSRR na wniosek dowódcy Frontu Zachodniego generała armii

9

Żukowa każdemu z nich nadało pośmiertnie tytuł Bohatera Związku Radzieckiego.

Legendą o tym heroicznym czynie karmiono pokolenia radzieckiej młodzieży.

Jednak od samego początku ta sprawa budziła pewne wątpliwości. Najpierw „Krasnaja zwiezda" oznajmiła, że na czele 28 bohaterów stał politruk Dijew.[1] Niebawem w tej samej gazecie można było przeczytać, że panfiłowcami dowodził politruk Kłoczkow.[2] Próby połączenia obu w jedną postać odniosły skutek odwrotny do zamierzonego. Bohater wszedł na karty radzieckich podręczników w czterech odmianach: Dijew, Kłoczkow, Kłoczkow-Dijew i Dijew-Kłoczkow.

Kolejna niejasność: skoro wszyscy żołnierze zginęli, to w jaki sposób poznaliśmy słowa bohaterskiego politruka?

Były też wpadki dużo bardziej zaskakujące. Nic więc dziwnego, że po wojnie cały epizod wzięła pod lupę prokuratura wojskowa. Wtedy dopiero na światło dzienne wyszły prawdziwe rewelacje.

Rzeczywiście, za plecami była Moskwa, ale wciąż jeszcze było dokąd się cofać: podczas bitwy na przedpolach Moskwy 1075. pułk piechoty oddał zajmowane pozycje, za co dowódca i komisarz pułku zostali zdymisjonowani.

I jeszcze jedno. Skoro wszyscy żołnierze i oficerowie z czwartej kompanii zginęli, a na przedpolu płoną dziesiątki niemieckich czołgów, to dowódca 2. baonu, major Rieszetnikow, był zobowiązany o tym zameldować. Ale z niewiadomych przyczyn tego nie uczynił. Przeoczył całe zdarzenie?

O bohaterskim wyczynie nie meldował dowódca 1075. pp pułkownik Koprow, ani dowódca 316. DP generał major Panfiłow, ani też generał porucznik Konstanty Rokossowski, dowodzący 16. Armią. Co ciekawe, Niemcy też nie mieli pojęcia o tej bitwie. A więc, skoro żaden z dowódców frontowych nie zameldował o tym bohaterskim czynie, w jaki sposób dowiedziano się o nim w Moskwie?

Jako pierwsza napisała o nim centralna gazeta wojskowa

---

[1] „Krasnaja zwiezda", 27 listopada 1941.
[2] „Krasnaja zwiezda", 22 stycznia 1942.

„Krasnaja zwiezda". Bohaterską bitwę przedstawił naoczny świadek, tow. Krywicki, sekretarz literacki dziennika. Lecz czy rzeczywiście był świadkiem tych wydarzeń? W prokuraturze wojskowej pytano go: czy 16 listopada 1941 roku przebywał w okolicy rozjazdu Dubosiekowo? Okazało się, że wspomnianego towarzysza nie było w pobliżu pola walki, w przeciwnym razie nie uszedłby z życiem z tego piekła. Podczas przesłuchania przyznał, że w listopadzie 1941 roku w ogóle nie opuszczał Moskwy. O bohaterskim wyczynie dowiedział się z relacji korespondenta wojennego Korotiejewa. Co prawda Korotiejew też wolał nie ryzykować i nie zbliżył się do linii frontu dalej, niż stacjonował sztab 16. Armii. Właśnie tam, na tyłach, dzielnego korespondenta doszły słuchy o bohaterskim starciu i przyjąwszy je za dobrą monetę, w te pędy przekazał relację do redakcji.

Śledztwo ujawniło też źródło liczb, którymi „Krasnaja zwiezda" zadziwiła świat.

Redaktor naczelny gazety D. Ortenberg wypytywał Korotiejewa, ilu żołnierzy liczyła bohaterska kompania? Ten, po chwili namysłu, odparł, że 30–40. Ustalono więc, że trzydziestu. Ale to przecież niemożliwe, żeby wszyscy byli bohaterami, nawet w Armii Czerwonej. Sam towarzysz Stalin w rozkazie nr 308 z 18 września 1941 roku żądał, by „żelazną ręką poskramiać tchórzów i panikarzy". Przed samą bitwą na pewno ze dwóch spanikowało i chcieli się poddać. Zostali natychmiast rozstrzelani. Ilu więc zostało bohaterów? Tak jest: 28. A ile niemieckich czołgów nacierało? Przyjmijmy: po dwa na każdego bohatera. Wychodzi, że czołgów było 56. Naczelny, po chwili namysłu, odjął dwa: 54 będzie lepiej wyglądało.

W toku śledztwa wyszły na jaw rzeczy, o których przykro wspomnieć, dlatego prokuratura wojskowa zachowała daleko posuniętą dyskrecję. Blagierów można by ukarać. Mogło się dostać i naczelnemu. Ale z drugiej strony czyn panfiłowców znalazł się już na kartach encyklopedii i elementarzy, został wyryty w granicie, złotymi zgłoskami zapisał się w annałach wojny jako jeden z najbardziej heroicznych epizodów. Poza tym w sprawę jest zamieszany marszałek Związku Radzieckiego Żukow. Blagierzy przedobrzyli? To nic. Przecież cała historia ZSRR jest jedną gigantyczną konfabulacją.

Gdyby nie Żukow, heroizm panfiłowców trafiłby pomiędzy legendy, jak niestworzone opowieści o wyczynach chwackiego Kozaka Kuźmy Kriuczkowa, który ponoć w I wojnie na jedną lancę nabijał po siedmiu Niemców... Kuźma Kriuczkow nie był jedyną legendą rosyjskiego oręża. Aleksander Twardowski napisał poemat o tym, jak to szeregowy Wasyl Tiorkin wyszedł rano w pole, patrzy – a tu sunie na niego tysiąc niemieckich czołgów![3] Rosyjski żołnierz, jasna sprawa, nie stracił rezonu... Rosyjski lud pokochał Twardowskiego i jego Wasyla Tiorkina, który wychodził zwycięsko z każdej opresji. Wszyscy jednak wiedzieli, że to blaga spod znaku barona Münchausena. Tymczasem Żukow nadał frontowej plotce o panfiłowcach rangę rzeczywistego wydarzenia. Sam przechwalał się przy byle okazji: gdzie ja, tam zwycięstwo! Pod moimi rozkazami każde niemieckie natarcie będzie zdławione! Moi ludzie umierają, ale się nie poddają!

W grudniu 1941 roku ktoś z jego podkomendnych przeczytał relację o wyczynie 28 panfiłowców i zameldował Żukowowi. Żukow zażądał, by sporządzono spis poległych, którzy m o g l i w z i ą ć u d z i a ł w tej legendarnej bitwie – i przedstawił ich do odznaczenia. Wszyscy, którzy znaleźli się na tej liście, zostali pośmiertnie awansowani. Od momentu, gdy Rada Najwyższa wydała stosowny dekret, bohaterski czyn przestał być dziennikarską konfabulacją i stał się faktem.

Nawiasem mówiąc, nie wszyscy, którzy trafili na listę, zginęli. W spisie zabitych bohaterów znaleźli się również dezerterzy, którzy przeszli na stronę hitlerowców.

Opowieść o panfiłowcach była tak niewiarygodna, że budziła nieustające zainteresowanie badaczy. Na długo przed głasnostią i pieriestrojką redaktor Kardin w miesięczniku „Nowyj Mir" poddał tę niedorzeczną historię bezwzględnej analizie. W jego ślady poszli Sokołow, Lulecznik i inni. Z czasem doszła cała masa krytycznych publikacji i w efekcie epizod ten wypadł z kanonu opowieści o bohaterstwie radzieckiego oręża.

---

[3] A. Twardowski, *Wasyl Tiorkin* (przeł. Wł. Boruński), Warszawa 1953.

II

Tymczasem na robotniczym froncie należało równać do Aleksieja Stachanowa. W latach trzydziestych górnicza norma przewidywała urobek w czasie jednej zmiany siedmiu ton węgla. 31 sierpnia 1935 roku górnik Stachanow wyrąbał nie siedem, lecz 102 tony! I zaczął się w kraju szerzyć ruch stachanowski. W ślad za Stachanowem rzucono się wykonywać po dziesięć norm na jednej zmianie. Po dwadzieścia! Propaganda ochrzciła tych ludzi stachanowcami, lud zaś – stakanowcami[4]. Po kilku dziesięcioleciach wyszły na jaw pikantne okoliczności tego wyczynu. Stachanow rzeczywiście wyrąbał 102 tony węgla, ale... Po pierwsze: na czas rekordowej zmiany pozostałym górnikom przodkowym kopalni „Centralnaja-Irmino" odłączono sprężone powietrze, po to by utrzymać maksymalne ciśnienie w młocie pneumatycznym Stachanowa. Po drugie: rytm produkcyjny całej kopalni został postawiony na głowie. Po trzecie: wyrąbany przez Stachanowa węgiel trzeba było odtransportować z przodka. A zatem – wszystkie wózki dla Stachanowa! Wózkom Stachanowa zielone światło! Pozostałe brygady niech czekają.

Zastosowano też inne sztuczki. Bardzo wiele zależało od metody naliczania urobku. Górnik na przodku nie jest sam. Wyrąbany węgiel trzeba odgarniać, ładować na wózki, przetaczać, dźwigać stemple i umacniać przodek. Jeżeli rozdzielimy wyrąbany węgiel na wszystkich, którzy pomagają przodkowemu i zabezpieczają jego pracę, otrzymamy właśnie siedem ton na jednego. Podczas rekordowej szychty Stachanowa zastosowano bardziej awangardową metodę obliczeń. Wszystko, co wyrąbał, zapisano tylko jemu, wszystkie tony przypisano tylko jego zasłudze. A ci, którzy odgarniali, ładowali i przetaczali węgiel, którzy umacniali przodek za Stachanowem, wylądowali w innej tabeli.

W taki właśnie sposób uzyskano wszechzwiązkowy rekord.

---

[4] *Stakan* (ros.) – szklanka, najczęściej stosowana w Rosji miara spożywanego alkoholu [przyp. tłum.].

Robotniczy wyczyn Stachanowa to klasyczna radziecka lipa. A sam Stachanow jest bohaterem w lipnym wieńcu. Inni radzieccy herosi rozmaitego autoramentu także okazali się funta kłaków warci. Ludzie wymyślali dowcipy i pikantne czastuszki o papierowych bożyszczach. Postawimy kropkę nad „i". Nie twierdzę, że podczas wojny nie było powszechnego heroizmu. Mamy bohaterski naród, który nieraz dokonywał czynów godnych zachwytu. Ale nasi agitatorzy i propagandyści nie wiadomo dlaczego opisywali nie bohaterów, tylko bohaterszczyznę – innymi słowy, wciskali kit. Z czasem nieubłaganie cały ten kit się wykruszył.

I oto problem dla ideologów: na kim ma się naród wzorować? Na Leninie-syfilityku? A może na podziemnej organizacji Młoda Gwardia, która zaistniała tylko w umyśle pisarza Fadiejewa[5], do cna przesiąkniętym alkoholem?

Kraj niezwłocznie potrzebował idola, którego mógłby postawić na granitowym piedestale. Wtedy wodzowie uradzili: Żukow. Żukow – wybawca Ojczyzny! Żukow – bohater na białym koniu!

Tak oto narodził się nowy kult jednostki.

III

Doświadczenia w kreowaniu kultu jednostki nam nie brakuje. Kult Żukowa wprowadzono więc sprawnie i szybko. O Żukowie powstawały kolejne legendy, jedna piękniejsza od drugiej.

Marszałek Wielkiego Zwycięstwa!

Nigdy nie doznał żadnej klęski!

Gdzie Żukow – tam zwycięstwo!

Żukowowi starczy jeden rzut oka na mapę, aby przejrzeć zamiary wroga!

Pojawiały się nawet takie głosy: „Ach, gdyby Żukow jeszcze żył!"[6]

---

[5] Aleksander Fadiejew (1901–1956), wieloletni przewodniczący Związku Pisarzy Radzieckich, klasyk socrealizmu. Zastrzelił się w 1956 roku. Powieść *Młoda Gwardia* (1946) była gloryfikacją komsomolskiej konspiracji antyhitlerowskiej [przyp. tłum.].

[6] „Krasnaja zwiezda", 4 lutego 1997.

Towarzysze na Kremlu roztrząsają: pochować Lenina czy zostawić w charakterze poglądowej pomocy naukowej? Nie ma się nad czym zastanawiać. Ciało Lenina śmiało można wynieść z mauzoleum. Kult Żukowa całkowicie wyparł kult Włodzimierza Iljicza.

A w kraju już chodzą słuchy, że marszałek Żukow był niedoceniany. Za swe heroiczne czyny zaledwie czterokrotnie został Bohaterem Związku Radzieckiego. Nasza historia zna tylko dwa takie przypadki. Drugim był marszałek Związku Radzieckiego Leonid Breżniew. Dlatego chcąc wynieść Żukowa ponad przywódczy geniusz Breżniewa, planuje się odznaczyć Żukowa pośmiertnie piątą gwiazdą i ogłosić go Bohaterem pięciokrotnym. Padła też propozycja, by ustanowić tytuł Generalissimusa Rosji i pośmiertnie nadać go Żukowowi.[7]

Ale nawet tak wielki zaszczyt wydaje się jego wielbicielom niewystarczający. Oto zdeklarowany ateista, członek Związku Dziennikarzy Rosyjskich Diebierdiejew, proponuje włączyć Żukowa w poczet świętych Rosyjskiej Cerkwi Prawosławnej.[8] Diebierdiejew sam nie wierzy ani w diabła, ani w świętych, co osobiście potwierdza. Sytuacja dość typowa: przez cały XX wiek osobnicy różnego autoramentu zmuszali nas, byśmy uwierzyli w coś, w co sami nie wierzyli.

Aby znowu nie narobić głupstw, wystarczy przypomnieć sobie, co myśleli, mówili i pisali o kandydacie na świętego ci, którzy znali go lepiej od nas. Zamiast dzisiejszych pismaków posłuchajmy współczesnych Żukowowi, jego dowódców, towarzyszy broni i podwładnych.

IV

Generalissimus ZSRR Józef Wissarionowicz Stalin: „Marszałek Żukow, wyzbywszy się wszelkiej skromności i ogarnięty poczuciem własnej ambicji, uważał, że jego zasługi są niewłaściwie oceniane. W rozmowach z podwładnymi przypisywał sobie opracowanie i przeprowadzenie wszystkich najważniej-

---

[7] „Krasnaja zwiezda", 3 sierpnia 1996.
[8] *Ibid.*

15

szych operacji Wielkiej Wojny Ojczyźnianej, włącznie z tymi operacjami, z którymi nie miał nic wspólnego"[9].

Marszałkowie Związku Radzieckiego Nikołaj Bułganin i Aleksander Wasilewski całkowicie podzielali opinię Stalina. Powiem więcej: to oni własnoręcznie napisali te słowa i 8 czerwca 1946 roku skierowali do Stalina projekt rozkazu o Żukowie. Faksymile projektu opublikował „Wojenno-istoriczeskij żurnał"[10]. Stalin zgodził się z ich stanowiskiem i podpisał dokument. Marszałek Związku Radzieckiego Konstanty Rokossowski znał Żukowa osobiście prawie pół wieku. Początkowo był wręcz jego dowódcą i sam go awansował. A było to tak. W 1930 roku Rokossowski dowodził 7. Samarską Dywizją Kawalerii im. Angielskiego Proletariatu. A Żukow w tej dywizji był dowódcą 2. brygady. Oto fragment opinii Rokossowskiego, pisanej 8 listopada 1930 roku: „Cechuje go niezwykły upór i chorobliwe wręcz samouwielbienie"[11].

Niepomiernemu samouwielbieniu Żukowa towarzyszyła nadmierna skłonność do alkoholu, wyjątkowa rozwiązłość seksualna i nieludzkie okrucieństwo. W Armii Czerwonej zazwyczaj nikt się nie uskarża, ale okrucieństwo Żukowa przewyższało nawet ówczesne zwyczajowe normy. Komuniści przez 25 lat ukrywali przed narodem świadectwa Rokossowskiego. Teraz ukazały się drukiem. Jest to bardzo przygnębiająca lektura.

Rokossowski opisuje histeryczną atmosferę w brygadzie Żukowa. Dopiero jego usunięcie pozwoliło zaprowadzić względny spokój i porządek. Żukow dostał kopniaka w górę. „Do dywizji przychodziły skargi, dowództwo musiało je rozpatrywać. Próby wpłynięcia na kombryga[12] nie udawały się. I byliśmy zmu-

---

[9] Rozkaz ministra Sił Zbrojnych ZSRR nr 009 z dnia 9 czerwca 1946.
[10] „Wojenno-istoriczeskij żurnał", nr 5/1993, s. 27.
[11] „Wojenno-istoriczeskij żurnał", nr 5/1990, s. 22.
[12] W Armii Czerwonej nie używano wówczas stopni generalskich. Istniały tytuły odpowiadające szczeblowi dowodzenia. Powyżej pułkownika był kombryg (dowódca brygady), potem – komdyw (dowódca dywizji), komkor (dowódca korpusu), komandarm (dowódca armii)

szeni, w celu uzdrowienia atmosfery w brygadzie, awansować Żukowa"[13].

Żukowa wysłano do Moskwy na stanowisko zastępcy szefa Inspektoratu Kawalerii Robotniczo-Chłopskiej Armii Czerwonej. Nie dlatego został awansowany, że był doskonałym dowódcą, ale po to, by rozładować napięcie i za wszelką cenę uwolnić brygadę od sadysty. Okrucieństwo w Armii Czerwonej zawsze umiano docenić. Dowódca-sadysta jest na wagę złota. Ale Żukow był zbyt okrutny.

Rok później, 31 grudnia 1931 roku, opinię o Żukowie pisze Siemion Budionny – członek Rewwojensowietu[14], szef Inspektoratu Kawalerii Robotniczo-Chłopskiej Armii Czerwonej. Uważa on, że Żukow jest niezłomnym członkiem partii, lecz dodaje: można zaobserwować u niego nadmierne okrucieństwo.[15]

Następnie Żukow zostaje dowódcą 4. Dywizji Kawalerii. „Budionny wspominał, jak Żukow rozpoczął dowodzenie dywizją i jak z nadmierną surowością obiecywał zaprowadzić w niej porządek"[16].

Siemion Budionny znany był z tego, że lubił nieraz trzasnąć w pysk. Nie krępował się, jest na to wystarczająco świadectw. Rzecz jasna, nie bił żołnierzy, tylko dowódców. Jednak styl Żukowa nawet dla Budionnego był nie do przyjęcia.

Dowódca Białoruskiego Okręgu Wojskowego komkor Kowalow w opinii na temat Żukowa pisze: „Miały miejsce przypadki

---

II stopnia, komandarm I stopnia, marszałkowie rodzajów broni, marszałek Związku Radzieckiego. W 1940 roku wprowadzono nowy system stopni wojskowych dla wyższej kadry dowódczej: powyżej pułkownika był generał major, potem generał porucznik, generał pułkownik, generał armii, marszałkowie rodzajów broni, marszałek Związku Radzieckiego [przyp. tłum.].

[13] K. Rokossowski [w:] „Wojenno-istoriczeskij żurnał", nr 10/1988, s. 17.

[14] Rewwojensowiet – Rewolucyjna Rada Wojskowa (1918–1934) [przyp. tłum.].

[15] „Wojenno-istoriczeskij żurnał", nr 5/1990, s. 23.

[16] „Wojenno-istoriczeskij żurnał", nr 1/1992, s. 76.

grubiaństwa wobec podwładnych, za co z ramienia partii tow. Żukow otrzymał naganę"[17].

Marszałek Związku Radzieckiego Andriej Jeremienko w styczniu 1943 roku był generałem porucznikiem, dowódcą Frontu Stalingradzkiego. Zapis z jego dziennika z 19 stycznia 1943 roku: „Żukow, ten uzurpator i cham, odnosił się do mnie bardzo źle, po prostu nieludzko. Deptał wszystkich na swojej drodze. [...] Już wcześniej pracowałem z towarzyszem Żukowem, znam go jak zły szeląg. To człowiek straszny i ograniczony. Karierowicz pierwszej wody"[18].

Marszałek Związku Radzieckiego Zacharow: „Powstała bardzo napięta sytuacja. W tych warunkach marszałek Związku Radzieckiego Żukow, koordynujący działania 1. i 2. Frontu Ukraińskiego, nie był w stanie wystarczająco sprawnie zorganizować współpracy wojsk odpierających napór wroga i został przeniesiony przez Naczelne Dowództwo do Moskwy"[19]. Te słowa marszałka Zacharowa potwierdza telegram Stalina: „Jestem zmuszony przypomnieć, że powierzyłem Wam koordynację działań wojsk 1. i 2. Frontu Ukraińskiego, tymczasem z Waszego dzisiejszego raportu wynika, że nie bacząc na powagę chwili, nie jesteście dostatecznie zorientowani w sytuacji: nie jest Wam wiadome, iż wróg zajął Chyłki i Nową Budę; nie wiecie o decyzji Koniewa użycia V Korpusu Kawalerii Gwardii oraz KPanc Rotmistrowa w celu zniszczenia wroga, który wydostał się z okrążenia..."

Nie chodzi tu o jakieś przypadkowe wioski, zajęte przez Niemców. Był to jeden z najbardziej dramatycznych momentów wojny.

W lutym 1944 roku na prawym brzegu Dniepru dwa radzieckie fronty zamknęły pierścień okrążenia wokół wielkiego zgrupowania wojsk nieprzyjaciela. Zadaniem niemieckiego dowództwa było przerwać okrążenie. Zadaniem radzieckiego – nie pozwolić nieprzyjacielowi się wydostać. W rejonie walk były dwa radzieckie fronty, dwa sztaby i dwóch dowodzących:

---

[17] *Marszały Sowietskowo Sojuza*, Moskwa 1996, s. 35.
[18] „Wojenno-istoriczeskij żurnał", nr 5/1994, s. 19.
[19] „Krasnaja zwiezda", 11 lutego 1964.

generałowie armii Iwan Koniew i Nikołaj Watutin. Każdy widzi sytuację na swój sposób, każdy podejmuje własne decyzje. Koordynowanie działań dwóch frontów z Moskwy było zatem niezwykle trudne. Sytuacja zmieniała się błyskawicznie. W sztabach frontów każdy meldunek trzeba było przygotować, zaszyfrować, wysłać do Moskwy, tam go odszyfrować, ocenić, podjąć decyzję, zaszyfrować, odesłać. Zanim się go odszyfruje, sytuacja gruntownie się zmienia i rozkazy z Moskwy nie są adekwatne do nowych okoliczności.

Stalin nie może opuścić Moskwy. Ma problemy nie tylko na prawym brzegu Dniepru. Dlatego posyła w rejon walk swojego zastępcę Żukowa. Oba fronty podporządkowano Żukowowi i miały działać pod jego rozkazami. Wtedy właśnie następuje moment przełomowy: nieprzyjaciel zaczyna przebijać się z okrążenia. Stalin jest w Moskwie, ale zna sytuację i wie, w którym miejscu niemieckie dywizje przełamują pierścień. A Żukow, który przebywa w rejonie działań wojennych, nie ma o tym pojęcia i śle Stalinowi meldunki, w których zapewnia, że nic poważnego się nie dzieje.

Zwróćmy uwagę na pewną osobliwość w depeszy Stalina. V KKaw Stalin wymienia z numeru, natomiast korpus pancerny Rotmistrowa – tylko z nazwiska dowódcy. Dlaczego? A dlatego, że nawet w zaszyfrowanych telegramach rzeczy nie nazywano po imieniu. Często używano eufemizmów typu: „utrzymać wiadome wam miasto", „dojść do linii wiadomej rzeki" itd. Zamiast nazwisk z kręgu Naczelnego Dowództwa posługiwano się pseudonimami. Na przykład „Wasiliew" – to marszałek Wasilewski. Łatwo zgadnąć? Nie, niełatwo. Pseudonimy często zmieniano, bez określonego porządku. Dzisiaj „Wasiliew" to marszałek Wasilewski, a nazajutrz „Wasiliew" to Stalin. Wczoraj „Konstantinow" to marszałek Żukow, a dziś – marszałek Rokossowski. A jutro Żukow będzie funkcjonował jako „Juriew", Rokossowski jako „Kostin", Stalin jako „Iwanow".

W tym samym celu zmieniano również nazwy najważniejszych związków taktycznych. W lutym 1944 roku Stalin mówi o korpusie pancernym Rotmistrowa. Jednak w Armii Czerwonej taki korpus nie istniał już od roku, była za to 5. Armia Pancerna Gwardii, dowodzona przez Pawła Rotmistrowa, ulubieńca Stalina. W lutym 1943 roku Rotmistrow był generałem porucznikiem wojsk pancernych. W lutym 1944 roku, czyli w chwili, o której mowa, był marszałkiem wojsk pancernych. Stalin nawet w swoich szyfrówkach nie chce ujawnić, że wprowadza do boju 5. APanc. Aby pomniejszyć znaczenie tego faktu, Stalin mówi o korpusie pancernym Rotmistrowa. Kto wie, w czym rzecz, ten zrozumie.

A zatem, aby nie pozwolić nieprzyjacielowi wyrwać się z okrążenia, dowodzący 2. Frontem Ukraińskim generał armii Koniew wprowadził do boju 5. APanc i V KKaw. Stalin w Moskwie wiedział o tym. A Żukow, który znajdował się w rejonie walk i miał koordynować działania dwóch frontów, nie wiedział. Dlatego Naczelny Wódz zwraca uwagę swemu zastępcy, że ten nie ma pojęcia o rzeczywistej sytuacji i nie daje sobie rady z powierzonymi mu obowiązkami.

Aby nie przedłużać opisu, przytoczyłem jedynie fragment depeszy Stalina. Całość jest utrzymana w podobnym tonie. Niebawem Stalin wysłał do Żukowa jeszcze jeden telegram podobnej treści. A następnie polecił mu wrócić do Moskwy: i tak w rejonie walk nie ma z niego żadnego pożytku! I jeżeli komuniści twierdzą, że Żukow nie przegrał ani jednej bitwy, radzę im, żeby przypomnieli sobie walki z 1944 roku na prawym brzegu Dniepru. Potężne zgrupowanie wojsk nieprzyjaciela zostało wzięte w kleszcze bez jakiegokolwiek udziału Żukowa. Do niego należało tylko zatrzymanie okrążonych w pierścieniu. Żukow nie poradził sobie z tym zadaniem i poniósł sromotną klęskę. Większość wojsk niemieckich wyrwała się z pułapki i wycofała bez żadnych przeszkód.

Marszałek Związku Radzieckiego Siergiej Biriuzow: „Od momentu objęcia przez towarzysza Żukowa teki ministra obrony w Ministerstwie zapanowały warunki nie do zniesienia. Żukow miał swoją metodę: tłamsić"[20].

Marszałek Związku Radzieckiego Siemion Timoszenko znał Żukowa od wczesnych lat trzydziestych. Stał wtedy na czele korpusu, w którym Żukow dowodził pułkiem. Oto opinia

---

[20] *Oktjabr'skij plenum CK KPSS. Stienograficzeskij otcziet*, Moskwa 1957.

Timoszenki: „Znam Żukowa z czasów wspólnej długoletniej służby i muszę szczerze przyznać, że pęd do nieograniczonej władzy oraz przekonanie o własnej nieomylności miał jakby we krwi. Szczerze mówiąc, nie raz i nie dwa przesadzał. Przez cały czas, odkąd został dowódcą pułku i później, miał z tego powodu ciągłe zatargi"[21].

Marszałek lotnictwa Aleksander Nowikow: „Jeżeli chodzi o Żukowa, to chcę powiedzieć przede wszystkim, że jest to człowiek niezmiernie kochający władzę i samego siebie, uwielbia sławę, okazywanie mu szacunku i pochlebstwa. Nie znosi sprzeciwu"[22].

Marszałek Związku Radzieckiego Filip Golikow już w 1946 roku powiedział, co myśli na temat Żukowa. „Dosyć stanowczo przeciwko Żukowowi wystąpił Golikow. Zarzucił mu niekonsekwencję i arogancję wobec oficerów i generałów"[23]. W październiku 1961 roku, podczas XXII zjazdu KPZR, marszałek Golikow ze zjazdowej trybuny zwymyślał Żukowa w obecności przybyłych z całego świata delegacji prawie stu partii komunistycznych i dziennikarzy światowych agencji informacyjnych.

Marszałek Związku Radzieckiego Iwan Koniew na łamach „Prawdy" dał wyraz temu, co naprawdę myśli o Żukowie.[24] Państwo radzieckie zbliżało się właśnie do kolejnego Wielkiego Jubileuszu: 40-lecia przewrotu bolszewickiego w 1917 roku. Na prawo i lewo dekorowano medalami zasłużonych i niezasłużonych. I wtedy marszałek Koniew wygarnął, co mu leży na wątrobie! Wielbicielom Żukowa radzę odszukać tę gazetę. Koniew wypomniał mu Łuk Kurski i Berlin, a także wspomniany już epizod na prawym brzegu Dniepru. Przedstawił go jako tępego żołdaka i skończonego łotra. Nie wiem, czy artykuł powstał na zamówienie, czy był dziełem spontanicznym, ale Koniew nigdy potem nie wycofał się z wypowiedzi dla „Prawdy".

Jeżeli nawet uznamy, że Koniew przebrał miarkę, to co

[21] *Ibid.*
[22] N. Smirnow, *Wpłot'do wysszej miery*, Moskwa 1997, s. 139.
[23] „Wojenno-istoriczeskij żurnał", nr 12/1988, s. 32.
[24] „Prawda", 3 listopada 1957.

zrobić z pozostałymi świadectwami? Najwyżsi dowódcy wojskowi, każdy, kto tylko nosił na pagonach marszałkowskie gwiazdy – wszyscy byli przeciwko Żukowowi: generalissimus Stalin, marszałkowie Związku Radzieckiego Bułganin, Wasilewski, Jeremienko, Koniew, Zacharow, Golikow, Rokossowski, Timoszenko, Biriuzow. Każdy, kto tylko zechce, bez trudu znajdzie świadectwa zdecydowanie negatywnego stosunku do Żukowa wszystkich pozostałych marszałków Związku Radzieckiego. Budionny, Woroszyłow, Czujkow, Goworow, Sokołowski, Grieczko, Moskalenko, admirał marynarki wojennej Kuzniecow – wszyscy byli z nim skonfliktowani.

Zejdźmy stopień niżej, wysłuchajmy opinii 4-gwiazdkowego generała. Głos ma Bohater Związku Radzieckiego, generał armii Georgij Chietagurow: „Żukow? Zawsze chamski, aż do szpiku kości"[25].

Chietagurow niemal całą wojnę służył jako szef sztabu armii, zawsze na najtrudniejszych odcinkach: w 1941 roku pod Moskwą, w latach 1942–1943 – pod Stalingradem. W 1944 roku był szefem sztabu 1. Armii Gwardii. Z Żukowem nienawidzili się do bólu. Żukow obrzucał go najgorszymi wyzwiskami, Chietagurow nie pozostawał dłużny. Gdyby był niższy rangą, Żukow zastrzeliłby go na miejscu. Ponieważ był szefem sztabu najlepszej armii, to „jedynie" wyleciał ze stanowiska i został... dowódcą dywizji.

Trudno to sobie wyobrazić! Pod sam koniec wojny generała z takim doświadczeniem sztabowym Żukow degraduje na stanowisko dowódcy dywizji, pomijając stanowisko dowódcy korpusu i szefa sztabu korpusu.

Generałów, którzy godzili się na wyzwiska i mordobicie, Żukow awansował.

Ale możemy zejść jeszcze niżej. Generał porucznik Aleksander Wadis, szef zarządu kontrwywiadu SMIERSZ[26] Grupy Radzieckich Wojsk Okupacyjnych w Niemczech, raportował w sierpniu 1945 roku: „Żukow jest arogancki i wyniosły, pod-

---

[25] „Krasnaja zwiezda", 30 listopada 1996.
[26] SMIERSZ – od ros. *smiert' szpionam* (śmierć szpiegom). W latach 1943–1946 radziecki kontrwywiad wojskowy działający w ramach struktur bezpieczeństwa państwowego [przyp. red.].

kreśla swoje zasługi, na ulicach wiszą plakaty: «Niech żyje marszałek Żukow»[27].

Czy nie wydaje się wam, że opinie tych, którzy znali Żukowa osobiście, są zadziwiająco zbieżne? Jeśli nie dajemy wiary Stalinowi, marszałkom, generałom i admirałom – posłuchajmy prostych żołnierzy. Żołnierze mają na Żukowa tylko jedno określenie: rzeźnik.

V

Mordobicie w środowisku generalskim i na niższych szczeblach Armii Czerwonej było rozpowszechnione tak samo jak kradzieże czy pijaństwo.

Sekretarz KC WKP(b) Białorusi towarzysz Gapienko jesienią 1941 roku został mianowany członkiem Rady Wojskowej 13. Armii Frontu Briańskiego. Skierował do Stalina telegram, w którym pisał o tym, jak dowodzący na Froncie Briańskim generał porucznik Jeremienko pouczał Radę Wojskową 13. Armii. W telegramie wspomniany jest generał porucznik Jefremow – zastępca dowódcy Frontu Briańskiego. „Jeremienko, nie pytając o nic, zaczął zarzucać Radzie Wojskowej tchórzostwo i zdradę Ojczyzny. Na moje uwagi, że nie należy wygłaszać aż tak ciężkich oskarżeń, Jeremienko rzucił się na mnie z pięściami i kilka razy uderzył mnie w twarz, grożąc rozstrzelaniem. Oświadczyłem, że może mnie rozstrzelać, ale poniżać komunisty, deputowanego Rady Najwyższej nic ma prawa. Wtedy Jeremienko wyciągnął mauzera, ale przeszkodziła mu interwencja Jefremowa. Następnie zaczął grozić Jefremowowi. W czasie całej tej bezsensownej sceny Jeremienko histerycznie przeklinał, a następnie, kiedy nieco opadły emocje, zaczął się chwalić, że niby to za zgodą Stalina pobił kilku dowódców, a jednemu rozbił głowę"[28].

Jeżeli generał porucznik dowodzący frontem może bezkarnie

---

[27] B. Sokołow, *Nieizwiestnyj Żukow: portriet biez rietuszi*, Mińsk 2000, s. 538.

[28] „Wojenno-istoriczeskij żurnał", nr 3/1993, s. 24. [Odsyłacz do Archiwum Prezydenta Federacji Rosyjskiej, zespół 73, rejestr 1, teka 84, karty 30–31.]

obić gębę sekretarzowi KC WKP(b) Białorusi i członkowi Rady Wojskowej 13. Armii, jeżeli może grozić swojemu zastępcy, też generałowi porucznikowi – to co może zrobić ze zwykłym generałem majorem, który dowodzi zaledwie dywizją czy korpusem? Może z nim zrobić wszystko, co mu się żywnie podoba.

Na niższych szczeblach działo się to samo. Kiedy dowódca korpusu obił gębę dowódcy dywizji, ten wzywał do siebie dowódców pułków i wyżywał się na nich. Mordobicie szło od samej góry do dołu.

Należy zaznaczyć, że za pobicie członka Rady Wojskowej 13. Armii, jak i za wiele podobnych incydentów, Jeremienko nie poniósł żadnych konsekwencji. Pozostał na czele Frontu Briańskiego. Został ranny, później dowodził 4. Armią Uderzeniową, a po odniesieniu kolejnych ran – Frontem Stalingradzkim. Wskutek odniesionych ran Jeremienko kulał, chodził o lasce, którą się podpierał – i którą tłukł po oficerskich łbach. Jednak pod względem zdziczenia Jeremienko nie mógł konkurować z Żukowem. W porównaniu z nim wydawał się całkiem znośnym dowódcą.

Powszechnie wiadomo, że Żukow dość rzadko lał podległych mu oficerów. Zdarzało się niekiedy, że któryś dostał rękawicą w twarz albo pięścią w zęby. Ale, powtarzam, zdarzało się to nieczęsto. Po cóż bić oficera, skoro można go zastrzelić? Żukow uciekał się do mordobicia głównie wobec generałów. Lał ich często i mocno. Sprawiało mu to widoczną przyjemność. Czasami rzucał się też na marszałków.

Opowiada reżyser Grigorij Czuchraj: „Przez czas jakiś nie zważałem na to, co się dzieje. Nagle usłyszałem hałas. Odwróciłem się i zamarłem: Żukow i Koniew skoczyli sobie do gardeł. Zaczęli się szarpać. Rzuciliśmy się, żeby ich rozdzielić"[29].

Nie zdziwiłbym się, gdybym zobaczył dwóch radzieckich generałów, którzy w eleganckim towarzystwie leją się po mordach. To zwykła sprawa. Ale żeby marszałkowie?... Berlin zdobywały dwa fronty: 1. Białoruski i 1. Ukraiński, a więc Żukow i Koniew. Po wojnie marszałkowie-wyzwoliciele stoczyli pojedynek, lecz nie na słowa, a tradycyjnie – na pięści.

---

[29] „Krasnaja zwiezda", 19 września 1995.

Radzieccy marszałkowie powinni byli uczyć się od rodzimych knajaków. Ci przynajmniej mają pewne zasady. Gdy rzecz dojrzewa do mordobicia w miejscu publicznym, pada propozycja: „Może wyjdziemy?" Tymczasem marszałkowie, poczynając od Żukowa, jak tylko coś im nie pasuje – z miejsca w pysk. W miejscu publicznym, nic sobie nie robiąc z obecności generałów, akademików, wybitnych artystów. Dlaczego nie może jeden marszałek wezwać drugiego do gabinetu i tam przyłożyć mu w nos! A potem w szczękę! A potem z kopa!

Współczesna Armia Rosyjska zdumiona jest sadyzmem, który oficjalnie określa się terminem „stosunki nieregulaminowe" – czyli tak zwaną falą. Pod tym terminem kryje się bestialskie poniżanie godności ludzkiej, bicie, tortury, katowanie, bestialskie morderstwa. Socjologowie łamią sobie głowy: skąd to się wzięło?

Jak to skąd? Od naszych generałów i marszałków! Od dwukrotnych Bohaterów Związku Radzieckiego, od trzykrotnych Bohaterów i od czterokrotnych. Od Czujkowa i Gordowa. Od Jeremienki i Zacharowa. Od Moskalenki. Od Żukowa.

VI

Chamstwo Żukowa przeszło do legendy. W czasie wojny i w czasie pokoju zwracał się per „ty" do każdego, kto był niższy rangą, począwszy od tych, którzy mieli po trzy i po cztery gwiazdki na pagonach. Nawet począwszy od tych, którzy nosili takie same marszałkowskie gwiazdy na pagonach.

Marszałek Związku Radzieckiego Rokossowski wspomina: „Połączyłem się z Żukowem linią WCz[30]. Podczas rozmowy byłem zmuszony oświadczyć mu, że jeśli nie zmieni tonu, to odłożę słuchawkę. Chamstwo, na jakie sobie w tym dniu pozwalał, przekraczało wszelkie granice"[31].

Historycy znają pojęcie niezamierzonego świadectwa. Oznacza, że co prawda świadek mówi i pisze jedno, ale spomiędzy

---

[30] WCz – linia wysokiej częstotliwości, tzw. rządówka [przyp. tłum.].

[31] „Wojenno-Istoriczeskij Żurnał" nr 6/1989, s. 55.

wierszy jak szydło z worka wychodzi coś zupełnie innego. I właśnie to coś – to czysta prawda.

Zwiadowca Władimir Karpow przeszedł cały szlak bojowy. Na froncie wykonywał najbardziej niebezpieczne zadania – wielokrotnie udawał się na tyły wroga, aby schwytać i doprowadzić „języka".

Nasłuch łączności radiowej może uzyskać i przeanalizować tysiące danych. Specjaliści od namiaru dźwiękowego mogą określić położenie dowolnej baterii artylerii. Analitycy z jednego zdjęcia lotniczego mogą odczytać zmiany w ugrupowaniu nieprzyjaciela. Specjaliści od dekryptażu mogą rozszyfrować informacje wielkiej wagi. Ale dowódca wciąż ma wątpliwości: czy przed nami stoi Dywizja SS „Totenkopf", czy tak dobrze działa ich dezinformacja? Wtedy pada rozkaz: dawajcie „języka"!

I Karpow doprowadzał „języka". Za to odznaczono go Złotą Gwiazdą Bohatera Związku Radzieckiego. Po wojnie zabrał się do pisania, został sekretarzem Związku Pisarzy Radzieckich. Karpow wielokrotnie spotykał się z Żukowem i napisał o nim pochwalną książkę: jest wielki, potężny, niezwyciężony. Ale spomiędzy wierszy wyłania się zupełnie inny obraz Żukowa. Oto fragment rozmowy pisarza z wielkim dowódcą.

„Żukow popatrzył na mnie, przeniósł wzrok na Złotą Gwiazdę na mojej piersi i zapytał:

– Za co dostałeś gwiazdę?

– Za wyprawy po «języka»...

Twarz Żukowa wyraźnie się rozjaśniła, zawsze serdecznie odnosił się do zwiadowców.

– A gdzie służyłeś, podpułkowniku?

– Wszyscy służyliśmy u was, towarzyszu marszałku"[32].

Karpow do Żukowa – per „wy"; Żukow do Karpowa – per „ty".

Żukow rozmawia z Karpowem tak samo jak Breżniew z Wojciechem Jaruzelskim. Swego czasu Władimir Bukowski wywiózł z archiwów KC KPZR ogromną liczbę dokumentów. Oto fragment jednego z nich:

---

[32] „Krasnaja zwiezda", 1 marca 1997.

„L. BREŻNIEW: Witaj, Wojciechu.

W. JARUZELSKI: Witajcie, szanowny i drogi Leonidzie Iljiczu"[33].

Wróćmy jednak do opisywanej sytuacji 20 lat po wojnie. Żukow dawno już nie jest ministrem obrony, jest zaledwie odsuniętym od łask marszałkiem, którego w niesławie wygnano z armii i strącono z wyżyn władzy. Mógłby okazać frontowemu oficerowi trochę szacunku! Kośćmi takich jak on usłany jest szlak bojowy od Moskwy do Berlina, od Petersburga do Wiednia, od Stalingradu do Królewca i Pragi. Zdejmijże, Żukow, czapkę przed zwiadowcą! To na jego grzbiecie wjechałeś do Kijowa i do Warszawy, i do Berlina.

Ale gdzie tam!

Inna sprawa, że Karpow też zachował się jak pętak. Na froncie rozumiem, oficerowie bali się, że Żukow każe ich rozstrzelać, dlatego znosili jego chamstwo. Ale czego 20 lat po wojnie obawiał się Karpow? Trzasnąłby drzwiami, wyszedł – i tyle.

Ale nie trzasnął i nie wyszedł, tylko napisał książkę o wielkości Żukowa. Chciał przedstawić strategicznego geniusza, lecz wbrew własnej woli przedstawił prymitywnego żołdaka, zuchwalca i impertynenta.

VII

W 1957 roku Żukowa zdymisjonowano ze wszystkich stanowisk. Jego sprawa była omawiana na plenum Komitetu Centralnego z udziałem wielu marszałków, generałów i admirałów. Wszyscy zgodnie wystąpili przeciwko Żukowowi. Nikt nie zabrał głosu w jego obronie.

A więc? Może radzieccy generałowie i marszałkowie to pokorne owieczki? Może to Chruszczow kazał im wystąpić przeciwko Żukowowi, dlatego gadają jednym głosem?

Nie, marszałkowie i generałowie to nie stado owiec. W 1946 roku Stalin zamierzał nie tylko usunąć Żukowa ze wszystkich stanowisk, ale też miał zamiar wsadzić go do więzienia, a możliwe, że i rozstrzelać. Trzeba przyznać, że Żukow zasłużył

---

[33] W. Bukowski, *Moskiewski proces*, Warszawa 1998, s. 564.

sobie na egzekucję. Zgodnie z radzieckim prawem jest kryminalistą, zbrodniarzem, którego sędziowie po prostu nie mieli prawa oszczędzić. Gdyby Stalin rozstrzelał Żukowa, byłaby to nie tylko sprawiedliwa zapłata za bestialstwa i zbrodnie, ale też wybawienie kraju od zalewu nadciągających przestępstw. Lecz Stalinowi sprzeciwili się generałowie i marszałkowie. Oto relacja generała porucznika Pawlenki:

„Koniew wspomina, że na zakończenie wszystkich przemówień ponownie zabrał głos Stalin, znowu ostro, ale już nieco inaczej. Widocznie początkowo planował aresztować Żukowa zaraz po posiedzeniu. Ale gdy poczuł wewnętrzny, i nie tylko wewnętrzny, sprzeciw dowódców i powszechnie znaną ich solidarność z Żukowem, zapewne zorientował się i odstąpił od początkowego zamiaru. Uważamy, że Koniew nie mylił się co do swoich przeczuć. Stalin tym razem naprawdę zamierzał rozprawić się z Żukowem, ale solidarność wojskowych stanęła mu na drodze"[34].

Żukowa ocaliła solidarność generałów i marszałków. Jak to należy rozumieć? Zarówno za późnego Stalina, jak i za wczesnego Chruszczowa na szczycie władzy wojskowej urzędowali ci sami generałowie, admirałowie i marszałkowie. Za Stalina uratowali Żukowa, a za Chruszczowa posłali go na zieloną trawkę.

W 1946 roku Stalin rządzi już od dwudziestu lat. Został już oficjalnie uznany za geniusza wszech czasów i wszech narodów. Jest dyktatorem, jakich nigdy i nigdzie wcześniej nie było. Jego autorytet jest niepodważalny, a władza nieograniczona. A mimo to marszałkowie i generałowie wystąpili razem i nie pozwolili aresztować Żukowa. Za taki czyn każdy z nich mógł zapłacić głową.

A Chruszczow w 1957 roku dopiero pnie się na szczyt. Jeszcze nie ma autorytetu. Jego władza opiera się nie wiadomo na czym. Praktyka niszczenia rywali została na jakiś czas zawieszona. Rozstrzelać nieposłusznych generałów Chruszczow nie może. I nagle ci sami marszałkowie i generałowie pozwalają mu zdjąć Żukowa i zgodnie popierają Chruszczowa.

---

[34] „Wojenno-istoriczeskij żurnał", nr 12/1988, s. 32.

O co w tym wszystkim chodzi?

Chodzi o to, że w 1946 roku marszałkowie i generałowie wystąpili nie w obronie Żukowa, tylko w obronie samych siebie. Rozumowali tak: dzisiaj Stalin aresztuje, wsadzi do więzienia, może nawet każe rozstrzelać Żukowa – a jutro kogo? Stąd ich nadzwyczajna śmiałość i zgodność. Pamiętali, że właśnie tak zaczynała się czystka w 1937 roku. Nie pozwolili Stalinowi tego powtórzyć.

Podobnie w 1957 roku generałowie i marszałkowie wstawiali się nie za Chruszczowem, tylko znowu za sobą. Latem 1957 na szczycie władzy znaleźli się ramię w ramię Nikita Chruszczow i Gieorgij Żukow. Dla obu nie było tam miejsca. To dwa pająki w jednym słoju. Albo Żukow pożre Chruszczowa, albo Chruszczow Żukowa.

Generałowie i marszałkowie wiedzieli, że Żukow jest chorobliwie ambitny, że jest człowiekiem strasznym i ograniczonym. Wiedzieli, że to uzurpator i cham. Wiedzieli, że jest najwyższej miary karierowiczem. Wiedzieli, że zdeptał wszystkich na swojej drodze. Wiedzieli, że ma we krwi żądzę nieograniczonej władzy i głębokie poczucie własnej nieomylności. Właśnie takimi słowami go opisywali. Wiedzieli, co ich czeka, jeżeli Żukow obejmie władzę.

Dlatego wyższa kadra dowódcza Radzieckich Sił Zbrojnych solidarnie stanęła po stronie Chruszczowa.

Rozdział 2

Zagadki debiutu

Bardzo możliwe, że pod względem ilości przelanej krwi i osobiście wydanych zaocznych wyroków śmierci marszałek Żukow w pewnym okresie przerósł nawet Stalina.[1]

A. BUSZKOW

I

Rok 1939, Mongolia, Chałchyn-goł – to debiut Żukowa jako dowódcy. W Mongolii stacjonował radziecki LVII Wydzielony Korpus Piechoty, dowodzony przez komdywa Feklenkę. Szefem sztabu był kombryg Kuszczew. Po drugiej stronie granicy – Japończycy w sile kilku dywizji i brygad.

Na początku maja na granicy wybuchł konflikt zbrojny. Potyczki pomiędzy wojskami radzieckimi i japońskimi przeradzały się w regularne bitwy z udziałem lotnictwa, artylerii i czołgów. Nikt nikomu nie wypowiedział wojny, ale intensywność działań zbrojnych narastała. Nie wszystko układało się pomyślnie dla wojsk radzieckich. I właśnie tam, do Mongolii, wysłano komdywa Żukowa z nadzwyczajnymi pełnomocnictwami. Rozkaz był jasny: zorientować się w sytuacji, zbadać, co się tam rzeczywiście dzieje.

5 czerwca 1939 roku Żukow przybył do sztabu LVII WKP

---

[1] A. Buszkow, *Rossija, kotoroj nie było*, Moskwa 1997, s. 559.

i zażądał, by przedstawiono mu sytuację. Sam tak opisuje zdarzenia w Mongolii:

„Referując sytuację, Kuszczew od razu zastrzegł się, że nie jest ona dokładnie zbadana. Z referatu niedwuznacznie wynikało, że dowództwo korpusu po prostu nie zna prawdziwej sytuacji. [...] Okazało się, że nikt z dowództwa korpusu, oprócz komisarza pułkowego Nikiszewa, nie był w rejonie działań bojowych. Zaproponowałem więc dowódcy korpusu, abyśmy niezwłocznie wyjechali na przedni skraj i dokładnie zorientowali się w sytuacji. Powołując się jednak na to, iż w każdej chwili może być do niego telefon z Moskwy, Feklenko poprosił, abym pojechał z towarzyszem Nikiszewem"[2].

Tym sposobem Żukow i komisarz Nikiszew udali się razem na pierwszą linię. „Po powrocie na stanowisko dowodzenia i naradzeniu się z dowództwem korpusu wysłaliśmy meldunek do ludowego komisarza obrony. Meldunek zawierał krótki plan działań wojsk radziecko-mongolskich. [...] Nazajutrz otrzymaliśmy odpowiedź. Woroszyłow całkowicie zgadzał się z naszą oceną sytuacji i zatwierdził przedstawiony mu plan działań. W tym samym dniu nadszedł również rozkaz ludowego komisarza obrony, którym zwolniono komdywa Feklenkę z funkcji dowódcy LVII Korpusu i jednocześnie mianowano mnie na to stanowisko"[3].

Żukow zażądał natychmiastowego wzmocnienia zgrupowania wojsk radzieckich. Jego żądanie zostało spełnione. Następnie rozkazał, by przysłano najlepsze myśliwce konstrukcji Polikarpowa: I–16 oraz I–153. Do dyspozycji Żukowa przekazano eskadrę, w której skład wchodziło dwudziestu jeden Bohaterów Związku Radzieckiego. Byli to najlepsi w kraju piloci – każdy miał już na swoim koncie co najmniej dziesięć zwycięstw odniesionych na niebie Hiszpanii i Chin, wielu z nich zdobyło doświadczenie w bitwach powietrznych nad jeziorem Chasan.

15 lipca 1939 roku korpus wydzielony Żukowa został rozwi-

---

[2] G. Żukow, *Wspomnienia i refleksje*, Warszawa 1970, s. 139––140.

[3] *Ibid.*, s. 140.

nięty w 1. Grupę Armijną. Grupa armijna to coś pośredniego pomiędzy korpusem i właściwą armią. Dwa tygodnie później, 31 lipca 1939 roku, Żukowowi nadano stopień wojskowy komkora. Nieprzyjaciel również wzmacniał swoje siły. 10 sierpnia wojska japońskie, które prowadziły działania bojowe na granicy Mongolii, zostały przekształcone w 6. Armię. W połowie sierpnia w skład 1. Grupy Armijnej Żukowa wchodziło 57 tysięcy żołnierzy i oficerów, 515 samolotów bojowych, 542 działa i moździerze, 385 samochodów pancernych oraz 498 czołgów.

Przez cały czerwiec, lipiec i pierwszą połowę sierpnia, na ziemi i w powietrzu toczą się krwawe starcia pomiędzy wojskami radzieckimi i japońskimi. Szala zwycięstwa przechyla się raz na jedną, raz na drugą stronę. Natężenie walk narasta, potyczki stopniowo przeradzają się w przewlekły konflikt...

I nagle wczesnym rankiem 20 sierpnia radziecka artyleria przeprowadza niespodziewany ostrzał stanowisk dowodzenia i baterii przeciwlotniczych nieprzyjaciela. Po pierwszym uderzeniu ogniowym następuje zmasowany nalot bombowców, po nim właściwe przygotowanie artyleryjskie trwające 2 godziny i 45 minut. W momencie przeniesienia ognia z pierwszej linii w głąb pozycji nieprzyjaciela radzieckie dywizje piechoty, brygady pancerne i zmotoryzowane zaatakowały zgrupowanie Japończyków na flankach.

23 sierpnia wojska radzieckie zamknęły pierścień okrążenia wokół 6. Armii.[4] W tym dniu Ribbentrop i Mołotow podpisali na Kremlu pakt, który w istocie rozstrzygał o podziale Europy i początku wojny światowej.

31 sierpnia 1939 roku dokonano całkowitego rozgromienia okrążonego zgrupowania Japończyków w Mongolii. Nazajutrz rozpoczęła się II wojna światowa.

Klęska wojsk japońskich nad rzeką Chałchyn-goł miała poważne następstwa strategiczne. Do tego momentu dowódcy japońscy stali wobec alternatywy: napaść na ZSRR lub na USA

---

[4] *Sowietskaja wojennaja encykłopiedija*, t. 1–8, Moskwa 1976––1980, t. 8, s. 353.

i Wielką Brytanię. Po klęsce nad Chałchyn-goł zdecydowali się na drugi wariant. Jedną z przyczyn takiego a nie innego wyboru była lekcja, jakiej Żukow udzielił japońskiej generalicji. 29 sierpnia 1939 roku za rozgromienie Japończyków Żukow otrzymał tytuł Bohatera Związku Radzieckiego. Wręczono mu medal Złotej Gwiazdy i najwyższe odznaczenie państwowe – Order Lenina.

Nawiasem mówiąc, medal Złotej Gwiazdy ustanowiono 1 sierpnia 1939 roku, właśnie w czasie największego nasilenia walk nad Chałchyn-goł. Tytuł Bohatera Związku Radzieckiego nadawano już wcześniej, lecz nie towarzyszyły mu żadne odznaczenia.

II

Żukow przybył do Mongolii wyposażony w nadzwyczajne pełnomocnictwa – i wykorzystał je z nawiązką. Dla nikogo nie było tajemnicą, że rozstrzeliwuje z byle powodu, a często w ogóle bez powodu. Poznałem wiele pisemnych świadectw tych egzekucji, wystarczyłoby dla każdego trybunału.

Widzę, że chcecie zaprotestować: racja, Żukow był bezwzględnym sadystą, prawda, że rozstrzeliwał swoich oficerów i żołnierzy nad Chałchyn-goł, nie tylko dla utrzymania dyscypliny, ale i dla własnego widzimisię. Ale też jaką niesamowitą operację przeprowadził!

Doprawdy? Przeczytajmy pierwsze wydanie pamiętników Żukowa, potem drugie, trzecie, aż do najnowszego. Ciekawe: w żadnym wydaniu nie znalazłem nazwiska jego szefa sztabu. Żukow przytacza z pamięci nazwiska bohaterskich lotników i czołgistów, zwiadowców i kawalerzystów. Pamięta nawet niejakiego Ortenberga – redaktora gazetki 1. Grupy Armijnej. Co prawda miał ku temu szczególne powody: pomagał Ortenbergowi w karierze, ten zaś sławił jego imię. Po upływie dwóch lat Ortenberg był już redaktorem naczelnym „Krasnoj Zwiezdy", naczelnego organu Armii Czerwonej. Pamiętamy, że to on uwiecznił wyczyn panfiłowców, którzy pod genialnym dowództwem niezwyciężonego Żukowa zniszczyli niewyobrażalną liczbę niemieckich czołgów.

W swojej książce Żukow przypomniał nazwiska sanitariuszy, którzy z narażeniem życia śpieszyli rannym z pomocą. Żukow wymienił z nazwiska cały sztab funkcjonariuszy politycznych, przypomniał pisarzy i korespondentów, którzy byli nad Chałchyn-goł: Simonowa, Sławina, Stawskiego i wielu innych. Nie bez kozery: w przededniu II wojny światowej młodzi agitatorzy komunistyczni zdobywali nad Chałchyn--goł pierwsze szlify. Na przykład początkujący gryzipiórek Konstanty Simonow mozolił się w owym czasie nad książką o nadchodzących światowych rządach komunistów. Żukow był gorącym zwolennikiem idei zagarnięcia przez komunistów władzy nad światem, dlatego wszyscy, którzy podzielali ten punkt widzenia, mogli liczyć na jego wsparcie w trudnej wspinaczce po szczeblach wiodących do nomenklaturowych dóbr.

Lecz mimo wszystko, to dziwne: jakiegoś tam Simonowa Żukow pamięta, a szefa własnego sztabu – nie.

Nie łudźmy się, że to przypadek. Słaba pamięć ma swoje wytłumaczenie.

III

Poprzedniego szefa sztabu Żukow wymienia z nazwiska – kombryg Kuszczew. Nie znał układów, więc go szybko zdjęto. Żukow tego nie zapomniał. Wyznaczono nowego, ale Żukow nie pamięta, kogo dokładnie.

Jeżeli nowy szef sztabu niczym szczególnym się nie wyróżniał, należało go odwołać, tak samo jak poprzednika, i wyznaczyć następnego. Żukow miał przecież specjalne pełnomocnictwa. Gdyby zażądał zmiany szefa sztabu, nikt by się nie sprzeciwił. Pamiętajmy: jest lato roku 1939, jeszcze nie zaczęła się Wielka Wojna Ojczyźniana. Z całej Armii Czerwonej walczy tylko jeden korpus, z czasem przekształcony w grupę armijną. Ten korpus, a potem grupa armijna, to reprezentacja Armii Czerwonej. Obserwując poczynania tego korpusu, wrogowie i przyjaciele będą wyrabiać sobie opinię o całej armii. Na szali spoczywa reputacja całego Związku Radzieckiego. Jest w interesie najwyższego kierownictwa, żeby nad Chałchyn-goł mieć najlepszego szefa sztabu...

A przecież właśnie to jest zagadką historii. Skoro szef sztabu był zły, dlaczego Żukow nie zażądał, żeby go zastąpiono? Jeżeli przeciwnie, był dobry, dlaczego Żukow go nie pamięta? A więc: co chcesz przemilczeć, Gieorgiju Konstantynowiczu?!

IV

Powszechnie wiadomo, że książka *Wspomnienia i refleksje* nie została napisana przez Żukowa. Na okładce jednak widnieje jego nazwisko, a sam Żukow występuje w roli narratora. Dlatego dla ułatwienia przyjmijmy hipotezę, że Żukow miał jednak coś wspólnego z jej powstaniem.

Przyczyny zaniku pamięci autorów wspomnień Żukowa są całkiem proste. We wszystkich radzieckich źródłach dotyczących Chałchyn-goł tylko raz znajdujemy nazwisko, o które nam chodzi: „Szefem sztabu grupy od 15 lipca do września był kombryg Bogdanow"[5].

Marszałek Zacharow nieprzypadkowo napomknął o szefie sztabu 1. Grupy Armijnej – i nieprzypadkowo uczynił to w 1970 roku. Oto, co się za tym kryje.

Rok wcześniej po raz pierwszy ukazały się pamiętniki Żukowa. Z jakichś sobie tylko znanych powodów Żukow nie podaje nazwiska szefa sztabu 1. Grupy Armijnej. Wtedy inni marszałkowie, nie tylko Zacharow, postanawiają przypomnieć: hola, drogi towarzyszu, nie zapominaj, kto był u ciebie szefem sztabu! Twoją operację nad Chałchyn-goł planował sam Bogdanow! Czemuś go pominął?

Latem 1939 roku Żukow nie zażądał najlepszego szefa dla swego sztabu, ponieważ dobrze wiedział, że lepszego niż Bogdanow po prostu nie ma. Ale kiedy przyszedł czas, by dzielić się splendorem, Żukow zapadł na katastrofalną amnezję.

Nasz bohater pamięta wiele rzeczy: „Już wcześniej wspominałem o pracy partyjno-politycznej w naszych jednostkach. Organizacje partyjne wnosiły ogromny wkład w realizację

---

[5] M. Zacharow [w:] „Nowaja i nowiejszaja istorija", nr 5/1970, s. 23.

zadań bojowych. W pierwszych szeregach kroczyli zawsze: szef wydziału politycznego grupy armijnej – komisarz dywizyjny Piotr Iwanowicz Gorochow, komisarz pułkowy Roman Pawłowicz Babijczuk, sekretarz komisji partyjnej korpusu Aleksiej Michajłowicz Pomohajło, komisarz Iwan Wasiljewicz Zakoworotny"[6].

„Dokąd tylko poszedłem – do jurty czy okazałego domu, do instytucji cywilnej czy jednostki wojskowej, wszędzie widziałem na honorowym miejscu portret Lenina, o którym każdy Mongoł mówił ze szczerą, gorącą sympatią"[7].

Nasi bohaterscy komisarze i funkcjonariusze polityczni zawsze i wszędzie rozwieszali portrety „Wiecznie Żywego"... To bardzo piękne, dobrze, że Żukow o tym pamięta. Ale to, jak został opracowany plan wspaniałej operacji, Żukow pamięta jak przez mgłę.

Nie bez powodu cytowałem Żukowa na początku rozdziału. Przeczytajmy raz jeszcze, jak powstawał plan operacji. Jeżeli dać wiarę Żukowowi, to na czele LVII Korpusu stali kretyni – Feklenko i jego szef sztabu Kuszczew. Nie bywali na pierwszej linii, sytuacji nie znali. Żukow wziął ze sobą komisarza Nikiszewa i udał się w rejon walk.

„Po naradzeniu się z dowództwem korpusu wysłaliśmy meldunek do ludowego komisarza obrony. Meldunek zawierał krótki plan działań wojsk radziecko-mongolskich. [...] W tym samym dniu nadszedł również rozkaz ludowego komisarza obrony, którym zwolniono komdywa Feklenkę z funkcji dowódcy LVII Korpusu i jednocześnie mianowano mnie na to stanowisko"[8].

Żukow utrzymuje, że przygotowanie planu było rzekomo dziełem kolektywu. Ale w naszej pamięci pozostaje zgoła odmienny obraz wydarzeń. Co prawda unika narracji w pierwszej osobie, nie mówi: zdecydowałem, posłałem – ale tak właśnie odbieramy jego opowieść.

Żukow nakreślił krąg osób wtajemniczonych w opracowanie planu: on sam, komisarz Nikiszew, komdyw Feklenko i szef

---

[6] Żukow, *op. cit.*, s. 156.
[7] *Ibid.*, s. 157.
[8] *Ibid.*, s. 140.

sztabu Kuszczew. Jednak dla każdego jest sprawą oczywistą, że komisarz mógł być obecny przy opracowywaniu planu, ale nie mógł być jego współautorem. Zadaniem komisarza jest dopilnowanie, by dowódca regularnie czytał „Manifest komunistyczny", żeby pił z umiarem i żeby w każdej jurcie mongolskiej wisiały co najmniej dwa portrety Lenina: jeden nad wejściem, drugi nad paleniskiem.

Poprzedni dowódca korpusu też nie mógł być współautorem planu. Żukow opisał go jako kretyna, który nie miał pojęcia o sytuacji, nie był nawet w rejonie walk, dlatego też niczego mądrego genialnemu Żukowowi podpowiedzieć nie mógł. Nie bez powodu zaraz go zdjęto. Szef sztabu był taki sam.

Po zapoznaniu się z opisem bałaganu, jaki panował w sztabie LVII Korpusu przed przyjazdem Żukowa, czytelnik podświadomie odrzuca półgłówków z kręgu potencjalnych autorów genialnego planu. Tymczasem prócz nich, no i komisarza Nikiszewa, Żukow wymienia tylko siebie. Jeżeli ponadto wyeliminujemy z grona autorów poprzedniego dowódcę korpusu, szefa jego sztabu i komisarza – nasza podświadomość czyni to machinalnie – pozostanie nam tylko Żukow.

W tekście książki pojawiają się zwroty w rodzaju „doszliśmy do wniosku", „naradziliśmy się z dowództwem korpusu" itp. Książka jest jednak napisana w taki sposób, by czytelnik pozostawał w przeświadczeniu, że prócz Żukowa nikt nie mógł niczego mądrego zaproponować.

V

Plan rozbicia japońskiej 6. Armii nie jest prostą sprawą. Trzeba zgromadzić i opracować ogromną ilość danych, przeanalizować sytuację, podjąć odpowiednie decyzje i sformułować koncepcję uderzenia. Ponadto trzeba zaplanować działania wszystkich jednostek, zorganizować wywiad i kontrwywiad, skoordynować współpracę wszystkich ze wszystkimi, opracować rozkazy bojowe i jasno wytyczyć zadania stojące przed siłami, które będą uczestniczyć w operacji. Trzeba stworzyć niezawodny system łączności. Ponadto należy ustalić system kierowania ogniem, zapewnić nieprzerwane dostawy amunicji, paliwa, sprzętu saperskiego, medycznego, prowiantu i wielu innych, niezbędnych dla wojska materiałów.

Jeżeli wszystko to Żukow przygotowywał sam, to znaczy, że był fatalnym dowódcą. Opracowywać plany powinien sztab. Oczywiście, pod nadzorem swojego dowódcy. Ale dowódca nie może zastępować szefa sztabu. Jeżeli dowódca odwala cudzą robotę, to znaczy, że nie będzie miał sił ani czasu, by wypełniać własne obowiązki.

Za opracowanie planu w sztabie odpowiada wydział operacyjny. Wszystkie pozostałe wydziały sztabu pracują na niego. Jeżeli dowódca sam układa plany, podczas gdy szef sztabu i szef wydziału operacyjnego próżnują, to znaczy, że zwyczajnie nie potrafi zorganizować pracy swoich podkomendnych.

Oto przykład, jak nie powinno się dowodzić wojskiem. „Krasnaja zwiezda" donosi o bohaterskim wyczynie generała majora Małofiejewa, zastępcy dowódcy 58. Armii w Czeczenii. Jego wyczyn polegał na tym, że generał major „pierwszy rzucił się do ataku"[9]. Oczywiście został zabity. „Krasnaja Zwiezda" zachwyca się jego męstwem. A przecież przypadek ten wcale nie świadczy o męstwie, ale o katastrofalnym stanie Armii Rosyjskiej i karygodnym nieopanowaniu przez generałów sztuki dowodzenia. Jeżeli zastępca dowódcy armii musi sam biec do ataku, to taką armię trzeba rozgonić na cztery wiatry, a kierujących Ministerstwem Obrony oddać pod sąd.

Jeżeli dowódca pułku sam maluje płoty i sprząta latryny, a jego żołnierze spędzają czas na nieróbstwie, oznacza to, że dowódca jest do luftu. Jeżeli więc dowiadujemy się, że Żukow sam układał wszystkie plany, to nie jest to komplement.

Ludzie, którzy pisali pamiętniki Żukowa, zdawali sobie z tego sprawę. Dlatego w dalszej części książki napisano krótko: „Opracowaniem planu generalnego natarcia w sztabie grupy armijnej zajmowali się osobiście: dowódca, członek rady wojskowej, szef wydziału politycznego, szef sztabu i szef wydziału operacyjnego"[10].

Członek rady wojskowej i szef wydziału politycznego – to

---

[9] „Krasnaja zwiezda", 27 stycznia 2000.
[10] Żukow, *op. cit.*, s. 148.

komisarze. Ich rola została już wyjaśniona. Żukow umieścił ich na stronach wspomnień tylko po to, żeby ukazać swoje gorące uczucia do funkcjonariuszy politycznych i komisarzy. W 1957 roku Żukowa strącono z piedestału między innymi za to, że próbował ograniczać pracę polityczną w armii, usuwać z niej politruków lub ewentualnie przydzielać im role animatorów wojskowych zespołów artystycznych, odpowiedzialnych za czas wolny żołnierzy i oficerów.

Po upadku Żukowa władzę w kraju przejęli ludzie, którzy na wojnie byli komisarzami: Chruszczow, Bułganin, Breżniew, Jepiszew, Kiriczenko i inni. Pobity, skomlący Żukow przez resztę swojego życia starał się przypochlebić komisarzom, zabiegał o wybaczenie. Cała jego książka to jeden wielki hymn na cześć politruków i komisarzy. Partia naszym sterem, żeglarzem, okrętem! Gdyby komisarze nie rozwiesili w jurtach właściwych portretów, nie zwyciężyłbym nad Chałchyn-goł! W wojnie z Niemcami też ponieślibyśmy klęskę! To partia prowadziła nas do boju! Na wojnie ja, wielki Żukow, szukałem komisarza Breżniewa, żeby go prosić o radę! Ale Breżniew był na Małej Ziemi[11], gdzie trwały zacięte walki. Och, gdybym tylko mógł się go wtedy poradzić! Na pewno wcześniej wygralibyśmy tę wojnę.

Opowiadając o tym, jak narodził się plan ofensywy nad Chałchyn-goł, Żukow nie mógł pominąć roli komisarzy politycznych w planowaniu operacji. Jakże mógłby się bez nich obejść? O komisarzach wspomina również po to, by za ich plecami umieścić szefa sztabu razem z dowódcą wydziału operacyjnego. Że niby też byli obecni, też coś tam dłubali.

Szef sztabu 1. Grupy Armijnej jest wspomniany w książce tylko raz, ale jego nazwisko nie zostaje wymienione. Dowódca wydziału operacyjnego – też tylko raz i też bez nazwiska.

---

[11] Mała Ziemia – nazwa przyczółka na południowy zachód od Noworosyjska; w lutym 1943 roku opanowany przez wojska radzieckie i utrzymany przez sześć miesięcy. Pod tym tytułem w 1978 roku ukazały się wspomnienia Leonida Breżniewa, sekretarza generalnego KC KPZR [przyp. tłum.].

VI

Żukow ma zaiste fenomenalną pamięć. Nie sposób jej zmierzyć w żadnych gigabajtach. Pamięta nie tylko nazwiska żołnierzy radzieckich, ale i mongolskich. Wymienia na przykład kawalerzystę Cherłoo, kierowcę samochodu pancernego Chajanchirwę, celowniczych baterii artylerii przeciwlotniczej Czułtema i Gambosurena i wielu, wielu innych. Przez trzydzieści lat nie wyleciały mu z pamięci! Czytam Żukowa – i łzy strumieniami spływają mi po policzkach. Płaczę z zawiści: cóż za pamięć! Pamięta imiona wszystkich politruków!

W tym kontekście dosyć dziwnie i podejrzanie wygląda niemożność przypomnienia sobie nazwiska szefa sztabu, który był, a przynajmniej powinien być, mózgiem 1. Grupy Armijnej.

Ale nie jest to jedyna zagadka tej bitwy. W debiucie Żukowa zagadek jest więcej. Oto największa: na początku nowego tysiąclecia wszystkie dokumenty dotyczące bitwy nad Chałchyn-goł nadal są opatrzone klauzulami „Tajne" i „Ściśle tajne". Kiedy zostaną odtajnione – nie wiadomo.

Zadamy więc pytanie: DLACZEGO?

Kluczem do sukcesu historyka jest umiejętność dziwienia się. Kiedy tylko zacznie się dziwić, zaczną się przed nim otwierać drzwi do tej pory zamknięte. A więc dla dobra nauki apeluję do was o powszechne zdumienie: dlaczego dokumenty dotyczące walk nad Chałchyn-goł są wciąż niedostępne?

Cóż tam jest jeszcze do ukrycia? Wydawałoby się, że już wszystko o tej bitwie jest znane: siły obu stron, skład wojsk, uzbrojenie, koncepcje i plany, przebieg działań zbrojnych i nawet nazwiska komisarzy, nawet ich imiona i imiona ich ojców, co więcej – nazwiska mongolskich artylerzystów i pancerniaków. Co więc można utajnić? I po co? Dawno już nie istnieje 1. Grupa Armijna. 21 lipca 1940 roku 1. Grupa Armijna przekształciła się w 17. Armię. Dawno już nie ma w Armii Czerwonej brygad samochodów pancernych, przestały istnieć w 1941 roku. Dawno już nie ma i samej Armii Czerwonej. Nie ma też Armii Radzieckiej. Główną siłę uderzeniową nad Chałchyn-goł stanowiły samochody pancerne BA-3, BA-6 i BA-10, które dziś możemy oglądać tylko w muzeach. Dawno już skreślono ze stanu i przetopiono czołgi BT-5 i BT-7. Z uzyskanej stali wyprodukowano inne czołgi, ale i one dawno trafiły na złom. Uczestnicy tych walk dawno już nie żyją. Zaczęła się już siódma dekada odkąd ucichły strzały nad Chałchyn-goł. A mimo to dokumenty pozostają tajne.

Jako pierwsze nasunęło mi się następujące przypuszczenie: Gieorgij Żukow był tak wielki, że postanowił ukryć przed potomkami dowody swej wielkości. Ale i tu coś nie gra. Żukow nigdy nie grzeszył skromnością. W historii ZSRR było 41 marszałków Związku Radzieckiego. Ale tylko o jednym z nich napisano w rozkazie Naczelnego Wodza: chwalipięta! Rozkaz ten dotyczył Żukowa, a dokładnie tego, że przypisywał on sobie cudze zasługi. Cóż za zadziwiający człowiek: cudze zasługi przypisuje sobie, a własne skrywa przed ludem!

Przypomnijmy sobie słynny portret pędzla malarza Konna. Oto siedzi wielki Żukow, cały w orderach. Dopiero co skończyła się II wojna światowa, cały kraj leży w gruzach. Mężczyźni wyginęli na frontach lub leczą rany w lazaretach. Na polach, w lasach i bagnach – miliony szkieletów, nie ma ich nawet kto pochować. W magazynach Ministerstwa Obrony zalegają tony orderów, które należałoby rozdać ocalałym, matkom i wdowom po poległych.

Ale nikt się tym nie zajmuje. Żukow nie grzebie poległych. Nie rozdaje orderów i nie rozkazuje podkomendnym, by się tym zajęli. Żukow po prostu nie ma na to czasu. Przypiąwszy własne błyskotki, demonstruje swą wielkość przed malarzem. Żukow pozuje.

Podobnie rzecz się ma z jego książką, tym niezwykłym panegirykiem ku chwale KPZR – i własnej persony.

Ale po cóż wychwalać siebie samego, po cóż utrzymywać zgraję pamiętnikarzy-darmozjadów, skoro można było opublikować dokumenty o Chałchyn-goł? Bez zbędnych komentarzy. Tymczasem Żukow robi wszystko, co w jego mocy, by ukryć przed narodem dowody własnej wielkości. Czegoś takiego świat nie widział!

Po śmierci Stalina Żukow w krótkim czasie wspiął się

na szczyty władzy. Na szczycie stanęło dwóch ludzi: Żukow i Chruszczow. Nad nimi nie było już nikogo. Wszystkie archiwa są teraz w rękach Żukowa. No, pokaż teraz, marszałku, dowody swojej wielkości! Powiedz swojemu narodowi: nie macie gdzie mieszkać, dobrzy ludzie, mieszkacie w barakach, piwnicach i komunałkach, za podłą kiełbasą ustawiają się kilometrowe ogonki, ale macie za to wielkiego, potężnego, niezwyciężonego, genialnego wodza! Proszę, oto dokumenty, oto cała prawda o bitwie nad Chałchyn-goł!

Ale Żukow tak nie postąpił.

Za czasów Breżniewa, Susłowa, Jepiszewa zrobiono niewiarygodnie wiele, by rozdmuchać kult Żukowa. Nawet po rządach Breżniewa kult Żukowa pozostawał osią radzieckiej i rosyjskiej propagandy. Dlaczego, drodzy towarzysze, budujecie Żukowowi pomnik, dlaczego sadzacie go na spiżowym koniu z zadartym ogonem, dlaczego gromadzicie miliony ton makulatury o jego dokonaniach, skoro istnieje o wiele prostszy, tańszy i jakże przekonujący sposób sławienia waszego bóstwa: po prostu otworzyć archiwa!

Interesujące jest także zachowanie samego Żukowa. Przypuśćmy, że będąc w apogeum chwały, zapomniał o archiwach i nie przedstawił dowodów swojej wielkości. Nie myślał wtedy o tym. Ale oto strącono go ze szczytu, siedzi na daczy, nudzi się, popija gorzałkę, a zwarty kolektyw pismaków gryzmoli jego memuary. Dlaczegóż by nie wspomnieć o archiwach? Jeżeli nawet był ktoś, kto nie dopuszczał do nich wielkiego marszałka, trzeba było o tym powiedzieć: rad bym wam, moi drodzy, opowiedzieć, jak to było nad Chałchyn-goł, ale, niestety, archiwa są niedostępne.

Jakiż by się podniósł krzyk i lament: Żukowowi knebluje się usta! Jednak ani Żukow, ani jego pisarczykowie, ani propagatorzy kultu jego jednostki nie protestowali, że dostęp do archiwów jest zablokowany.

Niedostępność archiwów bynajmniej nie przeszkadza w rozdmuchiwaniu kultu jednostki genialnego przywódcy. Wprost przeciwnie: owa niedostępność pomaga w tworzeniu portretu wodza wielkiego, mądrego i niezwyciężonego.

VII

A teraz pozwólcie, że wypowiem własne zdanie.

Rola, jaką odegrał Żukow w bitwie nad Chałchyn-goł została mocno wyolbrzymiona. Jest to główny i być może jedyny powód, dla którego archiwa pozostają nieodtajnione.

Nie jest to tylko moja opinia. Dużo wcześniej ode mnie o roli Żukowa wypowiedział się admirał Kuzniecow: „Później wszystkie sukcesy w bitwach z Japończykami starał się przypisać sobie"[12].

Nie wszystko, co działo się w stepach Mongolii, znalazło swoje odbicie w dokumentach. Nie każdy dokument trafił do archiwum. Poza tym sam Żukow był znawcą archiwów, więc będąc na szczytach władzy, zniszczył wiele materiałów, które mogłyby rzucić cień na jego wielkość. Po dziś dzień wyznawcy kultu Żukowa kontynuują czystki w dokumentach. Ale nawet tego, co pozostało w archiwach, nie można nikomu pokazać. Zbyt wielka jest przepaść między tym, co nam wbijano do głów, i tym, co przed nami chowają.

Jeżeli nie mam racji, towarzysze na pewno mnie skorygują. Zakładam mianowicie, że plany rozgromienia japońskiej 6. Armii nad rzeką Chałchyn-goł zostały przygotowane bez udziału Żukowa. Jego rola natomiast sprowadzała się do tego, by bezwzględnym terrorem zmusić ludzi do walki. Nasza historia już to zna. W tym samym okresie, w tym samym dziesięcioleciu na oczach całej postępowej ludzkości dokonano wielkiego wyczynu – w rekordowym czasie wykopano całkowicie nieprzydatny kanał łączący Morze Białe z Bałtykiem[13]. Za jego zbudowanie ówczesny szef OGPU[14] Henryk Jagoda otrzymał najwyższe

---

[12] „Wojenno-istoriczeskij żurnał", nr 1/1992, s. 76.

[13] Kanał Bałtycko-Białomorski łączy Morze Białe z jeziorem Onega i Bałtykiem. Wykopany w latach 1932–1933 przez więźniów Gułagu. W trakcie budowy śmierć poniosło kilkadziesiąt tysięcy ludzi [przyp. tłum.].

[14] OGPU (do 1923 roku GPU) – Objedinionnoje Gosudarstwiennoje Politiczeskoje Uprawlenije – Zjednoczony Państwowy Zarząd Polityczny: utworzona w 1922 roku przez F. Dzierżyńskiego radziecka policja polityczna. W 1934 roku przekształcona w Ludowy Komisariat Spraw Wewnętrznych – NKWD [przyp. red.].

odznaczenie państwowe – Order Lenina. Dostałby też Złotą Gwiazdę, ale wtedy jeszcze jej nie wymyślono.

Na czym polegała zasługa Jagody? Czyżby osobiście wytyczył trasę kanału? Czy sam na miejscu prowadził pomiary, ustalał zakres prac? A może pchał taczki z gliną albo własnoręcznie kruszył granitowe głazy?

Nic z tego.

Za cóż więc dostał najwyższe odznaczenie?

Za terror.

Czasami pojawiał się nad kanałem. Meldowano mu: o, tutaj inżynierowie pomylili się w obliczeniach. Tu źle wytyczyli przebieg wykopu. A tam nie wykonano dziennych norm. Na to Jagoda rzucał krótko: Rozstrzelać! Rozstrzelać! Rozstrzelać! Co prawda i jego potem też... Sami wiecie.

Ach, jak się teraz podłożyłem! Każdy może mi rzucić w twarz: nie przyrównuj Żukowa do Jagody!

Pytanie: jaka jest między nimi różnica?

Lata trzydzieste XX wieku, imperium Stalina. Henryk Jagoda i Gieorgij Żukow zostali wybrani przez tego samego człowieka. Awansowali dzięki Stalinowi. W swoim wyborze kierował się takimi samymi kryteriami – stalinowskimi. OGPU i armia były dwiema najsilniejszymi instytucjami, bardzo podobnymi do siebie i przenikającymi się wzajemnie. Budowniczowie kanałów stalinowskich nie byli nazywani przez propagandę więźniami OGPU, tylko bojownikami na froncie budowy kanałów. Budowa została zastąpiona wojskowym terminem: szturm. Do armii natomiast przeniknął duch czekistowski, aż roiło się w niej od resortowych donosicieli.

I armia, i organa bezpieczeństwa były strukturami działającymi przeciw narodowi. Armia i bezpieka ponoszą równą winę za wyniszczenie narodu. I armia, i bezpieka były narzędziami terroru i trwały tylko dzięki zbrojnej przemocy. Dlaczego więc Stalin miałby wybierać kierownictwo OGPU według innych standardów niż kierownictwo armii?

I dlaczego mylnie uważamy, że Kanał Białomorski zbudowano na tysiącach trupów, a zwycięstwo nad Chałchyn-goł miało inne podwaliny? Kanał Białomorski budowano w czasach pokoju, agitatorzy nie ustawali w wysiłkach, rozwiesili tysiące plakatów i portretów – a mimo to głównym motorem postępu prac były egzekucje. Czy mamy więc wierzyć Żukowowi, kiedy plecie androny, że w warunkach wojennych wystarczył tylko portret Lenina? Czy mamy wierzyć, że gdy tylko komisarze rozwiesili afisze, to w żołnierzy wstąpił duch bojowy i natychmiast zwyciężyli? Oczywiście Żukow nie przypomina sobie rozstrzeliwań nad Chałchyn-goł, ale my wiemy, że ma dziurawą pamięć.

Wszelkie kontrargumenty są niepotrzebne. I mija się z celem wyzywanie mnie od najgorszych. Lepiej otwórzcie archiwa i udowodnijcie światu, że moje hipotezy to tylko nienawistny wymysł wroga. A jeżeli nie można udostępnić archiwów – to podajcie przyczyny.

Rozdział 3

Po co Stalinowi Wyspy Alandzkie?

Führer podkreśla: Opanowanie Zatoki Fińskiej jest sprawą pilną. Bowiem swobodny ruch na Bałtyku (przywóz rudy z [portu szwedzkiego] Luleå) będzie możliwy tylko wówczas, gdy flota rosyjska zostanie stamtąd usunięta. Od chwili opanowania portów rosyjskich od strony lądu trzeba będzie jeszcze trzech-czterech tygodni, zanim zostaną ostatecznie zlikwidowane nieprzyjacielskie okręty podwodne. A cztery tygodnie – to oznacza 2 miliony ton rudy.[1]

GENERAŁ PUŁKOWNIK FRANZ HALDER

I

Prowadzenie działań wojennych wymaga ogromnych zasobów surowcowych, dlatego przezorny strateg z wielką starannością sporządza mapy tras, po których surowce strategiczne zaopatrują jego kraj i kraj nieprzyjaciela. Cel jest oczywisty: należy bronić własnych szlaków komunikacyjnych, a trasy nieprzyjaciela niszczyć.

Jeżeli zaznaczymy na mapie podstawowe źródła surowców strategicznych, po czym nakreślimy główne szlaki transportowe w 1939 roku, z miejsca stanie się widoczne, że położenie Niemiec było wyjątkowo niekorzystne. Kraj ten, nie mając

---

[1] F. Halder, *Dziennik wojenny. Codzienne zapisy szefa Sztabu Generalnego Wojsk Lądowych 1939–1942*, t. 1–3, Warszawa 1971–1974, t. 3, s. 57. Notatka z 30 czerwca 1941.

własnych surowców strategicznych w odpowiednich ilościach, był powiązany układem skomplikowanych zależności z całym światem zewnętrznym. Okupacja Polski, Danii, Norwegii, Belgii, Holandii, Luksemburga, Francji, Jugosławii i Grecji, a także wchłonięcie Austrii i Czech nie rozwiązały problemu. Administrowanie wielomilionowymi masami ludzkimi i olbrzymimi obszarami pozbawionymi prawie zupełnie surowców przemysłowych – to wszystko sprzyjało raczej rozproszeniu sił, nie dając większych korzyści.

Był jeszcze jeden aspekt sprawy. Niemcy, Francja i Belgia dysponowały potężną metalurgią, ale nie miały własnej rudy żelaza. Wiadomo, że o zwycięstwie militarnym decyduje potencjał gospodarczy, a więc surowce, fabryki, infrastruktura kolejowa, a dopiero w końcowej fazie uderzenie bagnetem. Ale obrabiarki, szyny kolejowe, wreszcie sam bagnet – to stal. Bardzo wiele elementów niezbędnych do prowadzenia wojny – od pancernika poczynając, na podkówkach do butów żołnierskich kończąc – wykonuje się ze stali. Podczas wojny z braku stali w ministerstwie Göringa całkiem serio rozważano plany budowy betonowych parowozów. Deficyt stali sprawiał, że zniszczone mosty naprawiano za pomocą drewnianych belek zamiast stalowych konstrukcji, co z kolei wymuszało ograniczanie ładowności transportów kolejowych. Niedobór stali wymuszał demontaż torów z drugorzędnych tras dla naprawy zniszczonych odcinków strategicznych. Dwutorowe magistrale kolejowe zamieniano na jednotorowe. Wszystko to razem skutkowało spowolnieniem gospodarki niemieckiej i krajów ościennych.

Tak czy inaczej Hitler nie mógł liczyć na szybkie zwycięstwo. Miał zbyt wielu wrogów. A długotrwała wojna była dla Hitlera równoznaczna z samobójstwem, i to w dosłownym znaczeniu tego słowa. Żeby utrzymać się jeszcze parę lat, musiał za wszelką cenę zapewnić dostawy rudy żelaza. Rudę zaś wydobywano w północnej Szwecji, a następnie Bałtykiem transportowano do Niemiec.

II

Ta bolączka niemieckiej gospodarki nie była dla nikogo tajemnicą: wpierw załadunek rudy w szwedzkim porcie Luleå, najdalej na północ wysuniętym porcie na Bałtyku, a potem długi rejs przez Zatokę Botnicką wzdłuż wybrzeży Finlandii, omijając Wyspy Alandzkie, Gotlandię, Olandię, Bornholm, na końcu rozładunek w Niemczech.

Ani okręty francuskie, ani angielskie, ani żadne inne nie mogły zagrozić transportom rudy, ponieważ wpłynięcie na Bałtyk było równoznaczne z włożeniem głowy w potrzask.

Radziecka marynarka wojenna natomiast nigdzie nie musiała wpływać: była na miejscu, wyczekiwała spokojnie w swoich bazach. Flota Bałtycka nie odgrywała ważnej roli w obronie Związku Radzieckiego. Wszak przed 1940 rokiem ZSRR dysponował bardzo niewielkim dostępem do Bałtyku. Ponieważ Petersburg przez ponad dwieście lat był stolicą imperium, wszyscy carowie, poczynając od Piotra Wielkiego budowali na tym niewielkim odcinku fortyfikacje. A bolszewicy dorzucili też swoje. Całe wybrzeże pokryte więc było zwartym łańcuchem twierdz morskich, fortyfikacji i baterii nadbrzeżnych.

W czerwcu 1941 roku artyleria Floty Bałtyckiej dysponowała 124 bateriami nadbrzeżnymi, uzbrojonymi w 253 działa kalibru od 100 do 406 mm i w 60 dział kalibru 45 i 76 mm.[2]

Charakterystyki dział obrony nadbrzeżnej robią imponujące wrażenie. Weźmy przykład: 305-milimetrowe działo wieżowe przy masie pocisku 470 kg miało zasięg 43,9 kilometra. W ciągu jednej minuty z jednej wieży można było oddać 6 wystrzałów. Działo kalibru 406 mm wyrzucało pocisk o masie 1108 kg na odległość 45,5 kilometra. Już po 24 sekundach mogło oddać następny strzał.[3] Oprócz baterii nadbrzeżnych i fortów obronę Leningradu wspierała także artyleria kolejowa. Wykorzystano fakt, że Leningrad otaczała rozwinięta sieć kolejowa. Artyleria

---

[2] Stan na dzień 24 czerwca 1941 roku. [Za:] *Krasnoznamionnyj bałtijskij fłot w bitwie za Leningrad*, Moskwa 1973, s. 8.

[3] „Wojenno-istoriczeskij żurnał", nr 3/1973, s. 78.

kolejowa mogła przemieszczać się i prowadzić ostrzał z zakamuflowanych stanowisk ogniowych.

Podstawą artylerii kolejowej było działo kalibru 108 mm: masa pocisku 97,5 kg, szybkostrzelność 5 strzałów na minutę, zasięg 37,8 kilometra. Były też o wiele potężniejsze działa: 203, 254 i 356 mm. Działa kolejowe 356 mm strzelały pociskami o masie 747,8 kg na odległość 44,6 kilometra.

Przedpola Leningradu osłaniały trzy morskie rejony umocnione: Kronsztadzki RU, Iżorski RU i Łużski RU. Dostępu do miasta bronił ogień zaporowy z dział o ogromnej mocy strzelających z różnych kierunków. Każda bateria, każdy fort, rejon umocniony i morska twierdza posiadały własny zapas żywności i amunicji, który wystarczył im na całą wojnę. Nikomu nie przyszłoby do głowy wysadzanie desantu w tym miejscu czy szturmowanie miasta.

Oprócz tego Flota Bałtycka miała na stanie 91 baterii przeciwlotniczych, dysponujących 352 działami różnego kalibru.

Czy w świetle powyższego opisu miało sens utrzymywanie jednostek pływających Floty Bałtyckiej?

III

Na Bałtyku skuteczna obrona jest możliwa bez okrętów marynarki wojennej. W ostateczności można załadować miny na barki i bez trudu zablokować ujście Zatoki Fińskiej. W wojnie obronnej Flota Bałtycka nie ma nic do roboty. I tak właśnie się stało: przez całą wojnę próżnowała.

Zarazem w przypadku wrogiej agresji Flota Bałtycka była narażona na maksymalne zagrożenie. Kilkaset nieprzyjacielskich min pływających ustawionych na podejściach do baz morskich oznaczałoby całkowitą blokadę radzieckiej armady. Co też nastąpiło w czerwcu 1941 roku. Podczas wojny obronnej okręty, zwłaszcza duże, utknęły burta przy burcie na płytkich wodach wąskiej zatoki jak w potrzasku.

W 1939 roku Hitler wypowiedział wojnę całemu światu, mając tylko 57 okrętów podwodnych. Jego przeciwnikami były między innymi superpotężne floty Wielkiej Brytanii i Francji, a potencjalnie i Stanów Zjednoczonych. Flota Hitlera zmuszona była toczyć nierówną walkę na Oceanie Atlantyckim i na Morzu Śródziemnym. Na Bałtyku Hitler stracił niemal wszystkie jednostki bojowe: latem 1941 roku Kriegsmarine na Bałtyku miała na stanie 5 okrętów podwodnych i 28 kutrów torpedowych. Resztę jej sił stanowiły jednostki pomocnicze: stawiacze min, trałowce, kutry patrolowe.[4]

W tym czasie obrońca pokoju towarzysz Stalin obserwował z oddali zmagania między Niemcami, Anglią i Francją – i umacniał swoją Flotę Bałtycką.

W jakim celu?

IV

Jeszcze w roku 1933 Stalin powiedział: „Morze Bałtyckie to butelka, ale nie mamy od niej korka. Ma go ktoś inny"[5].

Ten sam Stalin z niewiadomych przyczyn dwa z trzech swoich pancerników trzymał na Bałtyku. W zatkanej butelce. W 1941 roku miał na Bałtyku 65 okrętów podwodnych. Nikt na świecie nie skupił tylu okrętów podwodnych w jednym akwenie.

Spójrzmy na mapę oczami niemieckiego stratega. Jakie zadanie może wyznaczyć Stalin swym pancernikom i okrętom podwodnym w zamkniętym basenie Morza Bałtyckiego? Tylko jedno: zatapiać niemieckie transporty z rudą. Innego zadania być nie może.

Oprócz okrętów podwodnych i pancerników Stalin miał na Bałtyku 2 krążowniki, 21 liderów[6] i niszczycieli oraz 48 kutrów torpedowych.

Niemcy nie mieli na Bałtyku lotnictwa morskiego.[7] Flota

---

[4] F. Ruge, *Wojna na morze 1939–1945*, Moskwa 1957, s. 209.

[5] Wg admirała marynarki wojennej ZSRR Isakowa [w:] „Znamia", nr 5/1988, s. 77.

[6] Lider – okręt wojenny klasy niszczyciela o większej wyporności i wzmocnionej artylerii, klasyfikowany także jako lekki krążownik [przyp. tłum.].

[7] „Wojenno-istoriczeskij żurnał", nr 4/1962, s. 34.

Bałtycka miała w swoim składzie 656 samolotów, głównie bombowców i samolotów torpedowych.[8] Zapytajmy znowu: w jakim celu? Po co tyle samolotów torpedowych i bombowców, skoro Hitler praktycznie nie posiada na Bałtyku większych jednostek Kriegsmarine? Odpowiedź wciąż ta sama: stalinowskie eskadry nie były wymierzone przeciw okrętom wojennym, tylko przeciw transportom rudy.

W każdej chwili radziecka flota mogła ruszyć w rejon niemieckich i szwedzkich portów, zablokować je tysiącami min, a bezbronne transporty zatopić. Oznaczałoby to dla Rzeszy koniec wojny. W Berlinie nie mogli tego nie rozumieć. Hitler walczył przeciwko Anglii i Francji, a za jego plecami nad Bałtykiem połyskiwał wzniesiony topór Stalina.

Żukow opowiada, że Stalin nie chciał dać Hitlerowi pretekstu do wypowiedzenia wojny. Lecz w tym wypadku nie ma co mówić o pretekście, ale o bardzo realnej przyczynie. Stratedzy niemieccy widzieli zagrożenie w radzieckiej flocie na Bałtyku i szukali metod, by ją zneutralizować.

V

Pod koniec listopada 1939 roku Stalin popełnił kardynalny błąd: rozpoczął wojnę z Finlandią. Wojna zakończyła się spektakularnym zwycięstwem Armii Czerwonej. Nikt na świecie w takich śniegach, przy takim mrozie, w terenie praktycznie niemożliwym do sforsowania nie szturmował tak potężnych umocnień, jak linia Mannerheima. Do czegoś takiego była zdolna tylko Armia Czerwona.

Jednak zwycięstwo nad Finlandią było dla Hitlera drugim ostrzeżeniem: Stalin sięga po szwedzką rudę. Armia Czerwona na rozkaz Stalina przerwała fińskie umocnienia i zatrzymała się. Finlandia bez linii Mannerheima była całkiem bezbronna. Stalin w każdej chwili mógł wydać rozkaz i natarcie Armii Czerwonej zostałoby na nowo podjęte. Z terenu Finlandii można było bez przeszkód bombardować szwedzkie kopalnie

---

[8] *Bojewoj put' Sowietskowo wojenno-morskowo fłota*, Moskwa 1968, s. 537.

rudy i linie kolejowe. Nikt nie mógłby temu przeszkodzić. Samo zajęcie Wysp Alandzkich, które należały do Finlandii, pozwalało zablokować ujście Zatoki Botnickiej, co dla Związku Radzieckiego oznaczałoby triumfalne zakończenie II wojny światowej. Ale to nie wszystko. W okupowanej przez Hitlera Europie brakuje drewna. Niemcy sprowadzają je z Finlandii i Szwecji. Możliwość wstrzymania dostaw drewna przez Bałtyk pociągała za sobą mnóstwo następstw, jedno gorsze od drugiego. Drewno to podkłady kolejowe. Nie ma drewna – nie ma budowy ani naprawy torów kolejowych. Drewno jest potrzebne w ogromnych ilościach w kopalniach. Nie ma drewna – nie ma węgla. Już w czasach pokojowych deficyt wydobycia węgla w Niemczech wynosił 6 milionów ton rocznie. Zamiast drewna wykorzystywano nać ziemniaczaną. Mówi o tym sam Führer.[9]

I to w czasie pokoju, kiedy nic nie zakłócało transportu drewna drogą morską. Dość, by stalinowskie okręty podwodne zaatakowały niemieckie statki i Niemcy zostałyby pozbawione drewna. Wątpię, by sama nać ziemniaczana mogła ten niedobór uzupełnić. Poza tym nie zawsze nać ziemniaczana może w pełni zastąpić drewno. Z naci można od biedy wytwarzać papier, ale nie da się z niej zrobić podkładów kolejowych ani stempli do podpierania kopalnianych chodników.

Poza tym Niemcy nie miały niklu, a bez niklu też nie można prowadzić wojny. Nikiel znajdował się w Finlandii. Na początku 1940 roku, w trakcie wojny z Finlandią, Armia Czerwona zajęła kopalnie niklu w Petsamo, ale później, wiosną 1940 roku, zgodnie z warunkami traktatu pokojowego, zwróciła je Finom. Tyle że od tej pory nikiel był wydobywany przez radziecko- -fińską spółkę akcyjną z udziałem radzieckich inżynierów i robotników. Rząd radziecki narzucił swojego człowieka na stanowisko dyrektora spółki. Nikiel z Petsamo był dostarczany zarówno do Niemiec, jak i do Związku Radzieckiego. W każdej jednak chwili te dostawy mogły zostać przerwane. 104. Dywizja Piechoty generała majora Morozowa (XLII KP

    [9] *Zastolnyje razgowory Gitlera*, Smoleńsk 1993. Notatka z 5 czerwca 1942.

14. Armii) stacjonowała w bezpośredniej bliskości kopalni rudy... Wyobrażam sobie to zgrzytanie zębami dochodzące z podziemnych bunkrów sztabów niemieckich.

VI

Niemieccy stratedzy nie bez powodu obawiali się kolejnej radzieckiej inwazji na Finlandię. 25 listopada ludowy komisarz obrony ZSRR marszałek Związku Radzieckiego Siemion Timoszenko i szef Sztabu Generalnego Armii Czerwonej generał armii Kiryłł Miereckow skierowali do sztabu Leningradzkiego Okręgu Wojskowego dyrektywę, sporządzoną w jednym egzemplarzu. Stopień tajności – „spec. znacz.", co oznacza „Tajne specjalnego znaczenia".

Dokument rozpoczyna się słowami: „Na wypadek wojny ZSRR przeciwko samej Finlandii dla ułatwienia dowodzenia i zabezpieczenia zaopatrzenia wojsk tworzy się dwa fronty:

Front Północny – w celu działań na wybrzeżach Morza Barentsa oraz na kierunkach Rovaniemi, Kemi i Uleaborg;

Front Północno-Zachodni – dla działań na kierunkach Kuopio, Mikkeli i Helsinfors [...]

Jako główne zadania stojące przed Frontem Północno--Zachodnim wyznaczam: zniszczenie sił zbrojnych Finlandii, zawładnięcie jej terytorium i dotarcie do Zatoki Botnickiej w 45. dniu operacji. [...]

Z prawej strony Front Północny (ze sztabem w Kandałakszy) w 40. dniu mobilizacji przechodzi do natarcia i 30. dnia operacji przejmuje kontrolę nad rejonami Kemi, Uleaborg. [...]

Przed Flotą Bałtycką, odznaczoną Orderem Czerwonego Sztandaru, podporządkowaną operacyjnie Radzie Wojskowej Frontu Północno-Zachodniego, postawić następujące zadania:

1. Razem z lotnictwem zniszczyć marynarki wojenne Finlandii i Szwecji (gdyby ta ostatnia przyłączyła się do walk).

2. Wspierać wojska lądowe działające na wybrzeżu Zatoki Fińskiej i z półwyspu Hanko poprzez zabezpieczenie ich skrzydeł i zniszczenie obrony brzegowej Finów.

3. Zabezpieczyć przerzut dwóch dywizji piechoty w pierw-

szych dniach wojny z północnego wybrzeża Estońskiej SRR na półwysep Hanko, a także przerzut i wysadzenie dużych sił desantu na Wyspach Alandzkich.

4. Siłami okrętów podwodnych oraz lotnictwa przerwać transport morski Finlandii i Szwecji (gdyby ta ostatnia wystąpiła przeciwko ZSRR) w Zatoce Botnickiej na Morzu Bałtyckim...

Nadać niniejszemu planowi rozwinięcia nazwę kodową S.3-20.

Realizacja planu rozpoczyna się w momencie otrzymania szyfrówki podpisanej wspólnie przeze mnie i przez szefa Sztabu Generalnego o treści: «Przystąpić do wykonania S.3-20»[10].

Wydaje się interesujące, że w tym planie nie wspomina się o tym, że Armia Czerwona będzie walczyć „dla zapewnienia bezpieczeństwa Leningradu". Nie ma nawet sugestii, że działania wojenne powinny być rozpoczęte w odpowiedzi na napaść wroga. Nie użyto słów, jakich zazwyczaj używano w takich przypadkach: „Jeżeli wrogowie sprowokują konflikt wojenny..." Wszystko ustalono o wiele prościej: w każdej chwili z Moskwy do sztabu Leningradzkiego Okręgu Wojskowego może nadejść szyfrówka, a wtedy wojska radzieckie ruszają nad Zatokę Botnicką, ku granicy ze Szwecją, na Wyspy Alandzkie! A zabezpieczenie propagandowe operacji nie należy do zadań Leningradzkiego Okręgu Wojskowego i Floty Bałtyckiej. Tym zajmą się inni. Wyznaczeni towarzysze, gdy zajdzie potrzeba, zorganizują graniczną prowokację fińskiej soldateski, wyjaśnią robotnikom na całym świecie sens pokojowej polityki zagranicznej ZSRR i konieczność dania nauczki fińskim rozzuchwalonym agresorom.

Tom „Rok 1941" redagowano w taki sposób, aby pokazać umiłowanie pokoju przez Związek Radziecki i brak jakichkolwiek przygotowań do uderzenia na Niemcy. Autorzy zbioru zdemaskowali szereg małych grzeszków, by tym lepiej ukryć te istotne. Na przykład przyznają, że odnaleźli plan ataku na Finlandię. Za to planu ataku na Niemcy nie mają.

---

[10] Pełny tekst planu podano w zbiorze *1941 god*, Moskwa 1998, t. 1, s. 418–423.

54

A przecież plan „S.3-20" mógł być planem jednostkowym, ale mógł też stanowić część szerszego zamysłu. Plan „S.3--20" zakładał, że wojska Leningradzkiego i Archangielskiego Okręgu Wojskowego oraz siły Floty Bałtyckiej zaatakują Finlandię tuż przed uderzeniem Armii Czerwonej na Niemcy, albo równocześnie lub wprost po tym uderzeniu. Ale i tak atak na Finlandię był równoznaczny z atakiem na Niemcy. W przypadku realizacji planu „S.3-20" wojska radzieckie miały opanować kopalnię niklu w Petsamo, Wyspy Alandzkie oraz zdobyć Kemi.

Proszę teraz odszukać na mapie fińskie miasto Kemi i szwedzki port Luleå...

Nieprzypadkowo w roku 1940 na Bałtyku utworzono 1. Brygadę Piechoty Morskiej pod dowództwem doświadczonego radzieckiego dywersanta pułkownika Terientija Parafiło. Stalin już znalazł odpowiednie zajęcie dla piechoty morskiej, a jego generałowie już wszystko zaplanowali. Pozostawało tylko wysłać do sztabu Leningradzkiego Okręgu Wojskowego szyfrogram: „Przystąpić do wykonania..."

Naprawdę nie trzeba szukać planu wojny z Niemcami. Jeżeliby został zrealizowany plan „S.3-20", oznaczałoby to zadanie śmiertelnego ciosu nie tylko Finlandii, ale również Niemcom.

VII

Latem 1940 roku Stalin popełnił jeszcze jeden błąd – przyłączył do Związku Radzieckiego Estonię, Łotwę i Litwę, tworząc na ich terytorium Bałtycki Specjalny Okręg Wojskowy. Wszystkie siły tego okręgu ześrodkował na granicy z Prusami Wschodnimi.

W przypadku wojny obronnej takie posunięcie byłoby zupełnie niepotrzebne, a wręcz szkodliwe.

Mówią, że Stalin przesunął granicę na zachód i w taki sposób umocnił bezpieczeństwo ZSRR.

W rzeczywistości było zupełnie na odwrót.

Przed okupacją krajów bałtyckich ten kierunek stanowił strefę buforową, osłaniającą przedpole wojsk radzieckich.

W razie agresji wojska Hitlera musiałyby, po kolei, toczyć boje z siłami zbrojnymi kolejnych trzech państw, zanim spotkałyby się z Armią Czerwoną. Nawet gdyby pokonanie armii Litwy, Łotwy i Estonii zajęło tylko kilka dni, niespodziewane uderzenie na radzieckie pozycje w tych okolicznościach było wykluczone.

Armia Czerwona miała więc możliwość przeprowadzenia mobilizacji swych wojsk i obsadzenia rejonów umocnionych. Po rozgromieniu trzech krajów bałtyckich wojska Hitlera wyszłyby nad jezioro Pejpus, którego sforsować po prostu się nie da.[11] W razie gdyby wojska niemieckie chciały obejść jezioro, natknęłyby się na radzieckie rejony umocnione.

Ale wszystko potoczyło się według innego scenariusza. Armia Czerwona opuściła swoje umocnienia, koncentrując siły główne na Litwie, nad samą granicą niemiecką. Rozlokowano tam lotniska polowe, sztaby, węzły łączności i składy zapasów. Dla ludności trzech państw bałtyckich armia Stalina stała się agresorem i okupantem, a Niemcy, w przypadku ataku na ZSRR, mogły odgrywać rolę wyzwoliciela.

22 czerwca 1941 roku wojska Armii Czerwonej na całej długości granicy, w tym i w krajach bałtyckich, otrzymały niespodziewany cios ze strony armii niemieckiej. Nadwerężono system dowodzenia wojskami, lotnictwo radzieckie poniosło dotkliwe straty na przygranicznych lotniskach. W krajach bałtyckich wybuchło żywiołowe powstanie przeciwko Armii Czerwonej. Do radzieckich „wyzwolicieli" strzelano z każdego strychu. Jednostki Armii Czerwonej musiały walczyć bez wsparcia swoich rejonów umocnionych, a za ich plecami, w Rosji, pozostały rejony umocnione bez żołnierzy. Manstein zdobył je bez żadnych problemów.

Sceptycy zaprzeczą: gdyby Stalin nie zdecydował się na okupację krajów bałtyckich, to Hitler zdobyłby je bez żadnej walki, mógłby po prostu wprowadzić tam swoje wojska, jak to zrobił w przypadku Czechosłowacji.

---

[11] W słynnej bitwie 1242 roku wojska ruskie Aleksandra Newskiego pokonały na tym jeziorze Krzyżaków inflanckich – tzw. Lodowe Pobojowisko [przyp. tłum.].

Ale nawet gdyby takie ryzyko istniało, trzeba było jasno i wyraźnie wytłumaczyć Hitlerowi, że w odpowiedzi na próbę wkroczenia wojsk niemieckich do krajów bałtyckich Związek Radziecki zacznie zatapiać na Bałtyku transporty z rudą i drewnem, minować wejścia do portów niemieckich, bombardować Berlin, a na terytorium krajów bałtyckich wejdą brygady międzynarodowe i miliony radzieckich ochotników. A kiedy już Hitler wykrwawi się w wojnie przeciwko Związkowi Radzieckiemu, Anglia i Francja nie omieszkają skorzystać z okazji: w ich interesie leży stłamszenie Niemiec jako niebezpiecznego konkurenta i ponowne nałożenie na nie kontrybucji.

Takie oświadczenie zostałoby dobrze przyjęte przez cały świat. W takim przypadku ludność krajów bałtyckich nie byłaby wrogiem ZSRR, lecz sprzymierzeńcem, a „leśni bracia" nie strzelaliby w plecy radzieckich, lecz niemieckich żołnierzy. Po stronie patriotów z krajów bałtyckich walczyłyby brygady międzynarodowe, ochotników zaś znalazłoby się na całym świecie pod dostatkiem.

Mając taką perspektywę, jest mało prawdopodobne, by Hitler zdecydował się na wprowadzenie wojsk do Estonii, Litwy i Łotwy. A nawet jeśli, to w takim wypadku wojna ze strony ZSRR byłaby rzeczywiście sprawiedliwa, obronna, wielka i ojczyźniana. A po latach nie musielibyśmy się wstydzić „marszów wyzwoleńczych", masowych rozstrzeliwań, okupacji bratnich krajów. Nie musielibyśmy ukrywać archiwów wojennych i kreować bohaterszczyzny.

W sierpniu 1939 roku pozycja Związku Radzieckiego została sformułowana jasno i wyraźnie: będziemy bronić terytorium Mongolii przed wojskami japońskimi jak swojego własnego. I obroniliśmy! To stanowisko zostało właściwie odczytane na całym świecie, w tym także w Japonii. Dzięki tej niezłomności i determinacji agresja Japonii na Związek Radziecki została zażegnana.

Dlaczego w sierpniu 1939 roku Związek Radziecki nie przyjął takiej samej postawy wobec państw bałtyckich?

Okupacja Litwy, Łotwy i Estonii miała sens tylko w jednym przypadku: gdyby planowano wojnę ofensywną z Niemcami. Armia Czerwona wyszła wprost na granicę niemiecką. Z lotnisk polowych na Litwie można było wspierać natarcie wojsk radzieckich aż do samego Berlina. W dodatku Flota Bałtycka uzyskała bazy w Tallinie, Rydze i Lipawie. Lipawa leży na wyciągnięcie ręki od szlaków transportowych rudy, niklu i drewna. Uderzenie stąd mogłoby być nagłe i druzgocące. Dla Hitlera było to trzecie ostrzeżenie. No, dobrze. Ale co Żukow ma z tym wspólnego?

Żukow uchodzi za wybitnego stratega: rzut oka na mapę – i w lot ogarnia całą sytuację strategiczną. A zatem, gdyby Żukow był prawdziwym strategiem, powinien był zobaczyć te szlaki: do Niemiec dostarczana jest ruda żelaza i drewno ze Szwecji, z Finlandii – drewno i nikiel. Powinien był w czasie spotkań ze Stalinem zwrócić uwagę na nienormalność sytuacji. Skoro zamierzamy uniemożliwić dostawy drewna, niklu i rudy żelaza do Niemiec, to powinniśmy to zrobić natychmiast. A jeśli nie mamy takiego zamiaru, to powinniśmy zrezygnować z posunięć, które w Berlinie muszą być potraktowane jako naruszenie żywotnych interesów III Rzeszy.

W latach 1939–1940 Żukow z uwagi na swoją pozycję nie powinien był zajmować się ani Szwecją, ani Finlandią, ani Morzem Bałtyckim. Ale w 1941 nadciągała wojna światowa, a Żukow był wysokiej rangi dowódcą. Miał zatem obowiązek śledzić rozwój wydarzeń na świecie. Miał wystarczająco dużo okazji, by wykazać rządzącym cały katastrofizm wynikłej sytuacji.

Żukow powinien znać historię wojskowości. Na początku XX wieku Rosja zdecydowanie i bez trudu zagarnęła złoża surowców w Mandżurii i w Chinach, występując tym samym przeciw żywotnym interesom Japonii. W odpowiedzi na te działania Japonia zadała nagły i druzgocący cios rosyjskiej flocie. Wojna rosyjsko-japońska, która była wynikiem tych działań, zakończyła się klęską Rosji i rewolucją 1905 roku. Niewiele brakowało, a car Mikołaj już wtedy zostałby pozbawiony tronu.

Po upływie 35 lat od wojny rosyjsko-japońskiej, a więc w granicach życia jednego pokolenia, powstała dokładnie taka sama sytuacja, choć tym razem nie w rejonie Morza Żółtego, ale na Bałtyku. Rozmyślnie czy przez brak wyobraźni radzieccy stratedzy swoimi działaniami w rejonie Morza Bałtyckiego zagrażali egzystencji Niemiec. A skoro tak się sprawy miały, należało spodziewać się nagłego ataku ze strony Niemiec. W każdej chwili. W styczniu 1941 roku Żukow został szefem Sztabu Generalnego. Teraz nie był już obserwatorem-profesjonalistą, lecz szefem wszystkich strategów. Najważniejsze w wojskowości – to umiejętność spojrzenia na sytuację oczami przeciwnika. Obowiązkiem Żukowa było rozważyć, co też tam, w Berlinie, spróbują zdziałać, wiedząc, że radziecka marynarka wojenna może w każdej chwili przeciąć cienką nić, która łączy odległe szwedzkie porty z ośrodkami przemysłu hutniczego w Niemczech.

Gdyby Żukow był strategiem z prawdziwego zdarzenia, potrafiłby właściwie ocenić sytuację. Lecz Żukow albo nie śledził rozwoju wydarzeń na pograniczu ZSRR, albo nie rozumiał ich znaczenia, albo wreszcie, czego nie można wykluczyć, bał się wypowiedzieć własne zdanie.

Rozdział 4

Żukow i ropa naftowa

Gdyby podczas inwazji ZSRR na Rumunię nie udało się zmusić
Rosjan, by zadowolili się jedynie Besarabią, gdyby opanowali
wtedy rumuńskie złoża ropy, to jeszcze tej samej wiosny
by nas zdusili.[1]

A. HITLER

I

Załóżmy na chwilę, że prowadzimy prosperujący interes.
Handlujemy ropą albo drewnem, złotem lub diamentami, czasami trudnimy się kradzieżą, szantażem, a czasem zabójstwem
na zlecenie. I oto gdzieś pod bokiem wyrasta nam konkurencja.
Wymieniamy z konkurentem uprzejmości, serdeczne życzenia
z okazji urodzin, popijamy szampana z jego wysłannikiem.
Ale zarazem ukradkiem i konsekwentnie podkradamy się
do jego żywotnych zasobów, próbujemy chwycić go za gardło.
W takim razie musimy liczyć się z ewentualnością, że któregoś
pięknego dnia, gdy postanowimy zrelaksować się w saunie,
do środka wtargną dziarscy młodzieńcy z obrzynami – i nie
pożałują ołowiu...
Tak właśnie wyglądała przyjaźń Stalina i Hitlera. Były
obustronne uprzejmości. Były życzenia z okazji urodzin. Było
ślubowanie wierności. Towarzysz Stalin sączył szampana
z Ribbentropem, a Mołotow z Hitlerem.

---

[1] *Zastolnyje razgowory Gitlera*, op. cit., s. 303. Zapis z 18 maja
1942.

Ale do żywotnych zasobów Rzeszy Stalin podkradał się zbyt ostentacyjnie.

Gdyby marszałek Żukow był strategiem z krwi i kości, powinien był uprzedzić Stalina o ryzyku gwałtownej reakcji i dotkliwych działań odwetowych. Jednak Żukow zachował w tej sprawie milczenie. Milczał, kiedy Stalin budował potęgę Floty Bałtyckiej, milczał, gdy podbijał Finlandię, Estonię, Litwę, Łotwę. Tymczasem Stalin wciąż miał poczucie niedosytu. Postanowił więc zakraść się jeszcze bliżej, nie tylko do drewna, niklu i rudy żelaza, ale przede wszystkim do ropy. Zlecił to zadanie właśnie Żukowowi.

W kwietniu 1940 roku Żukow przybył z Mongolii do Moskwy i przez dwa miesiące pozostawał do dyspozycji ludowego komisarza obrony. W tym czasie nie pełnił żadnej funkcji, ale z tego wcale nie wynika, że nic nie robił. Wręcz przeciwnie, były to miesiące wytężonej pracy. W ciągu tych miesięcy Żukow odbył co najmniej cztery długie spotkania ze Stalinem. Warto pamiętać, że Stalin nikogo bez powodu nie rozpieszczał długimi spotkaniami.

II

Przed przeprowadzeniem każdej wielkiej operacji na szczeblach naczelnego dowództwa trwa ukryta, niewidoczna dla obcych aktywność. Dwa miesiące pracy Żukowa w Moskwie to wstępna faza przygotowań do wojny o Besarabię. Szykowano się odebrać Rumunii Besarabię dokładnie tak samo, jak Hitler zagarnął Czechosłowacji Sudety. Gdyby Rumunia odmówiła oddania Besarabii, należało Rumunię zniszczyć.

W kwietniu i maju 1940 roku o przygotowywaniu wojny o Besarabię wiedziano jedynie w zaciszu stalinowskiego gabinetu i w Sztabie Generalnym. Do sztabów Kijowskiego Specjalnego i Odeskiego Okręgu Wojskowego spływały zwięzłe rozkazy o tym, co należy robić – bez tłumaczenia dlaczego.

4 czerwca 1940 roku Żukowa awansowano na generała armii. Wtedy było to pięć gwiazd na pagonach.

7 czerwca rozkazem Ludowego Komisariatu Obrony nr 2469 generał armii Żukow został powołany na stanowisko dowódcy Kijowskiego Specjalnego Okręgu Wojskowego.

Nazajutrz, 8 czerwca 1940 roku, generał armii Żukow wsiada do pociągu na Dworcu Kijowskim w Moskwie i... zalewa się łzami.

Na peronie żegnała go spora grupa odprowadzających. Wszyscy widzieli łzy na twarzy Żukowa i potem wypytywali o przyczynę. Warto odnotować, że biografowie Żukowa zwracają niedostatecznie dużo uwagi na tę zaskakującą cechę charakteru późniejszego marszałka, mianowicie jego mazgajstwo, skłonność do łez. Jakby w trudnych chwilach płacz przynosił Żukowowi ukojenie. Oto zagadka dla psychologów: z jednej strony najbardziej krwawy dowódca w dziejach, z drugiej – zapłakana panna. Jak pogodzić gorzkie łzy Żukowa z twardą bezwzględnością i nieludzkim okrucieństwem? Wszak pod względem sadyzmu i bestialstwa Żukow przewyższał nawet Tuchaczewskiego.

Szlochanie Żukowa na Dworcu Kijowskim w Moskwie 8 czerwca 1940 roku przez wiele lat nie zostało zapomniane. Wielki dowódca po wojnie był zmuszony wyjaśniać przyczyny swojej rozpaczy. Oto jego słowa: „Powierzono mi odpowiedzialne stanowisko – dowodzenie jednym z ważniejszych przygranicznych okręgów. W rozmowach ze Stalinem, Kalininem i innymi członkami Biura Politycznego ostatecznie utwierdziłem się w przekonaniu, że wojna jest bliska, jest nieodwołalna. [...] Ale jaka będzie ta wojna? Czy jesteśmy do niej gotowi? Czy zdążymy wszystko zrobić? I oto z poczuciem nadciągającej tragedii patrzyłem na beztrosko odprowadzających mnie krewnych i towarzyszy, na Moskwę, na radosne twarze moskwian i myślałem: co z nimi będzie? Wielu tego nie rozumiało. Zrobiło mi się jakoś nieswojo i nie mogłem się powstrzymać. Uważałem, że dla mnie wojna już się zaczęła. Ale gdy znalazłem się w wagonie, odrzuciłem natychmiast sentymentalne uczucia. Od tej pory moje osobiste życie było podporządkowane nadciągającej wojnie, chociaż na naszej ziemi był jeszcze pokój..."[2]
Na peronie było wielu świadków, dlatego Żukow przyznaje: nie mógł się powstrzymać. A w wagonie odprowadzających nie było, dlatego można śmiało powiedzieć: wszedłem do wagonu i więcej nie płakałem.

---

[2] Żukow, *op. cit.*

III

Przenikliwość Żukowa jest godna podziwu. W czerwcu 1940 wielu ludzi jeszcze nie rozumiało, że za rok będzie toczyć się wojna. Jednak on sam rozumiał. Zdolności dedukcyjne legendarnego dowódcy są po prostu porażające. By nie powiedzieć więcej. Żukow przeczuwał nieszczęście rok przed niemiecką napaścią! 8 czerwca 1940 roku ani Hitler, ani jego generałowie nie mieli ani zamiaru, ani planów napaści na Związek Radziecki. Ani OKW, ani OKH[3] nie miały jeszcze nawet wstępnych planów operacji „Barbarossa" ani żadnych dyrektyw Hitlera na ten temat. O wojnie przeciw ZSRR nie było nawet mowy. Czerwiec 1940 roku to moment, kiedy niemieckie kliny pancerne zwróciły się w kierunku Oceanu Atlantyckiego, obchodząc wielkim łukiem Paryż. Po rozgromieniu Francji Hitler nakazał znacznie zredukować niemieckie siły zbrojne. Ową redukcję prowadzono na bardzo szeroką skalę, żadna bowiem wojna przeciw Związkowi Radzieckiemu nie zapowiadała się, nie była przewidywana ani planowana. A Żukow już tonie we łzach...

21 lipca 1940 roku Hitler po raz pierwszy w bardzo wąskim gronie przedstawił swoją koncepcję wojny przeciwko Rosji. 29 lipca 1940 roku generał pułkownik Franz Halder polecił szefowi sztabu 18. Armii generałowi majorowi Marcksowi przygotować teoretyczne podstawy operacji zaczepnej na Wschodzie.[4] Są to najbardziej pierwotne szkice planu. Początkowo plan posiadał nawet inny kryptonim – nie „Barbarossa", lecz „Fritz".

Zatem wyłania się taki oto obraz: genialny Żukow opłakuje przyszłe ofiary, albowiem już na początku czerwca 1940 roku wie, jaka idea półtora miesiąca później zaświta Hitlerowi w głowie.

I kolejny zadziwiający fakt. W rozmowach ze Stalinem, Kalininem i innymi członkami Biura Politycznego Żukow „ostatecznie utwierdził się w przekonaniu, że wojna jest bliska,

---

[3] OKW – Oberkommando der Wehrmacht – Naczelne Dowództwo Sił Zbrojnych; OKH – Oberkommando des Heeres – Naczelne Dowództwo Wojsk Lądowych [przyp. tłum.].

[4] Halder, *op. cit.*, t. 2, s. 58.

jest nieodwołalna..." Wniosek: jeszcze przed rozmowami ze Stalinem i towarzyszami, a więc jeszcze przed przybyciem do Moskwy w kwietniu 1940 roku, Żukow już wiedział, że będzie wojna z Niemcami. A Stalin i inni członkowie Biura Politycznego nie zaprzeczali. Przeciwnie, w rozmowach z nimi Żukow „ostatecznie utwierdził się..." A zatem zarówno sam towarzysz Stalin, jak i inni towarzysze podzielali ten punkt widzenia na rok przed niemiecką napaścią. Wiedzieli, że wojna z Niemcami jest nieodwołalna dużo wcześniej, niż sami Niemcy zaczęli przemyśliwać na ten temat.

Jak w tym wypadku rozumieć zachowanie Stalina? Wiosną 1940 roku jest przekonany, że wojna z Niemcami jest nieunikniona, a rok później, 22 czerwca 1941 roku, ten sam Stalin nie daje wiary, że wojna się rozpoczęła. Jak oceniać zachowanie Żukowa? Na rok przed wybuchem wojny wszystko sobie uświadomił, zrozumiał i nawet opłakiwał przyszłe ofiary, a po roku, owego feralnego ranka 22 czerwca 1941 roku, śle wojskom dyrektywę, żeby nie otwierać ognia, nie zestrzeliwać samolotów, nie ulegać prowokacjom.

W 1940 roku opłakiwał przyszłe ofiary, ale w 1941 zabronił odpowiadać na ogień nieprzyjaciela, narażając swoich żołnierzy, oficerów i generałów na śmiertelne zagrożenie.

Nie jesteśmy strategami, dla nas taka mądrość jest niepojęta.

IV

Rankiem 9 czerwca 1940 roku zapłakany generał armii Żukow przybył do Kijowa i w tym samym dniu ludowy komisarz obrony marszałek Związku Radzieckiego Siemion Timoszenko skierował do dowódców Kijowskiego i Odeskiego OW wytyczne o utworzeniu Frontu Południowego. Dowódcą Frontu został mianowany generał armii Gieorgij Żukow.

W skład Frontu Południowego weszły 5. i 12. Armia Kijowskiego Specjalnego OW oraz 9. Armia Odeskiego OW, ogółem trzynaście korpusów: dziesięć korpusów piechoty i trzy kawalerii.

Łączna liczba dywizji – 40: 32 dywizje piechoty, 2 dywizje piechoty zmotoryzowanej, 6 dywizji kawalerii.

Liczba brygad – 14: 11 pancernych, 3 powietrznodesantowe.

Odwody Naczelnego Dowództwa: 16 pułków artylerii ciężkiej i 4 dywizje artylerii wielkiej mocy.

Lotnictwo Frontu Południowego – 45 pułków lotniczych, z czego myśliwskich – 21, bombowych – 24.

Ogólna liczebność wojsk – 460 tysięcy żołnierzy i oficerów, 12 tysięcy dział, 3 tysiące czołgów, 2 tysiące samolotów.

Stalin ześrodkował te siły na granicy Rumunii. Następnie zażądał zwrotu Besarabii i Bukowiny Północnej.

Front Południowy Żukowa był gotów unicestwić Rumunię, ale latem 1940 roku nie dane mu było walczyć. Bukareszt był świadkiem błyskotliwych zwycięstw Armii Czerwonej w Finlandii i zdawał sobie jasno sprawę, że lepiej ustąpić Stalinowi bez walki. Strony zgodziły się na pokojowe rozwiązanie konfliktu. Rumuńskie wojska wycofały się, natomiast wojska Żukowa wkroczyły do Besarabii i Bukowiny Północnej.

Dla Związku Radzieckiego następstwa tego bezkrwawego zwycięstwa były katastrofalne.

Neutralna Rumunia mogła wybierać, po czyjej stronie stanąć. Europę rozdzierają na strzępy dwaj kanibale, Hitler i Stalin. Stalin nagle zażądał Besarabii i Bukowiny Północnej, pozostało więc je oddać. Kto to wie, czego Stalin zapragnie jutro? A Hitler niczego nie żąda. Dlatego wybór jest prosty i Rumunia idzie pod protektorat Hitlera.

Oto rezultat:

a) na granicy Związku Radzieckiego pojawia się kolejne wrogie państwo;

b) front, którego w razie wojny trzeba będzie bronić, wydłuża się prawie o 800 kilometrów;

c) Hitler zdobywa dodatkowy przyczółek do ataku na Związek Radziecki i zyskuje sojusznika, który dysponuje ropą naftową.

Bez dostępu do ropy Niemcy nie mogły walczyć. Dopiero przyjmując Rumunię pod swe opiekuńcze skrzydła, Hitler mógł serio zaplanować napaść na Związek Radziecki. Bez tego agresja była niemożliwa.

Jednak najważniejszą konsekwencją wyprawy na Besarabię i Bukowinę Północną było to, że Stalin spłoszył Hitlera. „Wyzwoleńcza" operacja Żukowa stała się dla Hitlera ostatnim ostrzeżeniem. Oto bowiem powstało bezpośrednie radzieckie zagrożenie dla terenów roponośnych w Rumunii. Właśnie z powodu tego zagrożenia Hitler rozkazał przygotowywać uprzedzające uderzenie na ZSRR. Wszystko to jest powszechnie wiadome. Nikt temu nie zaprzecza. Stalin popełnił więc samobójczą omyłkę, czego nie wolno puścić w niepamięć. No, ale my rozmawiamy o Żukowie. Przeanalizujmy jego rolę w tej rozgrywce.

V

Stalin rozkazuje Żukowowi, by siłą, lub grożąc użyciem siły, oderwał od Rumunii obszary Besarabii i Bukowiny Północnej. Armia Czerwona w ten sposób zbliża się do bezbronnych pól naftowych Rumunii na odległość wyciągniętej ręki. Konkretnie 180 kilometrów.

Tego było za wiele. W Berlinie w końcu uświadomiono sobie, że Związek Radziecki staje się dla Niemiec śmiertelnym zagrożeniem. Od tej chwili rozpoczęły się przygotowania do zniszczenia ZSRR.

Radzieccy i rosyjscy oficjalni historycy zmuszeni są przyznać, że latem 1940 roku władze ZSRR popełniły kardynalny błąd. „W czerwcu 1940 roku, po rozgromieniu Francji, niemieckie władze zaczęły uważać Anglię za swojego głównego przeciwnika. 16 czerwca 1940 roku Hitler podpisał dyrektywę nr 16 o przygotowaniu operacji desantowej wojsk niemieckich w Wielkiej Brytanii pod kryptonimem «Lew Morski». Planowanie operacji zamierzano ukończyć 15 sierpnia, a samą operację przeprowadzić w ciągu następnego miesiąca. Jednak w czerwcu i lipcu 1940 roku Związek Radziecki dokonał kilku posunięć na swoich zachodnich granicach: zostały przyłączone Besarabia oraz Bukowina Północna (26–29 czerwca 1940 roku), uległ zmianie ustrój polityczny w krajach bałtyckich, co spowodowało przesunięcie radzieckich granic dalej na zachód.

Nie jest więc zapewne dziełem przypadku, że właśnie 21 lipca 1940 roku Hitler na naradzie w Berlinie podniósł «problem radziecki»"[5].

Nawiasem mówiąc, w tym właśnie artykule poruszony jest jeszcze jeden zasadniczy aspekt: „Stalin chciał także wykorzystać Hitlera do rozbicia Imperium Brytyjskiego i światowego systemu kapitalistycznego"[6]. Gdybyśmy spróbowali tę myśl zobrazować plastycznie, otrzymalibyśmy Lodołamacz, który toruje drogę Stalinowi – i Rewolucji Światowej. Tak więc sprawy posuwały się zgodnie z planem. Hitler już podpisał dyrektywę o przygotowaniu desantu w Wielkiej Brytanii. Jednak aneksja Besarabii, Bukowiny Północnej, Estonii, Litwy i Łotwy zmusiły Führera, by przyjrzał się, co też dzieje się za jego plecami.

Latem 1940 roku radziecki Front Południowy, którym dowodził Żukow, miał do wyboru trzy drogi: dwie właściwe i jedną zgubną.

Pierwsza, prawidłowa droga, to dokonać uderzenia na Besarabię i iść dalej, w kierunku pól naftowych Ploeszti. Hitler skierował całą swoją potęgę przeciwko Francji i Wielkiej Brytanii. Walczyli tam wszyscy najlepsi generałowie Rzeszy. Na swoich tyłach, nad granicą Związku Radzieckiego, Hitler zostawił jedynie dziesięć słabych dywizji piechoty, ani jednego czołgu, ani jednego samolotu, ani jednego działa. Te dziesięć dywizji stacjonowało w Polsce i na Słowacji. W Rumunii nie było żadnych wojsk niemieckich. Przerzucenie ich w tamten rejon nie było możliwe. Trzy tysiące radzieckich czołgów i dwa tysiące samolotów w zupełności wystarczało, żeby dojść do złóż ropy naftowej i wzniecić tam pożar. Byłby to koniec Tysiącletniej Rzeszy. Gdyby Front Południowy Żukowa wykonał uderzenie na Rumunię, II wojna światowa zakończyłaby się w czerwcu 1940 roku zwycięstwem Związku Radzieckiego i zaprowadzeniem porządku komunistycznego na całym kontynencie. Pod kontrolę Stalina trafiłyby gigantyczne kolonialne imperia Francji, Belgii i Holandii.

---

[5] „Wojenno-istoriczeskij żurnał", nr 6/1992, s. 45.
[6] *Ibid.*, s. 47.

Druga droga była bardziej ryzykowna, ale w perspektywie mamiła jeszcze większą wygraną. W czerwcu 1940 roku należało po prostu... odczekać. I to całkiem niedługo. Po rozgromieniu Francji Hitler planował desant na Wyspy Brytyjskie. Dla Stalina ryzyko polegało na tym, że Wielka Brytania i Niemcy mogły zawrzeć separatystyczny pokój. W takim wypadku Stalin pozostawał sam na sam z Niemcami. Jednak gdyby Hitler, zgodnie z planem, zaatakował Wielką Brytanię, wówczas scenariusz „wyzwolenia" Europy znacznie by się uprościł:

1. Żukow dokonuje uderzenia na przemysł naftowy Rumunii;

2. Armia Czerwona rozpoczyna „wyzwoleńcze" operacje w Europie;

3. doborowych niemieckich wojsk na kontynencie nie ma, są za kanałem La Manche i wycofanie ich stamtąd nie jest możliwe.

A trzecia droga była zgubna. W czerwcu 1940 roku Front Południowy Żukowa zagarnął Besarabię, Bukowinę Północną i zatrzymał się w pół drogi do zagłębia naftowego Ploeszti.

Dwa lata później Hitler mówił, że w 1940 roku zdołał zmusić Stalina do zadowolenia się jedynie Besarabią. To nie jest prawda. Po pierwsze, latem 1940 roku Stalin nie polecił Żukowowi pokonać Rumunów. Po drugie, Hitler w 1940 roku, w najgorętszym momencie walk o Francję, nie miał żadnych środków oddziaływania na Stalina.

Gdyby Stalin rozkazał rozgromić Rumunię latem 1940 roku, nikt nie zdołałby zatrzymać Frontu Południowego. A Żukow, gdyby był strategiem z prawdziwego zdarzenia, to właśnie powinien był zasugerować Stalinowi.

VI

Często słyszę pytanie, czy aby nie przykładam zbyt wielkiej wagi do rumuńskiej ropy naftowej. Przecież Niemcy opanowali produkcję benzyny syntetycznej.

To prawda, taka produkcja rzeczywiście była przygotowana. Ale problem z paliwem pozostawał nie rozwiązany.

Przede wszystkim musimy pamiętać, że paliwa syntetyczne pod względem jakości nie mogą równać się z paliwami uzyskanymi z ropy naftowej. Zastosowanie paliwa syntetycznego powoduje drastyczne obniżenie technicznych, a w konsekwencji taktycznych parametrów sprzętu bojowego: samolotów, czołgów, okrętów.

W dodatku paliwo syntetyczne jest bardzo kosztowne. Produkcja paliw syntetycznych kosztuje 7–12 razy drożej niż produkcja paliwa organicznego. Przypominam, że w drugiej połowie XX wieku światem parokrotnie wstrząsały kryzysy związane z ropą naftową. Światowe koncerny petrochemiczne na początku trzeciego tysiąclecia są bez porównania potężniejsze niż przemysł chemiczny Rzeszy w 1941 roku. Jednak nikomu jakoś nie spieszno do produkowania paliw syntetycznych.

No i jeszcze jeden czynnik: ilość.

W 1941 roku zapotrzebowanie Niemiec na ropę szacowano na co najmniej 20 mln ton rocznie.[7] Nie zapominajmy też, że Hitler miał sojuszników, którzy również posiadali własne armie, floty i siły powietrzne. Ich także trzeba było zaopatrywać w niemieckie paliwo.

Produkcja paliwa syntetycznego w Niemczech w 1941 roku to zaledwie 4,1 mln ton: jedna piąta absolutnego minimum. Jeżeli uwzględnić sojuszników, z którymi należało się dzielić, widać, że udział paliwa syntetycznego w bilansie ogólnym był niemal pomijamy.

Oprócz paliwa syntetycznego ropa naftowa docierała do Niemiec z Austrii, Czechosłowacji, Francji, Węgier i Polski. Ogółem 1,3 mln ton w 1941 roku.

A zatem w 1941 roku Niemcy wyprodukowały paliwo syntetyczne i uzyskały ropę naftową z okupowanych przez siebie krajów w ilości 5,4 mln ton. Gdyby nie zasoby rumuńskiej ropy, to dysponując taką ilością paliwa dla armii, lotnictwa, marynarki wojennej, transportu i przemysłu, Niemcy mogłyby walczyć i produkować jedynie przez 3 miesiące w roku. Przez następne 9 miesięcy musiałyby czekać z założonymi rękami na... następny rok.

---

[7] J. Ejdus, *Židkoje topliwo w wojnie*, Moskwa 1943, s. 74–75.

Hitler uważał, że gdyby Armia Czerwona zdobyła Rumunię w 1940–1941 roku, to bez rumuńskiej ropy naftowej Niemcy mogłyby przetrwać do wiosny 1942. Ten optymizm nie wytrzymuje konfrontacji z arytmetyką. Bez rumuńskiej ropy potrzeby gospodarki i sił zbrojnych Rzeszy były zaspokajane tylko w jednej czwartej przez fatalne i bardzo kosztowne paliwo. Zajęcie Rumunii przez Armię Czerwoną w 1940–1941 roku obróciłoby się dla Niemiec w katastrofę w ciągu dwóch, może trzech miesięcy.

Ile zatem ropy naftowej płynęło z Rumunii? W 1941 roku 5 milionów ton.

Niewiele. Ale bez tego życie i walka były po prostu niemożliwe. Pozyskując rumuńską ropę naftową, Niemcy balansowały na linie, próbując radzić sobie z ilością dwukrotnie mniejszą od własnych minimalnych potrzeb.

W toku całej wojny problem z ropą naftową nie został ostatecznie rozwiązany. 6 czerwca 1942 roku OKW tak oceniało sytuację: „Zaopatrzenie w materiały pędne i smary w bieżącym roku będzie jednym ze słabych punktów naszego potencjału wojennego. Brak materiałów pędnych i smarów wszystkich rodzajów jest na tyle poważny, że zostanie utrudniona swoboda działania wszystkich trzech rodzajów sił zbrojnych. [...] W takim samym stopniu negatywnie odbije się na przemyśle zbrojeniowym. [...] Niewielkiej poprawy można oczekiwać pod koniec roku, kiedy zostaną uruchomione nowe zakłady wytwórcze paliw syntetycznych, co jednakże nie pociągnie za sobą znaczącej zmiany na lepsze w zaopatrzeniu w materiały pędne i smary"[8].

Im dłużej trwała wojna, tym gorsze było zaopatrzenie. W 1944 roku Niemcy jako pierwsze na świecie rozpoczęły seryjną produkcję samolotów odrzutowych. Myśliwiec Me-262 przewyższał wszystkie samoloty świata pod względem szybkości. Wyprodukowano łącznie 1433 maszyny. Ale brakowało paliwa. A bez paliwa najlepszy na świecie myśliwiec nie mógł latać. Spośród prawie półtora tysiąca wyprodukowanych

[8] B. Müller-Hillebrandt, *Das Heer, 1939–1945*, Frankfurt/M 1954–1956, t. 3, s. 67.

samolotów tego typu w walkach brało udział niewiele ponad dwieście. Pozostałe musiały pozostać na ziemi.

Przed wyprawą Żukowa do Besarabii Rumunia była krajem neutralnym. Rumuńska ropa naftowa nie była ani radziecka, ani niemiecka. Dostawy ropy do Niemiec były co najmniej niepewne. Führerowi pomógł sam Żukow. Jego „wyzwoleńcza" interwencja pchnęła Rumunię w objęcia Hitlera. Rumuńska ropa naftowa zyskała berlińskiego nabywcę.

VII

Przychodzi wreszcie moment, kiedy trzeba spojrzeć prawdzie w jej zuchwałe oczy. Prawda zaś jest taka, że z Żukowa strateg był zwyczajnie do niczego. Nie umiał, nawet nie próbował spoglądać na mapy sztabowe oczami przeciwników. Żukow był tylko wykonawcą. Prawda, że to Stalin popełnił fatalny błąd, ale Żukow tego nie dostrzegł i nie był w stanie go skorygować. Zdrowy rozsądek podpowiada, że wilka można zagonić do rogu, ale tylko po to, by go tam natychmiast zastrzelić. Jeżeli zagnaliśmy wilka do rogu, ale go nie zabijamy, ryzykujemy, że się na nas rzuci. Atak zdesperowanego wilka jest nagły i straszny. Chwyta wprost za gardło.

Właśnie to wydarzyło się w 1941 roku.

Jesienią 1939 roku Hitler znalazł się w strategicznym impasie. Rok później Stalin wzniósł nad Hitlerem dwa topory: jeden na północy, gdzie była ruda żelaza, drewno i nikiel, drugi na południu, tam, gdzie zasoby ropy naftowej. Stalin zwlekał, wyczekiwał, aż Hitler rzuci się na Wielką Brytanię. Ale w 1941 roku Anglia nie zagrażała Hitlerowi. Natomiast zagrażał mu Stalin. 21 czerwca 1941 roku Führer pisał do Mussoliniego: „Rosja próbuje zniszczyć rumuńskie złoża ropy naftowej. [...] Zadanie naszych armii polega na tym, żeby jak najszybciej zlikwidować to zagrożenie".

Oto, gdzie leżała przyczyna napaści. Nie chodziło bynajmniej o *Lebensraum*, czyli walkę o przestrzeń życiową.

Żukow nie rozumiał sytuacji strategicznej w 1940 roku i nie uprzedził Stalina o niebezpieczeństwie. Powiem więcej: Żukow do końca życia nie zdołał uświadomić sobie, jak bardzo się przeliczył, formując Front Południowy na granicy z Rumunią. Możecie się wyśmiewać, ale w pamiętnikach Żukowa nie ma słowa o tym, jak formował się Front Południowy, jakie miał siły i zadania, jak udało się uniknąć wojny z Rumunią w 1940 roku i do czego to doprowadziło.

Żukow pisze o dokonaniach radzieckich robotników i chłopów. Opowiada o realizacji pierwszego i drugiego planu pięcioletniego, o ambitnych zamierzeniach na trzecią pięciolatkę.[9] Na następnej stronie Żukow snuje opowiadania o nakładach inwestycyjnych w przemyśle ciężkim. Na kolejnej stronie – o zasobach surowcowych państwa, o organizacji zarządzania przemysłem, wzmocnieniu dyscypliny w przedsiębiorstwach, socjalistycznym współzawodnictwie, o mądrej polityce partii komunistycznej. Wszystko to rzetelnie przepisano z czasopisma „Notes Agitatora". W książce Żukowa znajdziecie, co chcecie, włącznie z opisami negocjacji misji wojskowych ZSRR, Wielkiej Brytanii i Francji, z którymi Żukow w ogóle nie miał do czynienia. Ale nie znajdziecie ani słowa o Froncie Południowym, którym Żukow dowodził.

Opieram się na pierwszym wydaniu pamiętników z 1969 roku. Wydanie to ukazało się za jego życia i ponosi za nie odpowiedzialność. Następne edycje ukazywały się po jego śmierci i wciąż przynosiły radykalne poprawki. Pierwsze i dziesiąte wydanie mają ze sobą niewiele wspólnego. Widocznie nieżyjący od lat Żukow śle z tamtego świata odpowiednie wytyczne, a jego pamiętniki w cudowny sposób są aktualizowane – w zależności od bieżących potrzeb.

Wniosek: kiedy Stalin zaplanował błyskotliwą operację, Żukow umiał ją przeprowadzić. Ale kiedy Stalin mylił się, tak jak w 1940 roku w Rumunii, wtedy Żukow bezmyślnie wykonywał zlecone zadanie, nie zastanawiając się nad następstwami.

Już słyszę głosy sprzeciwu: latem 1940 roku Żukow nie przeanalizował sytuacji strategicznej, dlatego nic nie zrozumiał. Może kiedy indziej był mądrzejszy, może wtedy podsuwał Stalinowi prawidłowe rozwiązania? Może. Jednak błąd strategiczny 1940 roku był tak rażący, że jego zgubnych dla ZSRR następstw

_____

[9] Żukow, *op. cit.*, s. 178.

nie dało się potem przesłonić żadnymi genialnymi decyzjami i błyskotliwymi zwycięstwami. To wskutek błędów Stalina i Żukowa Hitler napadł na Związek Radziecki, rozgromił jego armię i zniszczył większą część radzieckiego przemysłu. W rezultacie Związek Radziecki nie zdołał podbić Europy, a Stalin przegrał wojnę o globalną hegemonię. Wolny świat przetrwał, a Związek Radziecki przestał istnieć. Korzenie schyłku Związku Radzieckiego sięgają wyzwoleńczego pochodu do Besarabii i Bukowiny Północnej latem 1940 roku.

Związek Radziecki triumfował w II wojnie światowej, ale pół wieku później przepadł w odmętach dziejów. Więc kiedy komuniści świętują tak zwany Dzień Zwycięstwa, ja pytam: Gdzie się podziało to wielkie, zwycięskie mocarstwo? Gdzie ono przepadło? Niemcy przegrały wojnę, ale dziś to największa siła współczesnej Europy. A gdzie jest wielki, potężny, niezłomny Związek Radziecki?

I komu potrzebne takie zwycięstwo?

Czerwona propaganda przekonuje, że Związek Radziecki wygrał wojnę dlatego, że wielki Żukow rozumiał strategię jak nikt.

Protestuję: Związek Radziecki przegrał wojnę dlatego, że Gieorgij Żukow nie rozumiał najprostszych, elementarnych zasad strategii.

Te zasady można wyrazić bardzo zwyczajnie: jeżeli się zamachnąłeś – uderz! Albo nie wywijaj rękami po próżnicy.

Rozdział 5

Przepis na klapę

Czy Żukow był wielkim strategiem? Czy w ogóle tępy żołdak
mógł nim być?[1]

A. Tonow

I

Latem 1940 roku Stalin i Hitler zmienili oblicze Europy.
Niemcy podbiły i okupowały Francję, Belgię, Holandię, Luksemburg, a Związek Radziecki przyłączył do swego terytorium Estonię, Litwę, Łotwę, Besarabię, Bukowinę Północną,
kawałek Finlandii. Na kontynencie europejskim pozostały
tylko dwa potężne państwa i dwie potężne armie: niemiecka
i radziecka.

Należało zastanowić się nad sensem zaistniałej sytuacji.
I oto we wrześniu 1940 roku wszyscy dowódcy radzieckich
okręgów wojskowych, dowódcy armii, szefowie sztabów, niektórzy dowódcy korpusów i dywizji otrzymali wiadomość,
że w grudniu odbędzie się narada wyższej kadry dowódczej.
Narada zapowiadała się dość niezwykle. Wiadomo było, że
zwołano ją z rozkazu Stalina. Oczekiwano obecności nie tylko
Stalina, ale całego składu Biura Politycznego. W toku narady
zamierzano wysłuchać i przedyskutować szereg referatów.
Tytuł głównego referatu brzmiał: „Charakter współczesnych
operacji zaczepnych". Przygotowanie referatu zlecono dowód-

---

[1] „Niezawisimaja gazieta", 5 marca 1994.

cy Kijowskiego Specjalnego Okręgu Wojskowego, generałowi armii Żukowowi.

W *Lodołamaczu* napisałem, że po otrzymaniu tego polecenia Żukow przeprowadził jedyne w swoim życiu badania teoretyczne. Przepraszam w tym miejscu swoich czytelników. Myliłem się. Żadnych badań Żukow nigdy w swoim życiu nie prowadził. Autorem referatu był pułkownik Iwan Bagramian. Genialny strateg Żukow lubił wprawiać słuchaczy w osłupienie głębią przemyśleń. Ale były to cudze przemyślenia. Żukow szczodrze sypał perły mądrości wojskowej, które zapobiegliwie przygotowywali dla niego anonimowi pułkownicy.

Ale w opisanym przypadku sprawa nie poszła tak gładko. Anonimowy pułkownik Bagramian w toku wojny i po jej zakończeniu dogonił Żukowa – sam został marszałkiem Związku Radzieckiego. I wtedy właśnie rozgłosił na cały świat, że w 1940 roku to on był źródłem mądrości Żukowa. Bagramian szczegółowo i po wielokroć opowiadał, jak powstawał referat. W zaistniałych okolicznościach Żukowowi nie pozostało nic innego, jak niechętnie potwierdzić wynurzenia Bagramiana: no, tak, byłem strasznie zajęty, nie miałem czasu, dlatego też pułkownik Bagramian wykonał za mnie pracę.

A nam nie pozostaje nic innego, jak zakrzyknąć ze zdumienia, najlepiej kilkakrotnie, bo i przyczyn owego zdziwienia jest kilka.

II

Obrońcy geniuszu Żukowa mogą wyszukać mnóstwo spraw nie cierpiących zwłoki, które absorbowały dowódcę Kijowskiego Specjalnego OW. Jednakże bez względu na pomysłowość apologetów my będziemy trwać przy swoim: nie mogło być nic ważniejszego od wystąpienia na tej naradzie. Oczywiście, że Okręg Kijowski był potężny i znaczący. Bezsprzecznie jego dowódca ma wiele spraw na głowie. Ale z drugiej strony miała to być narada na najwyższym szczeblu, poświęcona fundamentalnej kwestii: jak uchronić kraj od zagłady. Cóż może być ważniejszego? Wobec rangi tego wydarzenia problemy Kijowskiego Specjalnego OW schodzą na dalszy plan.

Los dał Żukowowi możliwość ogarnięcia spojrzeniem strategicznych wyżyn. Sprawami okręgu mogli się zająć jego zastępcy. Na czele każdego okręgu stoi rada wojskowa, która w wyjątkowych okolicznościach może pokierować okręgiem pod nieobecność dowódcy. Żukow miał szefa sztabu, miał pierwszego zastępcę, zwykłych zastępców, dowódcę artylerii, dowódcę sił powietrznych, dowódcę wywiadu i całą watahę generałów. To oni powinni byli zająć się okręgiem, by Wielki Strateg w tym czasie mógł choć przez chwilę skupić uwagę na rozmyślaniach o nadchodzącej wojnie i bezpieczeństwie kraju. Bo to Związek Radziecki, a nie okręg wojskowy powinien być dla Żukowa priorytetem.

Gdyby Stalin i członkowie Biura Politycznego uznali, że referat może przygotować pierwszy z brzegu pułkownik, to jemu zleciliby ten zaszczyt. Ale na Kremlu uważano, że problemem najwyższej wagi powinien zająć się pierwszorzędny strateg. Żukow przez nieporozumienie uchodził wówczas za stratega i dlatego rozkazem Moskwy zlecono mu przygotowanie referatu. Rozkaz spychał na dalszy plan wszystkie inne sprawy, w szczególności czasowo zwalniał Żukowa z odpowiedzialności za Okręg Kijowski, nakazując zajęcie się sprawą wagi państwowej. Gdyby Żukow był dobrym dowódcą, jego nieobecność na czas przygotowania referatu nie powinna zostać zauważona przez nikogo. Dobry dowódca powinien tak zorganizować pracę okręgu, żeby wszyscy jego podwładni działali precyzyjnie i dokładnie, niezależnie od tego, czy szef jest obecny w siedzibie sztabu czy nie. Gdyby Żukow prawidłowo zorganizował dowodzenie okręgiem, miałby czas zająć się bezpieczeństwem kraju.

Ale Żukow zrobił wszystko na odwrót. Osobiście zajmował się sprawami Okręgu Kijowskiego, to samo robili jego generałowie. Natomiast o nadciągającej wojnie i o bezpieczeństwie kraju zamiast Żukowa myśli pułkownik.

Tak, to prawda, pułkownik Bagramian, który pisał referat Żukowa, potem wspiął się na szczyt władzy. Ale w tym właśnie rzecz, że Żukow tego nie przewidział. Nakazał, by zamiast niego myślał człowiek, który w tym czasie niczym się nie wyróżnił. Oto stosunek Żukowa do kwestii bezpieczeństwa kraju.

III

Przypomnijmy sobie, jak po wojnie Żukow tłumaczył swój płacz przy wyjeździe do Kijowa: „I oto z poczuciem nadciągającej tragedii patrzyłem na beztrosko odprowadzających mnie krewnych i towarzyszy, na Moskwę, na radosne twarze moskwian i myślałem: co z nimi będzie? Wielu tego nie rozumiało..." A więc oni, głupcy, na rok przed nadejściem wojny niczego nie rozumieli, a genialny Żukow wszystko przewidział. I oto właśnie on, wszechwiedzący, dostał od losu wyjątkową szansę. Mógł powiedzieć samemu Stalinowi, w obecności Biura Politycznego i dowództwa Armii Czerwonej – i to pół roku przed rozpoczęciem wojny! – wszystko, co mu leżało na sercu. Mógł powiedzieć Stalinowi, Mołotowowi, Kaganowiczowi, Malenkowowi i pozostałym, że nadciąga niebezpieczeństwo! Ale Żukow nie wykorzystał swojej szansy, nie zechciał podzielić się z kierownictwem swoimi tragicznymi przeczuciami. O swoim fenomenalnym przewidywaniu nadciągającej tragedii opowiedział naiwnym słuchaczom dopiero po wojnie.

Tymczasem przygotowanie referatu nie mogło być skomplikowane. Nie trzeba było specjalnie główkować, teoretyzować, debatować. Skoro wiesz, że wojna nieuchronnie się zbliża, skoro widzisz, że przygotowania do wojny nie są na wymaganym poziomie – powiedz o tym głośno. Powiedz, co myślisz, co ci leży na wątrobie. Możesz nawet rozpłakać się przed Stalinem, tak jak płakałeś 8 czerwca 1940 roku!

Przygotowanie referatu nie mogło też zająć dużo czasu.

W sierpniu 1939 roku Żukow przeprowadził olśniewającą operację okrążenia i rozbicia japońskiej 6. Armii na stepach Mongolii. Był to pierwszy w XX wieku przykład prawdziwego Blitzkriegu. To prawda, że niemiecki Blitzkrieg we wrześniu 1939 roku był bardziej efektowny. Jednak radziecki był o wiele trudniejszy do wykonania. W Europie, choć pełnej napięcia, panował jeszcze pokój. Nagłe uderzenie w czasie pokoju jest łatwiej przygotować. W Mongolii toczyła się wojna, a podczas wojny znacznie trudniej uzyskać efekt zaskoczenia: nieprzyjaciel ma się na baczności. Poza tym armia niemiecka w wojnie z Polską korzystała ze stacjonarnych lotnisk, baz zaopatrzeniowych, stanowisk dowodzenia, węzłów łączności, szpitali wojskowych, zakładów remontowych i baz. W Mongolii nie było ani kolei, ani żadnych dróg, ani lasów, ani lotnisk, nie było linii telefonicznych i telegraficznych. Każdą belkę do budowy schronów, każdy słup telegraficzny, każde polano do kuchni polowej trzeba było dowozić z punktów oddalonych o setki kilometrów. Uzbrojenie, amunicję, materiały pędne i smary – wszystko to trzeba było transportować po bezdrożach ciągnących się niekiedy tysiącami kilometrów.

Armia japońska była jedną z najsilniejszych armii świata. Pod względem wytrzymałości, dyscypliny, odwagi w walce i gotowości do poświęcenia własnego życia armia japońska nie miała sobie równych. I oto przeciwko tej właśnie armii została przeprowadzona błyskawiczna operacja, w której rezultacie wojska japońskie poniosły porażkę bez precedensu w całej historii Kraju Kwitnącej Wiśni.

W drugiej połowie 1940 roku spośród wszystkich wysokich dowódców Armii Czerwonej tylko Żukow dysponował doświadczeniem w prowadzeniu błyskawicznej operacji natarcia z udziałem tysięcy żołnierzy, setek czołgów, samolotów i artylerii. Dlatego powinien podzielić się tym doświadczeniem z pozostałymi dowódcami. I nie potrzebował pomocy jakiegoś pułkownika Bagramiana. Po prostu należało jasno i prosto powiedzieć: planowałem operację w taki to a taki sposób, a przeprowadzałem w następujący. Oczywiście przyszłe działania Armii Czerwonej, mające za cel podbicie Europy, będą się różnić od operacji na stepach Mongolii. Żukow powinien był po prostu pokazać różnice między operacjami w Azji Środkowej i przyszłymi operacjami w Europie Środkowej. Ot, i cała filozofia.

Podobno Żukow osobiście przygotowywał operację zniszczenia japońskiej 6. Armii nad Chałchyn-goł. W takim razie nie musiał zbytnio wytężać umysłu nad referatem. Dawno już wszystko przemyślał, jeszcze w Mongolii. Wystarczyło podyktować maszynistce swoje wspomnienia.

Jednak prawda jest trochę bardziej skomplikowana. Żukow wcale nie przygotował tej operacji sam, dlatego nie mógł bez pomocy jasno i przystępnie jej zreferować. A więc? Cóż, podstawił pułkownika Bagramiana, by ten opracował traktat o operacjach zaczepnych, choć pułkownik nie miał jeszcze żadnego doświadczenia w prowadzeniu nowoczesnej wojny, ba, nie miał w ogóle żadnego doświadczenia wojennego. Podczas I wojny światowej Bagramian służył w odwodach, natomiast podczas wojny domowej był dowódcą szwadronu kawalerii i to bynajmniej nie w Armii Czerwonej. Bagramian walczył przeciwko bolszewikom, co prawda z dość miernym skutkiem. W Armenii, gdzie Bagramian dowodził, nie toczyły się żadne godne odnotowania bitwy. Po zakończeniu wojny domowej, w grudniu 1920 roku, Bagramian szybciutko przeskoczył do obozu zwycięzców. I to właśnie jemu Żukow powierzył rozmyślania o nadchodzącej wojnie i planowanie wspaniałych wiktorii.

IV

Zaskakujący był sam temat referatu.

Uczono nas, że Związek Radziecki szykował się do odparcia ataku wroga. Skoro tak, to na naradzie wyższej kadry dowódczej powinien być omawiany jeden zasadniczy problem: jak się bronić przed agresją. Dlaczego więc ta kwestia nie była przedmiotem dyskusji? Dlaczego jedynym tematem były przygotowania do inwazji w Europie Środkowej?

Widzieliśmy rozpaczającego Żukowa, który już w czerwcu 1940 roku okrywał się żałobą po ofiarach nadciągającego kataklizmu. Skoro tak, trzeba było zrezygnować z referatu! Skoro pozostały ci resztki sumienia, jeżeli los kraju i jego narodu leżą ci na sercu, to wstań i głośno powiedz: nie trzeba planować inwazji, drodzy towarzysze, lecz pomyśleć o odparciu ataku!

Po wojnie Żukow bardzo wzniośle wytłumaczył, dlaczego ronił łzy na moskiewskim peronie: „Ostatecznie utwierdziłem się w przekonaniu, że wojna jest bliska, jest nieodwołalna. [...] Ale jaka będzie ta wojna? Czy jesteśmy do niej gotowi? Czy zdążymy wszystko zrobić?" Tak opowiadał, kiedy było już po wszystkim. Dlaczego nie wygłosił tych górnolotnych frazesów na naradzie wyższej kadry dowódczej? Dlaczego z tymi pytaniami nie zwrócił się do Stalina i towarzyszy z Biura

Politycznego? Zamiast tego Żukow przemawiał z trybuny zgoła innym tonem: „Trzeba koniecznie wychowywać naszą armię w duchu najwyższej aktywności, przygotowywać ją do wykonania zadań rewolucji poprzez energiczne, zdecydowane i śmiałe operacje zaczepne"[2].

Oto jego cel: zwycięstwo Rewolucji Światowej. Oto jego metoda: nagłe i śmiałe operacje zaczepne.

V

Komunistyczni historycy znaleźli wytłumaczenie, dlaczego Żukow podczas narady nie mówił o odparciu ataku, lecz o rozstrzygającym triumfie Rewolucji Światowej drogą wojny ofensywnej. Oto ich wersja: Żukow planował szybkie odparcie agresji i natychmiastowe przejście do ataku. Nieźle wymyślone. Lecz, niestety, *post factum*. Skoro Żukow planował szybkie odparcie agresji i natychmiastowe przejście Armii Czerwonej do kontrofensywy na terytorium nieprzyjaciela, to trzeba było tak zrobić. Trzeba było tę agresję szybciutko odeprzeć. Dlaczego więc tego nie uczynił?

Jedno z dwojga: albo nie planowano w ogóle żadnego odparcia agresji, albo te plany już w zarodku okazały się nierealne i niewykonalne, czyli po prostu głupie.

Skłaniam się raczej ku pierwszemu wyjaśnieniu: nikt nawet nie myślał o odpieraniu napaści. Atak Niemiec na Związek Radziecki był uważany za rzecz niemożliwą, dlatego nie przewidywano i nie planowano żadnych działań obronnych Armii Czerwonej. I właśnie o tym mówi stenogram narady, jak również całe mnóstwo innych dokumentów. Ani Żukow, ani nikt inny nawet nie wspomniał w swoim referacie o odparciu agresji. Żukow mówił o nagłym ataku na nieprzyjaciela. „Zwycięstwo zapewni sobie ta strona, która wykaże więcej inwencji w dowodzeniu i stwarzaniu warunków zaskoczenia w użyciu sił i środków. Element zaskoczenia w nowoczesnej

---

[2] *Nakanunie wojny. Materiały sowieszczanija wysszego rukowodiaszczewo sostawa RKKA, 23-31 dekabria 1940*, Moskwa 1993, s. 151.

operacji jest jednym z podstawowych czynników zwycięstwa. A skoro zaskoczenie ma kluczowe znaczenie, zatem wszystkie sposoby kamuflażu i sztuka wyprowadzania nieprzyjaciela w pole winny zostać powszechnie wdrożone w Armii Czerwonej. Nauka kamuflażu i wyprowadzania nieprzyjaciela w pole powinny być stale obecne w procesie szkolenia i wychowania naszego wojska, jego dowódców i sztabów"[3].

VI

W swoich pamiętnikach Żukow przytacza temat referatu, ale tekstu z jakichś powodów nie opublikował i o szczegółach nie opowiedział. Oto i one: „Na powierzchni nie większej niż 30 na 30 km zostanie skoncentrowanych 200 000 żołnierzy, 1500–2000 dział, masa czołgów, olbrzymia liczba środków transportu i innego sprzętu"[4].

To właśnie mówił Żukow o ześrodkowaniu sił jednej z radzieckich armii wtargnięcia przed uderzeniem, dodając, że takich armii będzie wiele. Wszystko, co napisał pułkownik Bagramian, Żukow przedłożył Stalinowi, członkom Biura Politycznego i najwyższemu dowództwu Armii Czerwonej. Materiały te zostały przyjęte i zrealizowane. Gdy przejrzymy niemieckie kroniki i czasopisma z 1941 roku, zobaczymy w nich wszystko to, o czym mówił Żukow: „masę czołgów, olbrzymią liczę środków transportu i innego sprzętu". Wszystko to zostało skoncentrowane przy granicy. I wszystko zostało spalone. Niemieccy lotnicy nie musieli nawet szukać celów. Takiego celu nie można nie zauważyć. I nie ma mowy o spudłowaniu.

Gdyby dwieście tysięcy żołnierzy, półtora do dwóch tysięcy dział, „masę czołgów, olbrzymią liczbę środków transportu i innego sprzętu" rozlokować na linii planowanej obrony, to powstałaby bariera nie do sforsowania, o długości sięgającej kilkuset kilometrów. A gdyby na linii obrony zgromadzono nie jedną, lecz dwadzieścia sześć armii, wtedy bariera zaporowa będzie rozciągać się od Morza Barentsa do Morza Czarnego.

---

[3] *Ibid.*, s. 151.
[4] *Ibid.*

Lecz ani jedna z dwudziestu sześciu armii nie stała na linii planowanej obrony. Co więcej, nie było tam ani jednego korpusu, ani jednej dywizji czy pułku. Wszystko zostało skoncentrowane w związki uderzeniowe na maksymalnie wąskich odcinkach, zgodnie z zaleceniem wielkiego stratega.

Referat Żukowa zawiera wiele zaleceń: rannych nie wywozić daleko na tyły, rezerwy strategiczne skoncentrować przy samej granicy, „stworzyć bazy w odległości 15–20 km od przedniej linii"[5]. Wszystkie jego zalecenia zostały zrealizowane. Przy samej granicy armia niemiecka przejęła setki tysięcy ton amunicji, materiałów pędnych i smarów, innego sprzętu i prowiantu, a Armia Czerwona została bez nabojów, benzyny i chleba.

Czytamy dalej w referacie Żukowa: „Panowanie na niebie jest podstawą powodzenia operacji. Osiągnąć je można dzięki śmiałemu i nagłemu atakowi sił powietrznych na lotnictwo nieprzyjaciela w rejonie jego stacjonowania". W tym celu „lotnictwo powinno stacjonować na lotniskach oddalonych odpowiednio: myśliwce – 30 do 50 km, bombowce – 75 do 100 km od przedniej linii"[6].

Ale przecież w takim przypadku całe lotnictwo może zostać wystawione na niespodziewany cios. Jak więc uchronić własne samoloty? Żukow znajduje prostą odpowiedź: „Zadaniem szczególnej wagi dla dowódcy sił powietrznych będzie uniemożliwienie rozbicia własnego lotnictwa na ziemi. Najlepszym środkiem dla wykonania tego zadania jest niespodziewane uderzenie naszych eskadr na lotniska nieprzyjaciela. [...] Zaskoczenie jest najważniejszym warunkiem sukcesu"[7].

Jak widać, Żukow myśli o zabezpieczeniu własnego lotnictwa, a właściwie myśli o tym Bagramian. Ale recepta pozostaje niezmienna: zaskakujące uderzenie na lotniska niemieckie, chroniące przed niespodziewanym atakiem Luftwaffe. Inne możliwości obrony radzieckich lotnisk nie były brane pod uwagę.

---

[5] *Ibid.*
[6] *Ibid.*
[7] *Ibid.*

VII

Te zalecenia również zostały przyjęte. Wiosną 1941 roku Żukow nalegał, żeby lotniska przesunąć jeszcze bliżej w kierunku granicy: myśliwce na 20–30 km, bombowce na 50–70 km. Żądania zostały wykonane.

Nie trzeba być ani wielkim strategiem, ani jasnowidzem, żeby zrozumieć niebezpieczeństwa wynikające z takiego rozmieszczenia lotnictwa. Wyobraźmy sobie wysunięty posterunek obserwacyjny obrony przeciwlotniczej i żołnierzyka, który w niedzielny czerwcowy poranek znalazł się na tym stanowisku. Znienacka nad jego głową zagrzmiała armada niemieckich bombowców. Żołnierz podniósł słuchawkę i melduje, gdzie trzeba: „Słyszę odgłos wielu samolotów, lecą na wschód, pułap... kurs...” Spróbujmy policzyć, ile czasu potrzeba, żeby tam, gdzie docierają informacje od wielu obserwatorów, meldunek przyjęto, przeanalizowano, podjęto decyzję i wydano odpowiednie polecenia. Przypuśćmy, że zabierze to jedną minutę. A teraz postawmy się na miejscu oficera dyżurnego w pułku lub w dywizji lotnictwa. Zadzwonił telefon: alarm bojowy! Oficer dyżurny musi obudzić dowódców, pilotów, mechaników, wszystkich należy zebrać i odwieźć na lotnisko. Przecież nie śpią pod skrzydłami samolotów. Potem należy ściągnąć z samolotów siatki maskujące, pokrowce z silników, włączyć i rozgrzać silniki, wytoczyć samoloty z ukrycia, podkołować na start, wystartować, nabrać wysokości...

Oto zadanie z matematyki dla uczniów trzeciej klasy szkoły podstawowej: prędkość przelotowa niemieckiego bombowca Ju-87 wynosi 350 km/h, ilu minut będzie potrzebował, by przelecieć 20–30 km od granicy państwa i zbombardować pas startowy radzieckiego lotniska?

Jeszcze jedno zadanie dla uczniów podstawówki. Opis sytuacji: załóżmy, że radzieccy dowódcy, piloci i mechanicy nigdy nie śpią. Załóżmy, że wszystkie samoloty są zawsze gotowe do startu. Przyjmijmy, że wszystkie decyzje są podejmowane w ułamku sekundy i w takim samym czasie są przekazywane wykonawcom. Jeżeli radziecki dowódca lotnictwa po otrzymaniu sygnału alarmu natychmiast wyda polecenie, aby samoloty startowały co 30 sekund, ile czasu potrzeba, by z jednego pasa startowego wzbiło się w powietrze i osiągnęło bezpieczny pułap 120 bombowców?

A jeżeli na lotniskach stoi nie po 120, a po 150–170 samolotów? Ile wtedy czasu potrzeba?

Nie potrzeba być genialnym strategiem, nie potrzeba przywoływać na pomoc specjalistów, nie potrzeba nowoczesnej techniki obliczeniowej, żeby zrozumieć prostą rzecz: w wypadku takiego rozlokowania lotnictwa niemożliwe jest jego wykorzystanie dla obrony państwa. I nie rozmawiajmy, proszę, o „przestarzałych" samolotach radzieckich. Nawet, gdyby były ultranowoczesne, to przy takiej dyslokacji reakcja na uderzenie nieprzyjaciela nie jest możliwa. Proszę też, nie opowiadajmy bajek, że jakoby samolotów było mało. Było ich dużo. Było ich potwornie dużo. Ale zresztą, gdyby nawet było ich dwa albo i trzy, a nawet dziesięć razy więcej – co z tego? Postawmy się na miejscu dowódcy sił powietrznych. Na każdym lotnisku przygranicznym mamy nie po 120–150, ale po 300 samolotów. No i co, czujemy się lepiej? Eskadry nieprzyjaciela przeleciały już granicę i za 5–10 minut będą nad nami. Tymczasem my na sam start 300 samolotów stracimy dwie i pół godziny. I to przy założeniu, że będą startować co pół minuty. A jeżeli będą opóźnienia? A jeżeli odstęp między startami zwiększy się do 40 sekund?

Nawiasem mówiąc, 300 samolotów na jednym lotnisku to nie mój wymysł. Czasem tak bywało. Bywało zresztą jeszcze gorzej. Generał pułkownik lotnictwa Batiechin widział na własne oczy, jak 60. Dywizja Lotnictwa Myśliwskiego stacjonowała na lotnisku o wymiarach 800 na 900 metrów.[8] W skład dywizji zazwyczaj wchodzi pięć pułków lotniczych, czasami więcej. A może dywizje nie były w pełni skompletowane? Wrócimy jeszcze do tego pytania. Wtedy przekonamy się, że radzieckie pułki i dywizje lotnicze miały pełne stany etatowe. I gdyby wszyscy dowódcy, piloci, mechanicy i inni pracujący na lotnisku co noc spali pod skrzydłami samolotów, to nawet wtedy w razie niespodziewanego ataku start samolotów i włączenie się ich

---

[8] *Wozdusznája moszcz rodiny*, Moskwa 1988, s. 160.

do walki było niemożliwe. Nawet gdyby wszyscy piloci w ogóle nigdy nie spali, gdyby przez cały czas siedzieli w kabinach samolotów, gdyby silniki pracowały bez przerwy – to i tak w razie niespodziewanego ataku nieprzyjaciela radzieckie lotnictwo zostałoby z pewnością zniszczone. A wówczas olbrzymie związki pancerne, skupiska piechoty i artylerii byłyby równie skuteczne jak cyklop z wybitym okiem.

Nie zawsze było aż tak beznadziejnie. Niektóre lotniska były cofnięte w głąb kraju na odległość 12–15 kilometrów. Wówczas zawsze mamy te 2–3 minuty od przekroczenia przez wroga granicy do zrzucenia pierwszej bomby na pas startowy. W ciągu tych 2–3 minut można przedsięwziąć jakieś działania. Ale nie wszystkie lotniska znajdowały się aż tak daleko. Oto relacja świadka, generała pułkownika Sandałowa: „Pułk lotnictwa szturmowego został przeniesiony na lotnisko polowe w odległości 8 km od granicy"[9]. Był to 74. Pułk Lotnictwa Szturmowego 10. Dywizji Lotniczej 4. Armii Frontu Zachodniego. Działo się to 20 czerwca 1941 na rozkaz szefa Sztabu Generalnego Robotniczo-Chłopskiej Armii Czerwonej, generała armii Żukowa.

Nie ma czego zazdrościć dowódcy tego pułku. Gdyby nawet, biedak, wszystkie noce przesiedział ze słuchawką przy uchu i gdyby w momencie naruszenia przestrzeni powietrznej sygnał alarmu bojowego został natychmiast przekazany na lotnisko, miałby w zapasie niewiele ponad minutę – i to tylko w przypadku, gdyby nadlatujące samoloty były najbardziej ślamazarnymi w całej Luftwaffe Junkersami Ju-87. Gdyby natomiast atakowały szybkie Ju-88, to nie miałby nawet minuty.

A jeżeli do uderzenia włączy się niemiecka artyleria, to już w ogóle nie ma czasu: w jednej sekundzie niemieckie pociski zryją pas startowy, rozniosą na strzępy samoloty, i długo jeszcze będą eksplodować składy amunicji, a niebo przesłoni dym płonącej benzyny. Tak właśnie wyglądał ranek 22 czerwca 1941 roku.

Co prawda bywało jeszcze gorzej. Tego samego dnia, 22 czerwca, na radzieckie lotnisko w Oranach (Litwa) wtar-

---

[9] „Wojenno-istoriczeskij żurnał", nr 7/1971, s. 21.

gnęły czołgi niemieckie. Rozegrały się tam sceny mrożące krew w żyłach. Lotnicy biegali po pasie startowym, za jedyne uzbrojenie mając tetetki. Mechanicy bronili się śrubokrętami. Kolejarze byli w dużo lepszej sytuacji. Z rozkazu Żukowa na granicy skoncentrowano dziesięć brygad wojsk kolejowych o liczebności 70 tysięcy ludzi w celu przestawienia torów niemieckich na szerszy standard radziecki. Kolejarze ci próbowali walczyć z niemieckimi żołnierzami piechoty uzbrojonymi w karabiny maszynowe za pomocą młotów kowalskich, łopat, kilofów i kluczy francuskich. A w lotnictwie nie każdy ma młot kowalski. Jak bez młota walczyć z czołgiem?

Nie tylko lotnisko w Oranach w pierwszym dniu wojny zostało zmiażdżone pod gąsienicami czołgów. Takich lotnisk było wiele...

Mówi się, że wszystkiemu był winny Stalin. W tym jednak wypadku przeświadczenie o winie Stalina nie znajduje potwierdzenia. W przededniu wojny Stalin postanowił zasięgnąć opinii swoich strategów. Stenogram narady wyższej kadry dowódczej Robotniczo-Chłopskiej Armii Czerwonej jest wymownym świadectwem: Stalin nie mieszał się do ich pracy, nie narzucał swojego zdania, prawie nie zabierał głosu. Każdy marszałek i generał mówił to, co uważał za słuszne, i to, co myślał.

Stalin chciał zasięgnąć opinii swoich strategów. Ale strateg Żukow nie miał czasu przygotować się do narady. Żukow nie mógł powiedzieć tego, co myślał, nie dlatego, że przeszkadzano mu mówić, ale dlatego, że... w ogóle nie myślał.

Ja tymczasem stwierdzam z całym przekonaniem: nie możemy obciążać Żukowa klęską 1941 roku. Na czym miałyby polegać jego grzechy? Za Żukowa myślał wtedy ktoś inny. To, co się wydarzyło, to właśnie jego wina.

Rozdział 6

Grudniowa narada

Ogromne znaczenie dla sukcesu ma zastosowanie nowych sposobów walki i ataku. Zanim przeciwnik wymyśli środki zapobiegawcze, atakujący może wykorzystać wszystkie zalety, które w takich przypadkach niesie ze sobą element zaskoczenia.[1]

GENERAŁ ARMII ŻUKOW

I

Moskiewska narada wyższej kadry dowódczej Armii Czerwonej rozpoczęła się 23 grudnia 1940 roku, trwała bez przerwy 9 dni i zakończyła się wieczorem 31 grudnia.

W obradach uczestniczyli szefowie Ludowego Komisariatu Obrony oraz Sztabu Generalnego, szefowie centralnych i głównych zarządów, szefowie sztabów okręgów wojskowych i armii, generalni inspektorzy rodzajów wojsk, komendanci wszystkich akademii wojskowych, dowódcy niektórych korpusów i dywizji. Ogółem 276 marszałków, generałów i admirałów.

Zgodnie z przewidywaniami, na naradzie był obecny sam Stalin i wszyscy członkowie Biura Politycznego.

Naradę zwołano w ścisłej tajemnicy. Generałowie przyjeżdżali do Moskwy w specjalnych wydzielonych wagonach lub przylatywali samolotami wojskowymi. Spotykano się z nimi

---

[1] Referat na naradzie wyższej kadry dowódczej Robotniczo-Chłopskiej Armii Czerwonej, 26 grudnia 1940, [w:] *Nakanunie wojny...*, op. cit., s. 151.

w ustronnych miejscach i dowożono ich na wewnętrzny dziedziniec hotelu „Moskwa" samochodami z zasłoniętymi szybami. Generałom, którzy przybyli spoza Moskwy nie wolno było wychodzić na ulicę. Gazety Frontu Dalekowschodniego i okręgów wojskowych drukowały nadal portrety swoich dowódców i reportaże o ich codziennych zajęciach, tworząc tym samym wrażenie, że pozostają oni na swoich posterunkach. Przed rozpoczęciem obrad generałowie wsiadali do autobusów z zamalowanymi szybami, które z wewnętrznego dziedzińca hotelowego dowoziły ich wprost do Sztabu Generalnego. W taki sam sposób zorganizowano ich powrót do hotelu. Ma się rozumieć, hotel został oczyszczony z elementów postronnych i pozostawał pod szczególną ochroną.

Póki istniał Związek Radziecki, materiały z tej narady pozostawały niedostępne i opatrzone klauzulą „Ściśle tajne". Gdyby Związek Radziecki nie runął, wiedzielibyśmy o tej naradzie tylko tyle, ile opowiedział o niej Żukow.

Z jakiegoś powodu to utajnienie nie dziwi ani radzieckich oficjalnych historyków, ani ich zagranicznych koleżków po fachu. A to przecież jest niesamowita historia! Na sześć miesięcy przed niemiecką inwazją odbyło się spotkanie, na którym przez 9 dni siedział Stalin, członkowie Biura Politycznego i cała wyższa kadra dowódcza Armii Czerwonej. O czymś przecież mówili, zastanawiali się nad czymś, dyskutowali! Przygotowywali się do świętej wojny ojczyźnianej, do odparcia ataku wroga. I oto wojna wybuchła, stoczono wszystkie bitwy, nastał pokój. Upłynęło dziesięć lat, potem dwadzieścia, trzydzieści i pięćdziesiąt, ale wciąż nie wolno opowiadać o tym, jak kierownictwo Związku Radzieckiego i dowództwo Armii Czerwonej przygotowywały się do odparcia ataku!

Jaki jest tego powód?

I jeszcze jedno: żadnemu z uczestników narady nie wolno o niej pisnąć słowa, bo to przecież tajemnica wojskowa. A Żukowowi wolno.

Ale tajemnica to coś podobnego do powietrza w nadmuchanym baloniku. Jedna mała dziurka – i balon pęka, a wszystko, co w środku, wylatuje na zewnątrz. Wystarczy, żeby jakiś tam Żukow trochę za dużo powiedział, i wszystko przestaje być tajemnicą.

Ale z niewiadomych powodów tym razem tak się nie stało. Żukow otwarcie opowiadał o naradzie wyższej kadry dowódczej w grudniu 1940 roku, lecz mimo jego gadulstwa tajemnica pozostała tajemnicą. Materiały z tej narady wciąż były ściśle tajne, mimo że Żukow wszystkie sekrety już dawno wypaplał całemu światu.

Cóż to za dziwna tajemnica, skoro można o niej rozpowiadać?

II

W dniu 3 stycznia 1939 roku Rada Najwyższa ZSRR zatwierdziła nowy tekst przysięgi wojskowej, a także nowy regulamin jej składania. 23 lutego 1939 roku cała Armia Czerwona została zaprzysiężona. Wszyscy, od szeregowego do marszałka, składali przysięgę indywidualnie. Każdy podpisywał się pod jcj tekstem. W tym dniu przysięgę wojskową złożył również sam Stalin.

I oto po 30 latach, w 1969 roku, ukazały się pamiętniki Żukowa. Opowiadał on, że na naradzie wyższej kadry dowódczej w grudniu 1940 roku głównym tematem był możliwy atak Niemiec na Związek Radziecki i warianty jego odparcia. Wszystko to jest bardzo ciekawe, ale to przecież ujawnianie tajnych informacji! Wszak w chwili ukazania się pamiętników Żukowa materiały z narady pozostawały ściśle strzeżoną tajemnicą państwową, która nigdy nie miała zostać ujawniona.

Żukow, składając przysięgę, przyrzekał „strzec tajemnicy wojskowej i państwowej". Przysięga kończyła się słowami: „Jeżeli zaś działając w złej wierze, nie dochowam mej uroczystej przysięgi, niech dosięgnie mnie kara prawodawstwa radzieckiego, powszechna nienawiść i pogarda ludu pracującego".

Nikt nie zwolnił Żukowa z przysięgi wojskowej. Przyrzekał być wiernym przysiędze nie do czasu przejścia na emeryturę, ale do ostatniego tchnienia. Pamiętam siebie, prostego radzieckiego oficera, kiedy po przeczytaniu w 1969 roku jego relacji o naradzie wyższej kadry dowódczej pomyślałem: działanie w złej wierze mamy jak na dłoni. No, teraz Gieorgija Żukowa spotka surowa kara, zostanie powszechnie znienawidzony, będzie nim gardzić lud pracujący.

Bynajmniej! Nic takiego się nie stało. Za złamanie przysięgi Żukowa czekało powszechne uwielbienie, bez mała deifikacja.

III

Jak mogło dojść do czegoś podobnego?! Jeżeli Żukow ostentacyjnie, na oczach całego świata łamie przysięgę, dlaczego nikt nie oskarża go o zdradę? Jeżeli postępując ewidentnie w złej wierze, rozgłaszał tajemnice wojskowe, dlaczego nie rozesłano za nim listów gończych? Gdzie mają oczy nasze organa?

Czym wyjaśnić postępek Żukowa? I jak oceniać zachowanie kierownictwa kraju, które pobłaża zdrajcy?

Wszystkie wątpliwości wyjaśniły się po upadku Związku Radzieckiego.

Okazało się, że Żukow nie złamał przysięgi. On tylko udawał zdrajcę. W rzeczywistości żadnych tajemnic wojskowych nie zdradził. Po prostu kłamał, gdy opowiadał o naradzie wyższej kadry dowódczej. W swojej książce pisał: „Wszyscy zabierający głos w dyskusji, łącznie z podsumowującym naradę ludowym komisarzem obrony, byli zgodni co do tego, że jeśli Niemcy faszystowskie rozpoczną wojnę przeciwko Związkowi Radzieckiemu..."[2]

To nieprawda. Nie było mowy o żadnej napaści Niemiec na Związek Radziecki. Chodziło o atak na Niemcy. Oto, dlaczego materiały z narady pozostawały ściśle tajne aż do upadku Związku Radzieckiego.

Sam Żukow mówił na naradzie o nowych możliwościach uderzenia. Nagłego ataku. I wszyscy, którzy zabierali głos, mówili tylko o tym. Na przykład generał porucznik Klenow, szef sztabu Bałtyckiego Specjalnego OW, który zabierał głos zaraz po Żukowie, mówił nie o klasycznych operacjach zaczepnych, lecz o operacjach szczególnego charakteru: „Będą to operacje

---

[2] Żukow, *op. cil.*, s. 173.

typowe dla okresu początkowego, kiedy armie nieprzyjaciela nie zakończyły jeszcze koncentracji i nie są gotowe do przeformowania. Są to operacje niespodziewanego wtargnięcia mające na celu realizację szeregu zadań specjalnych. [...] Polegają one na działaniu dużych sił lotnictwa i wojsk zmechanizowanych, dopóki nieprzyjaciel nie jest jeszcze przygotowany do zdecydowanych działań. [...] Jednostki zmechanizowane należy wykorzystać samodzielnie, nie biorąc pod uwagę posiadanego bogatego zaplecza inżynieryjnego. To właśnie one będą realizować zadanie nagłego wtargnięcia na terytorium nieprzyjaciela"[3].

Po rozpadzie Związku Radzieckiego stenogram narady opublikowano. Ale do naszych głów już dawno zostały wbite fantastyczne opowieści Żukowa o tym, jakoby w przededniu wojny radzieccy generałowie dyskutowali nad problemem odparcia niemieckiej agresji. Dlatego też nie szukamy nowych materiałów dotyczących początku wojny. Po co, skoro i tak wszystko jest jasne. Dlatego książka o naradzie wyższej kadry dowódczej przeszła prawie niezauważona.

A to bardzo niedobrze. Nie będę przecież streszczał całej publikacji, tym bardziej że liczy ona 407 stron. Trzeba ją odszukać i przeczytać. Trzy razy albo nawet cztery.

IV

O tym, jaki charakter miała narada, można sądzić na podstawie krótkiej wymiany zdań. Generał porucznik Remizow, dowódca Orłowskiego OW, rozpoczyna swoje wystąpienie apelem do ludowego komisarza obrony, marszałka Związku Radzieckiego Timoszenki: „Towarzyszu ludowy komisarzu obrony, nowoczesną obronę rozumiemy przede wszystkim jako..."
S. Timoszenko: Nie mówimy tu o obronie..."[4]
Po wojnie wymyślono następującą teorię: zamierzaliśmy powstrzymać nieprzyjaciela nie poprzez obronę, lecz kontratakami. Ogłaszam zatem wszem i wobec, że o żadnych kontratakach na

[3] *Nakanunie wojny...*, *op. cit.*, s. 153–154.
[4] *Ibid.*, s. 170.

naradzie nie było mowy. Przeciwnie, wiele razy krytykowano celowość kontrataków. Przemawia generał porucznik Jerszakow, dowódca Uralskiego OW: „Nie zgadzam się na kontratak i przeciwuderzenie"[5].

O kontratakach mówiono tylko wtedy, gdy chodziło o nieprzyjaciela: my atakujemy, przeciwnik się broni i kontratakuje. Nie zastanawiano się, jak wyprowadzać własne przeciwuderzenia, lecz jak odpierać kontrataki nieprzyjaciela.

V

Pierwszym i centralnym referatem był referat Żukowa o sposobach nagłego ataku na nieprzyjaciela.

Temat drugiego referatu brzmiał „Lotnictwo w operacji zaczepnej i walce o panowanie w powietrzu". Referował generał porucznik Ryczagow, szef Głównego Zarządu Sił Powietrznych Armii Czerwonej, inaczej mówiąc, dowódca radzieckiego lotnictwa wojskowego. Żukow w 1969 roku pisze: „Było to wystąpienie o szczególnie bogatej treści"[6]. To wszystko, ani słowa więcej. Musiało minąć kolejne ćwierć wieku, aż rozpadł się Związek Radziecki, aby opublikowano stenogram narady. Wtedy dowiedzieliśmy się więcej. Sedno wystąpienia „o szczególnie bogatej treści" generała Ryczagowa dałoby się sprowadzić do stwierdzenia, że „najbardziej skuteczny plan unieszkodliwienia lotnictwa nieprzyjaciela na ziemi to równoczesne zaatakowanie wielu punktów możliwej dyslokacji nieprzyjacielskich związków lotnictwa bojowego"[7].

Jeszcze jeden referat: „O użyciu zmechanizowanych związków taktycznych we współczesnej operacji zaczepnej", wygłaszał generał pułkownik wojsk pancernych Pawłow, dowódca Zachodniego Specjalnego OW. Oto fragment: „Polska przestała istnieć po 17 dniach. Operacja w Belgii i Holandii zakończyła się po upływie 15 dni. Operacja we Francji, do chwili jej kapitulacji, trwała 17 dni. Trzy bardzo charakterystyczne liczby,

---

[5] *Ibid.*, s. 334.
[6] Żukow, *op. cit.*, s. 172.
[7] *Nakanunie wojny...*, *op. cit.*, s. 177.

których trudno mi nie uwzględniać również jako pewnej hipotezy dla nas, kiedy planujemy naszą operację ofensywną"[8].

VI

W tamtych czasach radziecki regulamin określał, że pas obrony dywizji liczy 8 do 12 kilometrów. Występujący na naradzie jednogłośnie opowiedzieli się za jego rozszerzeniem. W obronie wojska są nadmiernie zagęszczone! Po co aż tyle wojsk na linii obrony, nie chcemy, żeby stały bezczynnie! Dywizjom należy wyznaczyć 30-kilometrowy pas obrony! Albo nawet 40-kilometrowy! A nadwyżkę sił i środków rzucić do natarcia!

Rozważano też inne możliwości: skoncentrować wszystkie siły i środki na kierunkach, gdzie zamierzamy zadawać Niemcom niespodziewane uderzenia, a na kierunkach drugorzędnych zrezygnować w ogóle z obrony i odsłonić granicę! Szef sztabu Leningradzkiego OW generał major Poniedielin nawiązuje do doświadczeń wyniesionych z wojny domowej: „Pamiętacie, nasi dowódcy bez obaw decydowali się na odsłonięcie całych połaci przestrzeni właśnie po to, by zgromadzić niezbędne siły na określonym kierunku frontu"[9]. Generał major Poniedielin nie bez kozery wspomina jakichś tam bezimiennych dowódców. Podczas wojny domowej w celu utworzenia ugrupowań uderzeniowych nad wyraz śmiało odsłaniał drugorzędne odcinki frontu Tuchaczewski. Ta właśnie odwaga Tuchaczewskiego była przyczyną jego sromotnej klęski. Pod Warszawą Piłsudski uderzył niespodziewanym manewrem oskrzydlającym na flankę, którą Tuchaczewski tak odważnie odsłonił. Ale lekcja, którą otrzymał Tuchaczewski, nie nauczyła niczego niektórych generałów Armii Czerwonej. Właśnie Poniedielin żąda, by powtórzono doświadczenia Tuchaczewskiego – nie wymieniając go co prawda z nazwiska.

Na kilka miesięcy przed opisywaną naradą zakończono wojnę z Finlandią. Siły główne Armii Czerwonej szturmowały

---

[8] *Ibid.*, s. 225.
[9] *Ibid.*, s. 321.

linię Mannerheima na Przesmyku Karelskim. Poniedielin był dowódcą 139. DP i działał na drugorzędnym kierunku strategicznym. A teraz dzieli się swoimi doświadczeniami: „139. Dywizja Piechoty utworzyła twardą linię obrony na 30 kilometrach frontu, mając po prawej 50-kilometrową przestrzeń otwartą, a po lewej 40-kilometrową"[10].

Proszę jednak nie sądzić, że wszyscy wysocy dowódcy Armii Czerwonej ślepo wierzyli w niebywałą wartość doświadczeń wyniesionych z wojny domowej, kiedy to niektórzy stratedzy z bożej łaski, na przykład Tuchaczewski, odsłaniali drugorzędne odcinki frontu. Armia Czerwona miała przecież i mądrych dowódców. Szerokiemu wykorzystaniu starych doświadczeń zdecydowanie sprzeciwiał się marszałek Związku Radzieckiego Siemion Budionny.

Kiedy Poniedielin opowiedział, jak jego dywizja bohatersko utrzymywała w sumie 90-kilometrowy odcinek frontu, Budionny w końcu nie wytrzymał i zapytał z prezydium: A czy przed wami był w ogóle nieprzyjaciel?

Na sali rozległ się chóralny śmiech.

Ale nie wszyscy się śmiali. Dla generała armii Żukowa doświadczenia wojny domowej były świętością. Trzymał się tych doświadczeń jak ślepy ściany. I awansował tych, którzy podzielali jego punkt widzenia. Po upływie miesiąca od narady Żuków został szefem Sztabu Generalnego. Nie zapomniał o Poniedielinie, który wzywał do odważnego odsłonięcia frontu. W swoim referacie Żuków żądał zebrania gigantycznych sił uderzeniowych na wąskich odcinkach. Przypomnijmy sobie: „Na powierzchni nie większej niż 30 na 30 km zostanie skoncentrowanych 200 000 żołnierzy, 1500–2000 dział, masa czołgów..." Żeby to osiągnąć, trzeba przecież w jakimś miejscu odsłonić front. Zuch Poniedielin!

Poniedielin piastował wysokie stanowisko, był szefem sztabu Leningradzkiego OW. A był wtedy tylko generałem majorem. Jednakże Leningradzki OW będzie odgrywać drugorzędną rolę w mającym się dokonać miażdżeniu potęgi Niemiec. Żuków zaproponował więc Poniedielinowi stanowisko trochę

---

[10] *Ibid.*, s. 323.

niższe, ale za to na głównym froncie wojny, tam, gdzie można się naprawdę wykazać! Poniedielin został dowódcą 12. Armii na występie lwowsko-czernihowskim.

Poniedielin działa tak, jak tego wymagają potrzeby ataku: wszystkie siły i środki skoncentrowane jak uderzająca pięść, a granica odsłonięta!

A oto rezultat: w czerwcu 1941 roku 12. Armia generała Poniedielina została rozbita, podobnie jak wszystkie wojska I rzutu strategicznego. Sam Poniedielin dostał się do niewoli. Po wojnie przywieziono go pod eskortą do Moskwy, osądzono i rozstrzelano.

Żukow natomiast, który postawił Poniedielina na granicy i gorąco popierał ideę śmiałego odsłonięcia frontu, wyszedł bez szwanku.

VII

Referat „O charakterze współczesnej operacji obronnej" wygłosił dowódca Moskiewskiego OW, generał armii Tiuleniew.

Aha! A więc jednak rozważano możliwości obrony!

Tak, rozważano. Oto, co powiedział Tiuleniew w referacie: „Nie mamy współczesnej racjonalnej teorii obrony"[11].

To święta prawda. Radziecka myśl wojskowa do grudnia 1940 roku nie zajmowała się kwestią obrony. Po grudniu zresztą też. Wszak Tiuleniew wtedy właśnie skonstatował, że ZSRR zwyczajnie nie potrzebuje takiej teorii. Będzie się bronić tylko sporadycznie i tylko na odosobnionych, drugorzędnych kierunkach. Celem obrony nie jest bowiem ocalenie kraju przed najeźdźcą. Cel jest inny: będziemy przeprowadzać zaskakujące, zakrojone na ogromną skalę operacje zaczepne na terytorium nieprzyjaciela. W tym celu musimy ześrodkować ogromne siły na wąskich odcinkach frontu. Aby takie siły zebrać, należy wycofać prawie wszystkie wojska z kierunków drugorzędnych – i właśnie tam, na kierunkach odsłoniętych, będziemy się „sporadycznie" bronić. Tiuleniew wyraził pogląd, z którym nikt nie polemizował: „Obrona będzie częścią składo-

---

[11] *Ibid.*

95

wą zmasowanego ataku. Obrona jest konieczną formą działań wojennych na poszczególnych kierunkach drugorzędnych, mającą na celu zachowanie sił głównych dla działań ofensywnych i przygotowania uderzenia"[12].

Radziecki atak na Europę był przygotowywany nie w oparciu o korpusy, armie czy nawet fronty. Ludowy komisarz obrony, marszałek Związku Radzieckiego Timoszenko w mowie końcowej wezwał obecnych, by zdali sobie sprawę „z możliwości prowadzenia jednocześnie dwóch, a być może i trzech operacji zaczepnych kilku frontów w celu strategicznego, jak najszerszego porażenia wszystkich możliwości obronnych nieprzyjaciela"[13].

A obrona na głównych kierunkach nawet teoretycznie nie była przewidywana. Wyłącznie na drugorzędnych.

Na naradzie potwierdził się pogląd, wyznawany w Armii Czerwonej od chwili jej utworzenia: najważniejszy jest atak całymi armiami, frontami i grupami frontów, choć na poszczególnych kierunkach czasami do defensywy przejdą pułk lub dywizja. No, może korpus. W końcu zgodzili się, że do defensywy może przejść nawet cała armia...

W czerwcu 1941 roku w europejskiej części ZSRR w skład pięciu frontów i Grupy Armii Odwodowych wchodziło 26 armii. Sytuacja, w której dwie armie mogą przejść do obrony ramię w ramię na jednym kierunku, uchodziła za całkowicie niemożliwą i nie była rozważana nawet teoretycznie.

Mówił o tym Żukow w swoich wspomnieniach: „Generał armii Tiuleniew przygotował zasadniczy referat «O charakterze współczesnej operacji obronnej». Zgodnie z otrzymanym zaleceniem nie wykraczał on poza ramy szczebla armii i nie analizował specyfiki współczesnej obrony strategicznej"[14].

I oto wielki strateg Żukow nie reaguje na taki stan rzeczy. Ani w roku 1940, ani ćwierć wieku później. Zgodnie z zaleceniem obrona strategiczna nie była przygotowywana czy choćby teoretycznie brana pod uwagę. A skoro nikt nie wydał

[12] *Ibid.*, s. 210.
[13] *Ibid.*, s. 350.
[14] Żukow, *op. cit.*, s. 172.

odpowiedniego zalecenia, to znaczy, że i Żukow nie kiwnie palcem w tym kierunku. Robimy to, co każą, nic więcej. Wykazać inicjatywę? To nie leży w charakterze naszego bohatera. Właściwie Żukow nie musiał sam otwarcie występować z inicjatywą, wystarczyło szepnąć Stalinowi dwa słowa o obronie strategicznej. Albo, jeżeli sam bał się podnosić tę kwestię, mógł rozkazać komuś z podwładnych, żeby niby przez przypadek wypsnęło mu się kilka słów o obronie państwa...

Ale nikomu nic się nie wypsnęło.

Nasuwają mi się pewne wnioski. W czerwcu 1940 roku, wyjeżdżając do Kijowa, Żukow płakał nie dlatego, że przeczuwał nadejście wielkiego kataklizmu. Płakał, sądził bowiem, że po rozbiciu japońskiej 6. Armii nad Chałchyn-goł może liczyć na wysokie stanowisko w Moskwie, a tymczasem posyłają go do Kijowa. Jakże tu nie płakać? Ot, i tyle.

Jeśli natomiast przyjmiemy wyjaśnienia, których udzielił sam Żukow, to dopiero otrzymamy odrażający obrazek.

W czerwcu 1940 roku był przekonany, że wojny nie da się uniknąć. Wyjeżdżał do Kijowa w poczuciu nadciągającej tragedii. Płakał, bo widział nieuchronność wojny, a zarazem wiedział, że kraj nie jest przygotowany do obrony.

I oto w grudniu, gdy Stalin udzielił mu głosu, Żukow nawet słowem nie wspomniał o konieczności obrony strategicznej. Wiedział, że atak Niemiec spowoduje śmierć dziesiątków milionów obywateli kraju, którego bezpieczeństwa ma obowiązek bronić. Wiedział, że w rezultacie napaści Niemiec Związek Radziecki zostanie zniszczony i sprowadzony do rangi krajów Trzeciego Świata. Wiedząc o tym, zapłakał gorzko i... uspokoił się.

Żukow przechwalał się po wojnie, że już w czerwcu 1940 roku zrozumiał wszystko. „Od tej pory całe moje życie osobiste było podporządkowane nadchodzącej wojnie, choć na naszej ziemi panował jeszcze pokój". Ale Żukow nie zadbał o przygotowanie obrony strategicznej, przeciwnie, nawet bał się o niej wspomnieć na naradzie w grudniu 1940 roku. Swoje tchórzostwo tłumaczy tym, że ani przed nim, ani przed innymi generałami nie postawiono takiego zadania.

Odwaga żołnierza polega na tym, żeby ruszyć na bagnety

wroga. Odwaga generała – żeby mieć własne zdanie i umieć go bronić. Żołnierz idzie na śmierć. Ale i generał musi pokazać żołnierską odwagę: możecie mnie zabić, a ja i tak będę trwał przy swoim – musimy szykować się do obrony kraju!

A teraz jedno z dwojga.

Opcja pierwsza: Żukow nie był strategiem, tylko chwalipiętą. O niczym nie wiedział i niczego nie przewidział. Wszystkie swoje prognozy wymyślił już po wojnie.

Opcja druga: Żukow był tchórzem. Wszystko wiedział i wszystko przewidział, ale bał się mówić.

Osobiście skłaniam się ku pierwszej odpowiedzi.

Rozdział 7

Jak Żukow gromił Pawłowa

„Święta" wojna ZSRR przeciwko Hitlerowi była niczym innym,
jak tylko rozpaczliwą walką o prawo do siedzenia nie w obcym,
lecz we własnym obozie koncentracyjnym, z nadzieją, że obóz ten
stopniowo ogarnie cały świat.[1]

Kuzniecow

I

Narada wyższej kadry dowódczej Armii Czerwonej zakończyła się 31 grudnia 1940 roku o godzinie 18.00. Większość
generałów, którzy brali w niej udział, potajemnie i w trybie
natychmiastowym odprawiono do miejsc ich służby. W Moskwie
pozostali tylko najważniejsi.

O godzinie 11.00, a więc jeszcze przed zakończeniem narady,
grupa 49 najwyższych dowódców otrzymała dyrektywy dotyczące strategiczno-operacyjnej gry wojennej. Miała się odbyć
bitwa pomiędzy „zachodnimi" (Niemcy) i „wschodnimi" (Armia
Czerwona). Pod względem rozmachu i rangi była to największa
gra strategiczna w całym okresie przedwojennym.[2]

Wojskami „wschodnimi" komenderował dowódca Zachodniego Specjalnego OW, Bohater Związku Radzieckiego generał
pułkownik wojsk pancernych Pawłow.

Dowódcą wojsk „zachodnich", czyli niemieckich, był dowódca

---

[1] A. Kuzniecow, *Babij jar*, Frankfurt/M 1970, s. 265.
[2] „Wojenno-istoriczeskij żurnał", nr 12/1986, s. 41.

Kijowskiego Specjalnego OW, Bohater Związku Radzieckiego generał armii Żukow.

W skład grupy Pawłowa wchodziło 28 generałów: szef sztabu frontu „wschodnich", szef wydziału operacyjnego, zastępca szefa sztabu ds. zaplecza, dowódca lotnictwa frontu wraz z szefem swojego sztabu, dowódca służby łączności, dowódcy armii razem ze swoimi szefami sztabów, dowódca Floty Bałtyckiej, dowódcy korpusów zmechanizowanych.

W grupie Żukowa natomiast było 21 generałów, którzy pełnili podobne funkcje.

Na zapoznanie się z sytuacją przeznaczono trzy godziny. Następnie odbyła się sesja końcowa narady. Po niej, już w wieczór noworoczny, uczestnicy gry mieli dodatkowe trzy godziny na przygotowanie rozkazów, zgodnie z zajmowanym w grze stanowiskiem. Następnie wszystkie tajne dokumenty zostały im odebrane. Na przeanalizowanie zadania przeznaczono dwie noce: z 31 grudnia na 1 stycznia oraz z 1 na 2 stycznia, a także jeden dzień – 1 stycznia 1941 roku. W trakcie tych rozważań nie wolno było posiadać żadnych dokumentów.

Gra rozpoczęła się 2 stycznia 1941 roku w Sztabie Generalnym Armii Czerwonej. Odgrywano scenariusz przyszłej wojny.

Dowódcą gry był ludowy komisarz obrony ZSRR, Bohater Związku Radzieckiego marszałek Związku Radzieckiego Siemion Timoszenko. W skład dowództwa gry wchodziło 12 najwyższych dowódców Armii Czerwonej, w tym czterech marszałków Związku Radzieckiego.

Obserwatorami byli Józef Wissarionowicz Stalin i cały skład Biura Politycznego.

II

Na ogromnych mapach sztabowych toczyła się wielka bitwa. Na razie na mapach starły się ze sobą dwie najpotężniejsze armie świata. Przez kilka dni i nocy, bez odpoczynku i bez snu, sztaby dwóch wrogich armii oceniały sytuację, podejmowały decyzje, wydawały rozkazy i polecenia. Do bitwy wprowadzano – na razie tylko na papierze – tysiące czołgów, samolotów, dziesiątki tysięcy dział i moździerzy, milionowe masy wojsk, z tyłów przerzucano setki tysięcy ton amunicji, paliwa, sprzętu zmechanizowanego, medycznego i innego wyposażenia. Dywizje, korpusy i całe armie przełamywały front i dokonywały wypadów na teren nieprzyjaciela.

Żukow opisał tę grę w swoich pamiętnikach: „Gra wojenna obfitowała w wiele dramatycznych dla strony wschodniej momentów. Były one pod wieloma względami podobne do łych, jakie wystąpiły po 22 czerwca 1941 roku, kiedy na Związek Radziecki napadły faszystowskie Niemcy..."[3]

Żukow wielokrotnie opowiadał o tej symulacji. Oto jego relacja, którą zapisał i opublikował Konstanty Simonow.

„W tej grze dowodziłem «niebieskimi», to znaczy Niemcami. Pawłow natomiast, który był dowódcą Zachodniego Okręgu Wojskowego, dowodził «czerwonymi», naszym Frontem Zachodnim. Na Froncie Południowo-Zachodnim pomagał mu Sztern.

Mając rzeczywiste dane wyjściowe oraz realne siły nieprzyjaciela, czyli Niemców, dowodząc «niebieskimi», rozwijałem operację właśnie w tych kierunkach, w których potem rozwijali ją Niemcy. Wyprowadzałem główne ciosy tam, gdzie potem oni je wyprowadzali. Ugrupowania były rozmieszczone tak samo, jak rozlokowano je później w czasie wojny. Konfiguracja naszych granic, topografia, uwarunkowania – te wszystkie okoliczności sprawiały, że podejmowałem takie same decyzje, jakie później w tychże okolicznościach podejmowali Niemcy.

Gra trwała około ośmiu dni. Dowództwo świadomie spowalniało tempo przemieszczania się «niebieskich», hamowało ich marsz. Mimo to «niebiescy» na ósmy dzień dotarli do rejonu Baranowicz, przy czym, powtarzam, ich tempo przemieszczania było sztucznie spowolnione".

Jak do tego doszło? Oto moja odpowiedź.

W głębokim betonowym bunkrze w Zossen pod Berlinem kilku szczególnie doświadczonych i zaufanych generałów i feldmarszałków niemieckich planowało operację „Barbarossa". 18 grudnia 1940 roku plan operacji przedstawiono Hitlerowi,

---

[3] Żukow, *op. cit.*, s. 174.

który go zaakceptował. A po dwóch tygodniach, 2 stycznia 1941 roku, w Moskwie dowódca Kijowskiego Specjalnego OW generał armii Żukow popatrzył na mapę, postawił się na miejscu strategów niemieckich i zrekonstruował w myślach cały ich plan. W tym czasie nie mógł znać planów Hitlera. Nawet jeżeli wywiad radziecki zdobył takie plany, to i tak dowódca okręgu w żadnym wypadku nie mógł być dopuszczony do tak ważnej tajemnicy. Niemniej Żukow antycypował cały niemiecki plan „Barbarossa"!

Nie ma w tym nic dziwnego. Niemieccy generałowie i feldmarszałkowie poszukiwali optymalnego, najlepszego wariantu rozbicia Armii Czerwonej. Żukow postawił się na ich miejscu, popatrzył na mapę oczami Niemców – i zastosował to samo rozwiązanie.

Pisarz Iwan Stadniuk opowiada o Żukowie: „Jego talent był tak wielki, że wystarczyło mu jedno spojrzenie na mapę, by właściwie ocenić sytuację. Stawiając się w roli dowództwa niemieckiego, Żukow niemal bezbłędnie antycypował decyzje, które podejmowali Niemcy"[4]. To właśnie stało się w styczniu 1941 roku. Hitler i jego generałowie podejmowali decyzje, a Żukow równocześnie te decyzje przewidywał. Oceniając ten fakt, Stadniuk wyciąga bezsporny wniosek: genialny wódz.

W opisywanej grze strategicznej Żukow starł w proch generała pułkownika wojsk pancernych Pawłowa. W styczniu 1941 roku w grze strategicznej rozgrywanej na mapach sztabowych gnał go do Baranowicz dokładnie tak samo, jak pół roku później, w czerwcu 1941, gnali go niemieccy generałowie Hermann Hoth i Heinz Guderian. Wojska Pawłowa najpierw zostały rozbite przez Żukowa na mapie, a pół roku później rozniosły je hitlerowskie związki pancerne.

4 lipca 1941 roku na rozkaz Stalina generała armii Pawłowa aresztowano i niebawem osądzono. 22 lipca został rozstrzelany.

W czasach Breżniewa, kiedy wszystkie siły aparatu ideologicznego skierowano do rozdmuchiwania kultu jednostki Żukowa, na ekrany kin weszła wieloodcinkowa epopeja filmowa

---

[4] „Wojenno-istoriczeskij żurnał", nr 6/1989, s. 6.

Ozierowa *Wyzwolenie*. W filmie pokazano scenę aresztowania Pawłowa. Pada pytanie: „Jak mogłeś dopuścić do takiego pogromu?" A Pawłow odpowiada ze złością: „Kto mógł przypuszczać, że Niemcy będą działać właśnie tak, jak przepowiedział Żukow?"

III

Kiedy po raz pierwszy ukazały się pamiętniki Żukowa, byłem jeszcze młodziutkim porucznikiem. Pamiętam moje pierwsze wrażenie z tej lektury: bezgraniczne zdumienie. Wcale nie trzeba być generałem czy marszałkiem, nie trzeba być profesorem ani członkiem Akademii Nauk, żeby dostrzec zakłamanie w opisach Żukowa. Fałsz, który bije w oczy.

Po pierwsze, dlaczego w grze wojennej na czele „naszych" stanął dowódca okręgu wojskowego generał pułkownik wojsk pancernych Pawłow? W Związku Radzieckim było 16 okręgów wojskowych i jeden front. Podobnie jak dziś, tak i wtedy dla wszystkich było jasne, że gra strategiczna wiąże się bezpośrednio ze zbliżającą się wojną. Nigdy przedtem takie ćwiczenia nie odbywały się w obecności Stalina i Biura Politycznego. Natomiast w styczniu 1941 roku zaczęto niespodziewanie opracowywać warianty obrony państwa przed śmiertelnym wrogiem. Dowódca okręgu to nie jest odpowiedni poziom, aby podejmować decyzje tej rangi.

Jeśli opracowuje się warianty odparcia inwazji, to na czele własnych wojsk powinien był stać szef Sztabu Generalnego Kiryłł Miereckow. Miałby okazję osobiście przekonać się i pokazać Stalinowi, że plany obrony, które na wypadek wojny przygotował Sztab Generalny, są realne. Zadaniem zaś obecnych generałów, marszałków i admirałów powinno być wyszukanie słabych punktów w planach Miereckowa i wypunktowanie ich przy omawianiu całej gry.

Gra strategiczna na mapie – to jedyne właściwe miejsce do popełniania błędów. W interesie szefa Sztabu Generalnego leży, by dowódcy biorący w niej udział wyszukali wszystkie słabe punkty w jego planach odparcia zbliżającego się ataku. Lepiej, żeby słabe punkty zostały wykryte teraz, w zaciszu gabinetu, niż potem na polu walki.

Po drugie, dlaczego Stalin natychmiast nie zdjął Pawłowa ze stanowiska? Przecież Żukow dobitnie wykazał Stalinowi, że Pawłow nie potrafi dowodzić, że w razie wojny jego wojska zostaną rozgromione w jednej chwili. Dlaczego więc Stalin nie podjął żadnych kroków, nie zastąpił go żadnym innym generałem?

Po trzecie, dlaczego w lutym 1941 roku generał pułkownik wojsk pancernych Pawłow został awansowany? Zaraz po zakończeniu gry otrzymał stopień generała armii. W Armii Czerwonej stopnie generalskie i admiralskie wprowadzono w 1940 roku. 4 lipca 1940 roku postanowieniem Rady Komisarzy Ludowych ZSRR nowe stopnie nadano 966 generałom i 74 admirałom. W tym czasie najwyższy stopień generalski – generała armii – dostały tylko trzy osoby: Żukow, Miereckow i Tiuleniew. 23 lutego 1941 roku przybyło jeszcze dwóch generałów armii – Josif Apanasienko i Dmitrij Pawłow.

I co się okazuje? W styczniu 1941 roku w obecności wszystkich podwładnych, w obecności Stalina, całego składu Biura Politycznego i najwyższego dowództwa Armii Czerwonej wielki Żukow spuszcza baty bezbronnemu głupkowatemu Pawłowowi i przegania go bez żadnych problemów w głąb kraju, a Stalin w lutym wprowadza Pawłowa do pierwszej piątki spośród tysiąca swoich generałów, równając go stopniem wojskowym z Żukowem.

Dlaczego, wreszcie, po czwarte, w grze strategicznej po stronie niemieckiej występuje dowódca okręgu wojskowego, generał armii Żukow? Cóż on wie o Niemcach? Jako przeciwnik powinien wystąpić nie kto inny, tylko generał porucznik Golikow – szef Razwiedupru, czyli Zarządu Wywiadowczego Sztabu Generalnego. Z racji zajmowanego stanowiska powinien wiedzieć o przeciwniku najwięcej ze wszystkich: kim są Hitler, Göring, Keitel, Jodl, Kleist. Szef wywiadu wojskowego musi wiedzieć, jakie mają plany, powinien jasno zdawać sobie sprawę z tego, do czego są zdolni, a do czego nie, jakimi siłami dysponują i w jaki sposób mogą te siły wykorzystać. Przewidywaniem podstępnych planów wroga powinien się zająć nie dowódca okręgu, nawet najgenialniejszy, ale właśnie szef wywiadu wojskowego. I podczas gry strategicznej to on powinien zademonstrować: Hitler może działać tak albo tak, a wy jak na to odpowiecie? A jeśli wróg uderzy w taki sposób? Co wtedy? Jest w interesie szefa Razwiedupru, aby w takiej grze postawić wojska radzieckie w najcięższej z możliwych sytuacji. Jeśli potem, podczas wojny wyniknie jakiś kryzys, będzie mógł z czystym sumieniem powiedzieć: przecież was uprzedzałem jeszcze w styczniu...

Ale z jakichś przyczyn w tej grze ani szef Sztabu Generalnego Miereckow, ani szef jego wywiadu generał porucznik Golikow nie występowali w roli uczestników. Siedzieli za to w dowództwie i patrzyli na bitwę pomiędzy Żukowem i Pawłowem z pozycji arbitrów.

Dziwne to wszystko, nieprawdaż?

IV

Zadziwiające opowieści Żukowa o tym, jak to przejrzał na wskroś plany Hitlera, wcisnęły się nie tylko do radzieckich podręczników. Wielu historyków w Wielkiej Brytanii, USA, Francji, Izraelu, Włoszech i w Niemczech też opowiada swoim czytelnikom, jak to wielki strateg Żukow przepowiedział wszystko, co zamierzał zrobić Hitler i jego generałowie.

Słowa Żukowa brzmią pięknie nie tylko po rosyjsku, również w przekładach na obce języki.

Jednakże...

Jednakże Żukow nie sam przejrzał plany Hitlera i nie sam gromił Pawłowa w grze strategicznej. Oprócz niego w skład grupy, która odgrywała rolę dowództwa niemieckiego, wchodziło jeszcze dwudziestu generałów, admirałów i oficerów. Oto niektórzy spośród nich.

Generał pułkownik Sztern – dowódca jedynego w tamtych czasach Frontu Dalekowschodniego.

Generałowie porucznicy Czerewiczenko i Kirponos. Obaj w niedalekiej przyszłości zostaną generałami pułkownikami, obaj będą dowódcami frontów.

Generał major Tołbuchin, który po upływie trzech lat

zostanie marszałkiem Związku Radzieckiego, jednym z najwybitniejszych dowódców Stalina.

Generał porucznik lotnictwa Żigariew i generał major lotnictwa Nowikow. Obaj w niedalekiej przyszłości zostaną marszałkami, obaj – jeden po drugim – będą przyszłymi dowódcami Sił Powietrznych Armii Czerwonej.

Generałowie porucznicy Purkajew i Kuroczkin w przyszłości zostaną generałami armii, obaj w czasie wojny z powodzeniem dowodzili armiami i frontami.

Generał porucznik Gerasimienko – legendarny komandarm, przyszły bohater spod Stalingradu, po wojnie zostanie ministrem obrony Ukrainy.

Kontradmirał Gołowko w przyszłości zostanie admirałem. Nieprzerwanie dowodził Flotą Północną od pierwszego do ostatniego dnia wojny. Po wojnie zostanie pierwszym zastępcą naczelnego dowódcy Marynarki Wojennej.

Oto, jacy ludzie wchodzili w skład grupy Żukowa w grze strategicznej. Ale o żadnym z nich Żukow nie wspomniał choćby słowem. Zamiast tego wychwalał siebie: zadawałem ciosy, rozwijałem operację...

Mamy do wyboru dwie możliwości.

Oto pierwsza. Żukow robił wszystko sam, a Żigariew, Sztern, Kirponos, Purkajew, Kuroczkin, Nowikow, Gołowko, Gerasimienko, Tołbuchin i inni nie mieli żadnego udziału w pracy geniusza. Jeżeli tak było, to oznacza, że Żukow nie był strategiem. Powtarzam po raz setny: rola dowódcy nie polega na tym, by harować samemu, ale na tym, żeby zorganizować pracę podwładnych i zmusić ich do pracy. A ekipę miał przecież nie byle jaką.

Możliwość druga. W grze strategicznej wojska nierozgarniętego Pawłowa zostały rozgromione kolektywnie, ale wielki geniusz dziwnym trafem zapomniał o swojej drużynie. Zapamiętał jedynie własny wkład i tylko o nim opowiada potomnym. Jeżeli tak było, to powstają problemy natury etycznej. Nie po raz pierwszy Żukow z jakichś powodów zapomina o współautorach swoich spektakularnych zwycięstw.

V

Pawłow też nie był sam. Pawłow był tylko kapitanem potężnej drużyny. Żukow, gromiąc Pawłowa, pokazał Stalinowi nieprzydatność tych wszystkich, którzy byli w jego grupie. Ale rzecz zadziwiająca: zaraz po zakończeniu gry nie tylko na samego Pawłowa, ale też na wszystkich, którzy byli w jego grupie, posypał się deszcz generalskich gwiazdek i awansów. W grupie Pawłowa był dowódca Środkowoazjatyckiego OW generał pułkownik Apanasienko. Po zakończeniu gry strategicznej, podobnie jak Pawłow, otrzymał stopień generała armii. Powtarzam: było trzech generałów armii, po grze ich liczba zwiększyła się do pięciu. Pod względem stopnia wojskowego Stalin zrównał z Żukowem nie tylko Pawłowa, ale i Apanasienkę. Oprócz stopnia Apanasienko otrzymał też stanowisko o kluczowym znaczeniu. Ze Środkowoazjatyckiego OW, któremu wojna bynajmniej nie zagrażała i w którego składzie nie było armii, został przeniesiony na Front Dalekowschodni jako jego dowódca. W skład Frontu wchodziły trzy armie. Niewykluczona była wojna na dwa fronty, jednocześnie przeciwko Japonii i Niemcom. W takim przypadku przed generałem armii Apanasienką stanie szczególnie odpowiedzialne zadanie – powstrzymanie japońskiej agresji na Dalekim Wschodzie. Skoro w trakcie gry strategicznej Apanasienko udowodnił, że nie potrafi prowadzić działań obronnych, to trzeba go było zostawić w Azji Środkowej, gdzie nie było żadnego zagrożenia.

W drużynie Pawłowa był też generał porucznik Kuzniecow. Natychmiast po zakończeniu gry został generałem pułkownikiem. Otrzymał też nowy przydział: ze stanowiska dowódcy Północnokaukaskiego OW, w którego skład nie wchodziły żadne armie, przeniesiono go na stanowisko dowódcy Bałtyckiego Specjalnego OW, w którym były trzy armie. Dopiero co Żukow gromił Pawłowa i Kuzniecowa na Białorusi i w krajach bałtyckich, a tu właśnie tego samego Pawłowa Stalin zostawił jako dowódcę na Białorusi, a do krajów bałtyckich, jako sąsiada z prawej flanki, wysyła tego samego pokonanego Kuzniecowa. W jakim celu?

W skład drużyny Pawłowa wchodził również dowódca Zabajkalskiego OW generał porucznik Iwan Koniew. Na razie w okolicach zabajkalskich nic wojny nie zapowiadało. Planowano ją w Europie. Ale oto zaraz po zakończeniu gry Koniew zastępuje wspomnianego wyżej Kuzniecowa na stanowisku dowódcy Północnokaukaskiego OW. Otrzymuje rozkaz tajnego sformowania 19. Armii i przygotowania jej do dyskretnego przerzutu w rejon Czerkasów. Wydawałoby się, że skoro Koniew został pokonany razem z Pawłowem, to powinien wrócić nad swój Bajkał, niech tam siedzi jak mysz pod miotłą, a na granicach zachodnich niech dowodzą mądrzejsi od niego.

Po stronie Pawłowa walczył też generał porucznik lotnictwa Ryczagow. Natychmiast po skończeniu gry otrzymał awans, został zastępcą ludowego komisarza obrony ZSRR. Wyniesiono go wyżej od samego Pawłowa. Skoro Żukow sromotnie pokonał i poniżył Ryczagowa w grze strategicznej, dlaczego Ryczagow tak spektakularnie awansował?

Jest tylko jedna możliwa odpowiedź na te pytania: w strategicznej grze wojennej Pawłow wcale nie został pokonany. Zapewne do relacji Żukowa wkradły się drobne nieścisłości.

VI

A teraz skierujmy naszą proletariacką czujność ku ewidentnym i jaskrawym przejawom łamania praworządności.

Dopóki istniał Związek Radziecki, materiały z gry strategicznej były niedostępne i opatrzone klauzulą „Ściśle tajne". Dlatego też wszyscy uczestnicy tej gry wojennej zabrali jej tajemnice na tamten świat. W niektórych pamiętnikach mimochodem wspomina się: tak, była taka gra, przygotowywaliśmy się do odparcia ataku. Ale na próżno szukać szczegółów o tych przygotowaniach.

Tymczasem Żukow wypaplał generalne zasady dotyczące koncepcji i przebiegu gry, a tym samym popełnił przestępstwo. Konstanty Simonow wysłuchał, zapisał i opublikował opowieści Żukowa. Jest w równej mierze co Żukow winny złamania tajemnicy wojskowej.

W czasach, kiedy Żukow i Simonow dopuszczali się tego ponurego występku, obowiązywał Kodeks Karny z roku 1961.

Był w nim specjalny rozdział mówiący o podobnych sprawach: szczególnie niebezpieczne przestępstwa przeciwko państwu. Rozpoczynał się artykułem 64: zdrada ojczyzny. Wśród innych przestępstw, które kwalifikowały się jako zdrada ojczyzny, figurowało również złamanie tajemnicy państwowej.

Jeżeli materiały z gry strategicznej były tylko tajne, to Żukow i Simonow powinni byli dostać po 15 lat więzienia z pozbawieniem wszystkich stopni i odznaczeń, włącznie z konfiskatą wszystkich oszczędności, Złotych Gwiazd i innych orderów, nagród Leninowskiej i Stalinowskiej, pałaców, dacz, mieszkań, jachtów, basenów, oranżerii, psiarni i stajni, garaży z odpowiednim zestawem pojazdów, galerii obrazów, kolekcji brylantów i wszystkich innych dobrodziejstw. Chodziło jednak nie o informacje tajne, ale o ściśle tajne. W tym przypadku sąd powinien był wymierzyć obu zdrajcom, i Żukowowi, i Simonowowi, karę najwyższą – karę śmierci.

Jedno z dwojga: albo nasi wodzowie powinni byli odtajnić materiały dotyczące gry – i niech sobie Żukow z Simonowem gadają do woli, albo utrzymać materiały w ścisłej tajemnicy, ale wtedy ołowianą kulką trzeba było na zawsze zamknąć usta gadułom-zdrajcom.

Tymczasem na oczach całego kraju, na oczach rządu i Prokuratora Generalnego dwaj zdrajcy ojczyzny Żukow i Simonow dokonywali przestępstwa – i nikt nawet się nie zająknął. Jasna sprawa, że kraj z takim prawodawstwem nie mógł przetrwać.

A swoją drogą ciekawe, kto pozwolił Żukowowi i Simonowowi zdradzać tajemnice państwowe ZSRR? I w jakim celu?

VII

Aby to zrozumieć, przenieśmy się do jasnych sal wystawowych Galerii Tretiakowskiej i zatrzymajmy się przed obrazem Wasilija Pierowa *Myśliwi na popasie*. Stary łowczy, wybałuszywszy oczy, bajdurzy z natchnieniem. Młody myśliwy z otwartymi ustami chłonie jego blagowa~ '. Obok chłop-jegier ze zjadliwym uśmiechem drapie się po karku.

Rozdzielmy role. Natchniony, delikatnie mówiąc, narrator

to Gieorgij Żukow. Słuchacz z otwartą gębą to Bohater Pracy Socjalistycznej, kawaler trzech Orderów Lenina i innych odznaczeń państwowych, laureat Nagrody Leninowskiej i sześciu Nagród Stalinowskich – Konstanty Simonow. A my wybierzmy sobie skromną rolę chłopa w łapciach. Posłuchamy pasjonującego opowiadania Żukowa, podrapmy się po karku i uśmiechnijmy zjadliwie: pleć pleciugo!

Stary myśliwy zamiast opowiadać o tym, jak wilki i niedźwiedzie za kark rzucał do wora, mógłby pokazać skóry zabitych drapieżników.

Gieorgij Żukow zamiast wybałuszywszy oczy, opowiadać o tym, jak to w genialnym olśnieniu z góry przewidział niemiecki plan „Barbarossa", mógłby opublikować materiały z tej gry wojennej. Miał taką możliwość, była też nagląca potrzeba, by opublikowano te materiały. W roku 1956 odbył się XX zjazd KPZR. Jeszcze do tego wrócimy. Głównymi jego prowodyrami byli Chruszczow i Żukow, bez nich nie byłoby żadnego XX zjazdu partii. Sens zjazdu był czytelny: banda ludożerców na plemiennym wiecu zwaliła wspólne grzechy na martwego watażkę. Po rytuale *katharsis* kanibale z nowymi siłami oddali się ulubionemu zajęciu – pożeraniu ludzi.

Na złodziejskiej schadzce o nazwie XX zjazd KPZR kaci stalinowscy, ubabrani po szyję we krwi narodu, przekonywali siebie nawzajem, że o niczym nie wiedzieli. Ci, którzy niedawno zlizywali okruszki ze stołu Stalina, nabrali nagle śmiałości. Przypomnieli sobie o poczuciu godności osobistej i wszyscy jak jeden mąż zrzucali na Stalina swoje zbrodnie i grzechy. Właśnie wtedy była odpowiednia chwila, by Żukow ujawnił materiały z wiekopomnej gry strategicznej i w dodatku zabłysnął w całej okazałości: patrzcie, oto ja, wielki i genialny, już w styczniu 1941 przewidziałem plan „Barbarossa"! No, ale głupi Stalin nie posłuchał moich genialnych ostrzeżeń.

Ale z niewiadomych przyczyn Żukow nie wykorzystał sprzyjających okoliczności.

Przypuśćmy jednak, że towarzysz Żukow przewidział plany Hitlera i w styczniu 1941 roku podczas gry strategicznej postępował tak samo, jak pięć miesięcy później postępowały wojska niemieckie. Dlaczegóż by nie opublikować materiałów o tej grze? W czym problem? Jakiej tajemnicy Żukow strzegł tak skrupulatnie? A poza tym, jaki jest sens w chowaniu materiałów, skoro wojna już dawno się skończyła? Z jakiego powodu propaganda nie może obwieścić całemu światu: tak, jesteśmy głupcami, nie byliśmy w ogóle przygotowani do wojny, w ogóle wszystko było nie tak, jak powinno, ale mieliśmy jednego wielkiego geniusza, on przewidział wszystko! Ale tak się nie stało. Materiały opatrzone klauzulą „Ściśle tajne" pozostawały niedostępne. Żaden ciekawski, nawet gdyby bardzo chciał, nie mógł się do nich dostać.

A przecież nie jest to pierwszy przypadek, kiedy najskromniejszy na świecie Gieorgij Żukow nie pozwala ujrzeć światła dziennego dowodom własnego geniuszu.

13 sierpnia 1961 roku stało się jasne, że Związek Radziecki jest skazany na zagładę. Może jeszcze przez jakiś czas, jak martwy baobab, stwarzać złudzenie życia, ale są to tylko pozory niezniszczalnej potęgi.

Tego dnia Berlin przepołowiono murem. Miał powstrzymać mieszkańców wschodnich Niemiec przed ucieczką do normalnego świata. W dalszych latach mur udoskonalano i umacniano, powoli przekształcając w system nieprzezwyciężonych inżynieryjnych zapór i pułapek, ze skomplikowanym systemem sygnalizacji, z betonowymi stanowiskami ogniowymi, wieżyczkami obserwacyjnymi, zaporami przeciwczołgowymi, z chytrze ustawionymi samostrzelnymi karabinami maszynowymi, które zabijały uciekinierów bez udziału straży granicznej.

Lecz im więcej wkładano pracy, pieniędzy, betonu i stali, by mur stawał się coraz doskonalszy, tym bardziej stawało się jasne, że ludzi można utrzymać w społeczeństwie komunistycznym tylko za pomocą zasieków, drutu kolczastego, psów – lub strzałem w plecy. Mur całym swoim istnieniem dowodził jednego: system, który zbudowali komuniści, nikogo nie pociąga, a wręcz – odrzuca. I właśnie to oznaczało kres Związku Radzieckiego w niezbyt odległej perspektywie historycznej.

A skoro Związek Radziecki się rozpadnie, to i niektóre archiwa zostaną otwarte. Żukow powinien był to zrozumieć:

skoro archiwa zostaną otwarte, to jego opowieści zostaną skonfrontowane z dokumentami.

Czy Żukow to rozumiał?

Jeżeli Żukow wiedział, że jego kłamstwa wkrótce wyjdą na jaw, a mimo to dalej kłamał na całego, to znaczy, że był człowiekiem nieodpowiedzialnym, o słabej woli.

Jeżeli zaś w swoich kłamstwach liczył na to, że Związek Radziecki będzie trwał wiecznie i archiwa będą zamknięte na zawsze, to znaczy, że był po prostu ograniczony.

Rozdział 8

O pierwszym szturmie Królewca

W żadnej z prowadzonych gier wojennych nie postawiono
„wschodnim" zadania obrony zachodnich granic państwa. W obydwu grach najważniejszy był atak.[1]

P. BOBYLIEW

I

Minęło ponad 50 lat od rozegrania wiekopomnej gry strategicznej – i ponad ćwierć wieku od pierwszego wydania pamiętników Żukowa.

Czasy się zmieniły, komuniści – jakkolwiek w delikatny
sposób – zostali mimo wszystko odsunięci na dalszy plan.
Odtajniono niektóre archiwa. Na fali przemian interesujące
materiały publikuje „Wojenno-Istoriczeskij Żurnał"[2]. Bardzo
ciekawy artykuł ukazał się też na rozkładówce „Izwiestii".
Tytuł brzmi intrygująco: W STYCZNIU 1941 ARMIA CZER-
WONA UDERZYŁA NA KRÓLEWIEC.[3]

Artykuły przedstawiają bardzo interesujące aspekty gry
strategicznej z 1941 roku. Wynika z nich niedwuznacznie, że
radzieccy stratedzy nie ćwiczyli wtedy żadnych planów obrony,
nie zastanawiali się nad sposobem odparcia ewentualnego
ataku. Generałowie byli zajęci całkiem innymi zagadnieniami:

---

[1] „Izwiestia", 22 czerwca 1993.
[2] „Wojenno-istoriczeskij żurnał", nr 2/1992.
[3] „Izwiestia", 22 czerwca 1993.

jak mianowicie zająć Królewiec, Warszawę, Pragę, Bukareszt, Kraków, Budapeszt.

Najwyższy czas przytoczyć słowa generała armii Majorowa: „Nawet wtedy wszyscy rozumieli, że gra, która się rozpocznie, będzie miała nie tylko teoretyczne, ale przede wszystkim ściśle praktyczne znaczenie"[4]. Generałowie nie dlatego opracowywali atak na europejskie stolice, że takie mieli hobby, lecz dlatego, że ich przygotowania do inwazji na Europę miały się ku końcowi.

Wmawiano nam przez dziesięciolecia, że Żukow przewidział niemiecki plan „Barbarossa" i podczas ćwiczeń strategicznych postępował dokładnie tak samo, jak pół roku później atakujące armie Hitlera. Ten wyczyn miał być największym osiągnięciem Żukowa jako stratega. Apogeum jego mądrości.

Po odtajnieniu dokumentów niespodziewanie okazało się, że król jest nagi. Dowiadujemy się z nich, że Żukow zwyczajnie kłamał. Całe gadanie o tym, że przejrzał niemieckie plany, nie jest warte funta kłaków. Również żadnych tajemnic państwowych na temat gry strategicznej Żukow nie zdradził. A gamonie, tacy jak pisarz Simonow, generał Majorow, marszałek Związku Radzieckiego Kulikow i wielu innych, bezkrytycznie słuchali i powtarzali bajdurzenia Żukowa – radzieckiego barona Münchausena.

II

Opisując przygotowania do symulacji, Żukow przytacza bezpośrednio wypowiedź Stalina.

„Nazajutrz po naradzie miała odbyć się wielka gra wojenna. [...]

– Kiedy rozpoczynacie grę wojenną? – zapytał Stalin.

– Jutro rano – odpowiedział Timoszenko.

– Dobrze, przeprowadźcie ją, lecz nie zwalniajcie do domu dowódców. Kto występuje jako strona «niebieskich», a kto gra «czerwonych»?

– «Niebieskimi» (stroną zachodnią) dowodzi generał armii

---

[4] „Wojenno-istoriczeskij żurnał", nr 12/1986, s. 41.

Żukow, a «czerwonymi» (stroną wschodnią) – generał pułkownik Pawłow"[5].

W tym krótkim dialogu nie ma jednego słowa prawdy. Narada wyższej kadry dowódczej zakończyła się 31 grudnia. Marszałek Timoszenko nie mógł powiedzieć Stalinowi, że gra rozpocznie się nazajutrz, ponieważ rozpoczęto ją dopiero 2 stycznia. Stalin, choć słynął z okrucieństwa, nigdy w życiu nie wyznaczyłby tak poważnego zadania na posylwestrowy ranek. Skacowane generalskie głowy mogłyby źle pracować.

Ktoś może spytać: co za różnica, czy gra rozpoczęła się pierwszego, czy drugiego stycznia? To szczegół bez znaczenia. Nieprawda! Owe pozornie błahe rozbieżności dowodzą, że wspaniałe dialogi ze Stalinem zostały wymyślone przez Żukowa lub przez innych współautorów wspomnień. Widać to dobitnie na podanym przykładzie. A przykład nie został do końca wyczerpany. Marszałek Timoszenko nie mógł powiedzieć Stalinowi, że „niebieskimi" gra Żukow, a „czerwonymi" Pawłow, ponieważ tak naprawdę nie była to jedna gra, lecz dwie. A to już ma zasadnicze znaczenie. Początkowo Żukow i Pawłow odgrywali każdy swoją rolę, ale później się zamienili. Jeżeli Żukow z jakichś powodów dobrze zapamiętał pierwszą grę z najdrobniejszymi szczegółami, a o drugiej zapomniał, to mamy powód, by powątpiewać w wiarygodność całej jego relacji.

Jeszcze jedna rzecz. Oficjalnie temat gry został określony jako: „Operacja ofensywna frontu z przełamaniem RU nieprzyjaciela". Żukow z niewiadomego powodu nie przywołuje tej nazwy. A szkoda. Wynika z niej niezbicie, że w prowadzonej grze strategicznej nie chodziło bynajmniej o zwykły plan natarcia.

RU – to rejon umocniony. Jest to strefa żelbetonowych i opancerzonych stalowymi płytami fortyfikacji, osłoniętych rowami przeciwczołgowymi, polami minowymi oraz innymi wymyślnymi zaporami. Aby powstał RU, potrzeba ogromnych nakładów finansowych i wieloletnich prac konstrukcyjno--budowlanych. Na terytorium ZSRR nie mogło być żadnych

---

[5] Żukow, *op. cit.*, s. 192.

nieprzyjacielskich RU. Mogły być tylko na terytorium nieprzyjaciela. A zatem, jeżeli celem gry wojennej jest „przełamanie
RU", to znaczy, że nasze wojska z założenia operują na terenie
wroga. Wniosek: opracowywano nie zwykły atak, ale atak na
Niemcy. A ściślej mówiąc na Prusy Wschodnie, które chroniła
strefa rejonów umocnionych.

III

Opowieści Żukowa o jego ofensywie aż po Baranowicze – to
bujdy na resorach. Podczas prowadzenia gry „niebiescy" pod dowództwem Żukowa – „armia niemiecka" – w ogóle nie przystąpili do ataku. Stroną nacierającą był radziecki Front Zachodni
dowodzony przez Pawłowa. To on atakował Prusy Wschodnie,
w szczególności Królewiec. Żukow tylko się bronił.

À propos: niemieckie miasto Königsberg (Królewiec) po
wojnie stało się rosyjską enklawą, przemianowaną na Kalinin-
grad. Oficjalny argument: Niemcy napadli na ZSRR, dlatego
z tytułu reparacji wojennych miasto przyłączono do Rosji.
Jednakże nawet gdyby Hitler nie zaatakował, to już w styczniu
1941 roku kierownictwo radzieckie pod osobistym nadzorem
Stalina rozważało różne sposoby zaanektowania Królewca.
Również ideolodzy KPZR na długo przed 1941 rokiem zaczęli
popularyzować ten pomysł: Królewiec wkrótce będzie nasz.

Konstanty Simonow, przyjaciel Żukowa, w 1938 roku
popełnił wiersz *Odnopołczanie* – „Towarzysze broni". Treść:
spaceruję po Moskwie, wokół mnie anonimowy tłum. A przecież
wkrótce staniemy w jednym szeregu, zjednoczeni we wspólnej
walce. I wojna nas zbliży. A dalej:

> *Gdy do Królewca dzień zawita,*
> *Obydwaj zostaniemy ranni,*
> *Na miesiąc nas połączy szpital,*
> *A potem znów na front, do walki.*
> *Święty gniew ogarnie nas,*
> *Okrutne chwile krwawych starć...*

I dalej coś w tym samym stylu.

Motyw „świętego gniewu" przewijał się w radzieckich wierszach i pieśniach, na długo zanim Mołotow i Ribbentrop podpisali w Moskwie pakt o podziale Europy – i w efekcie o rozpoczęciu II wojny światowej.

Simonow nie był zwykłym poetą, był ulubieńcem Stalina, ponieważ pisał tylko o tym, co potrzebne było Wodzowi w danym momencie dziejowym. A skutki tego bywały zaskakujące. W maju 1941 roku w V Korpusie Powietrznodesantowym generała majora Bezugłego w Dźwińsku i w 1. Brygadzie Piechoty Morskiej pułkownika Terentija Parafiło w Lipawie nagle gwałtownie powiększyła się liczba wielbicieli twórczości Konstantego Simonowa. W barakach spadochroniarzy całe ściany były wyklejone wierszem *Towarzysze broni...*

IV

Ale wróćmy do gry strategicznej. Kilka istotnych szczegółów wartych jest odnotowania.

Pewien zwyczaj od lat zadomowił się w Związku Radzieckim. Załóżmy, że Komitet Centralny podejmuje uchwałę w sprawie hodowli nierogacizny w obwodzie riazańskim. We wstępie obowiązkowo znajdzie się cała paleta rutynowych pochwał: osiągnięto wielkie sukcesy na odcinku takim a takim i jeszcze takim... Ale zaraz po pochwałach pojawia się upiorne słowo: „JEDNAKŻE". I dalej sypią się gromy. Każdy dobrze wie, że wstęp w najmniejszym stopniu nie zapowiada właściwej treści. Wręcz przeciwnie: im więcej pochwał we wstępie, tym więcej zarzutów w części głównej – i tym straszniejsze kary dla winowajców.

Podobna tradycja przyjęła się również w armii. Radzieccy wodzowie otwarcie zapowiadali, że zamierzają prowadzić wojnę głównie na terytorium wroga. Planowano radziecki Blitzkrieg. Tę szczerość zawsze poprzedzało zastrzeżenie: o ile wróg zmusi nas do wojny. Regulamin polowy mówił wyraźnie: jeżeli wróg uderzy, to Armia Czerwona zamieni się w najbardziej ofensywną armię w dziejach.

Podobne zastrzeżenie nikogo nie wprowadzało w błąd. Z reguły tak jakoś dziwnie wychodziło, że wróg atakował w tym właśnie momencie, gdy Armia Czerwona była gotowa do podbicia jego kraju. W listopadzie 1939 roku pięć radzieckich armii stanęło na granicy z Finlandią i nagle, jak na zawołanie, padły rzekomo pierwsze strzały z fińskich dział. Gazety natychmiast wybuchły świętym gniewem: „Odeprzemy atak Finlandii!", „Damy odpór rozzuchwalonym bandytom!", „Odpowiemy po trzykroć na uderzenie agresorów!", „Zniszczymy zgnuśniałą bandę!" W 1940 roku, na grudniowej naradzie naczelnego dowództwa, przez cały czas przewijała się ta sama myśl: Finlandia nas zaatakowała, a my, biedaczki-nieboraczki, tylko się broniliśmy. Ta interpretacja wrosła w całą naszą historiografię, ideologię, literaturę. Weźmy na przykład zbiór tekstów o twórcy radzieckich czołgów *Konstruktor bojewych maszyn*[6]. W takiej książce można by się ograniczyć do opowiadania o nowatorskich technologiach, tym bardziej po upływie pół wieku. Ale nie: „30 listopada 1939 roku Armia Czerwona podjęła działania odwetowe, rozpoczęła się wojna fińsko-radziecka"[7].

Atak na Niemcy planowano w zgodzie z tymi samymi regułami. Radzieccy stratedzy uśmiechali się zagadkowo, powtarzając do znudzenia: jeżeli wróg zmusi nas do wojny, podejmiemy walkę obronną na jego terytorium.

Podobnie przygotowano zadania na grę strategiczną: 15 lipca 1941 roku Niemcy napadają na ZSRR, kolumny niemieckie wdzierają się 70–120 kilometrów w głąb terytorium radzieckiego, ale do 1 sierpnia 1941 roku zostają wypchnięte na pozycje wyjściowe.[8] To tylko wstęp, który z samą grą nie miał wiele wspólnego. W jaki sposób „zachodni" atakowali? Jak udało się ich powstrzymać i odbić radzieckie terytorium? O tym w zadaniu nie ma ani słowa. To nie jest ważne. Ważne jest, że to oni napadli, a my wypchnęliśmy ich pod granicę państwową, na wyjściowe pozycje. I właśnie od tego miejsca, tzn. od granicy państwowej ZSRR, rozpoczęła się właściwa gra

---

[6] *Konstruktor bojewych maszyn*, Leningrad 1988.
[7] *Ibid.*, s. 91.
[8] Zasoby Rosyjskiego Państwowego Archiwum Wojskowości (RGWA), zespół 37977, rejestr 5, teka 564, karty 32–34.

strategiczna: „operacje odwetowe" Armii Czerwonej w Prusach Wschodnich.

Wtargnięcie armii niemieckiej na terytorium radzieckie i odparcie agresji nie interesowało Stalina ani Żukowa, ani nikogo innego. Jedno ich obchodziło: jak prowadzić działania zaczepne z terenów przygranicznych.

Skoro w samych założeniach gry zapisano, że wojska niemieckie zaatakowały i wysforowały się do przodu, to znaczy, że nie ma w tym żadnej zasługi Żukowa, który odgrywał rolę stratega niemieckiego. Nie musiał się zastanawiać ani podejmować żadnych decyzji. Takie po prostu były zadane warunki. Gdyby na jego miejscu postawiono innego geniusza, obowiązywałyby go te same założenia: wrogowie napadli i wdarli się kilkadziesiąt kilometrów w głąb kraju.

Podobnie Pawłow, jako radziecki dowódca, nie musiał się zastanawiać, jak odeprzeć agresję. To wszystko było zawarte w założeniach do gry wojennej.

V

Do relacji Żukowa o grze strategicznej wkradły się pewne nieścisłości.

„Pawłow, który dowodził Zachodnim Okręgiem Wojskowym, walczył po naszej stronie, dowodził «czerwonymi», tj. Frontem Zachodnim. Na Froncie Południowo-Zachodnim pomagał mu Sztern". Jest tu podwójne przekłamanie. Po pierwsze, Pawłow, tak samo jak Żukow, najpierw dowodził jedną stroną, a później drugą. Po drugie, Sztern nie pomagał Pawłowowi i nie było go w drużynie Pawłowa. W pierwszej części gry Sztern był w drużynie Żukowa, gdzie dowodził niemiecką 8. Armią. W drugiej grze Sztern w ogóle nie brał udziału.

Żukow relacjonuje dalej: „W założeniach przyjęliśmy rzeczywiste dane, również jeśli idzie o siły nieprzyjaciela"... Marszałek mija się z prawdą. Założenia do gry wojennej nie miały nic wspólnego z faktycznym układem sił. Dowodzone przez niego podczas gry strategicznej wojska „niemieckie" liczyły w Prusach Wschodnich 3512 czołgów i 3336 samolotów bojowych. W rzeczywistości armia Hitlera nie miała aż tylu czołgów i samolotów ani na terenie Prus Wschodnich, ani na całym radziecko-niemieckim froncie, od Morza Barentsa do Morza Czarnego. Podczas symulacji siły Żukowa na obszarze Prus Wschodnich i okupowanej Polski dwukrotnie przewyższały faktyczną liczbę „niemieckich" dywizji.

„Dowodząc «niebieskimi», prowadziłem operację dokładnie na tych odcinkach, na których prowadzili ją potem Niemcy. Swoje główne uderzenia wykonałem dokładnie tam, gdzie oni je później przeprowadzali". I znowu naszego narratora zbytnio poniosła fantazja. W 1993 roku grupa rosyjskich historyków wojskowych sporządziła oficjalny raport dotyczący omawianych gier wojennych. Grupie przewodził główny historyk Armii Rosyjskiej generał major Zołotariew, profesor doktor habilitowany. Oto oficjalne podsumowanie pracy dwudziestu trzech głównych ekspertów: „W styczniu 1941 roku operacyjno-strategiczne ogniwo głównego dowództwa RKKA[9] rozgrywało na mapach taki wariant działań wojennych, który przez realnych «zachodnich», tj. przez Niemców, nie był planowany"[10].

Tymczasem Żukowa aż roznosi: „Związki taktyczne rozmieściły się tak, jak potem w czasie wojny. Konfiguracja naszych granic, ukształtowanie terenu, inne warunki – wszystko to razem podpowiadało mi podjęcie takich właśnie decyzji, jakie w przyszłości podejmowali Niemcy. Gra toczyła się około ośmiu dni i nocy. Dowództwo gry sztucznie spowalniało tempo marszu «niebieskich». Ale «niebiescy» na ósmy dzień dotarli pod Baranowicze, i to przy – powtarzam – sztucznie zwolnionym tempie ofensywy".

Nie będę się spierać. Głos mają eksperci: „W obydwu grach działania stron na kierunku Brześć–Baranowicze (Front Wschodni «zachodnich») i Brześć–Warszawa (Front Zachodni «wschodnich») w ogóle nie zostały rozegrane"[11].

---

[9] RKKA – Rabocze-Krestianskaja Krasnaja Armija – Robotniczo-Chłopska Armia Czerwona [przyp. red.].

[10] *Nakanunie wojny...*, *op. cit.*, s. 389.

[11] *Ibid.*

VI

Żukow z zapałem opowiada, jak dowództwo gry sztucznie wstrzymywało tempo jego zwycięskiego marszu na Baranowicze. Tymczasem okazuje się, że w ogóle nie zmierzał w tamtym kierunku. Nikt jego popisowego natarcia nie spowalniał, skoro działania wojsk niemieckich na terenach ZSRR w ogóle nie były ćwiczone.

Wynik pierwszej gry: walka odbywała się tylko na terenach Prus Wschodnich i okupowanej Polski. Pawłow atakował, Żukow bronił się. „W wielu książkach i artykułach podaje się następujące fakty: w tej grze Żukow rzekomo wszystko zaplanował i wykonał identycznie, jak pół roku później zrobili to Niemcy. Ósmego dnia Front Północno-Wschodni «zachodnich» przedostał się ponoć pod Baranowicze. W rzeczywistości wszystko odbyło się zgoła inaczej: Front Północno-Zachodni «wschodnich» (Pawłow), wykonując zadanie przedarcia się do 3 września 1941 roku nad dolne dorzecze Wisły, 1 sierpnia przeszedł do ataku. Przez pierwsze dni jego wojska forsowały Niemen i zdobyły łuk suwalski (okrążyły tam duże zgrupowanie sił «zachodnich»), a na lewym skrzydle przełamały front, którym dowodził Żukow. W rejonie przełamania wprowadzono armię konno-zmechanizowaną, która 13 sierpnia dotarła na tereny położone 110–120 kilometrów na zachód od granicy państwowej ZSRR"[12].

A więc to nie Żukow pogonił Pawłowa, tylko Pawłow Żukowa. Co prawda później Żukow sięgnął do rezerw, przegrupował swoje siły i przystąpił do kontrataku.

Na tym zakończyła się pierwsza gra. Jej dowództwo starało się ogłosić remis ze wskazaniem na Żukowa.

Postanowiono tak nie dlatego, że Żukow wynajdywał jakieś genialne rozwiązania, ale z przyczyn niezależnych od jego talentu.

Przede wszystkim Żukow bronił się, a to jest zawsze łatwiejsze niż ofensywa.

Po drugie, atakując Prusy Wschodnie, Pawłow zmuszony był

---

[12] „Izwiestia", 22 czerwca 1993.

pokonać kilka dużych rzek w ich dolnym biegu. Dla Pawłowa rzeki stanowiły przeszkody, dla Żukowa były to naturalne rubieże obronne. Poza tym Prusy Wschodnie przecinają liczne kanały, które są przeszkodą dla atakujących czołgów. Po trzecie, Prusy Wschodnie fortyfikowały się przez całe wieki. Każde chłopskie obejście to solidne, murowane domy, stajnie i spichlerze, każde podwórko otacza wysoki, mocny mur. Wszystko to sprzyja działaniom obronnym, ale utrudnia ofensywę. W Prusach Wschodnich jest mnóstwo twierdz i zamków. Królewiec to jedna z najpotężniejszych twierdz na świecie, postawiona na labiryncie podziemnych schronów i katakumb. Ponadto dostępu do Prus Wschodnich broni łańcuch rejonów umocnionych, stworzonych w dwudziestoleciu międzywojennym.

Biorąc to wszystko pod uwagę, dowództwo gry doszło do następującego wniosku: „Rozwinięcie głównych wojsk Armii Czerwonej na zachodzie i ześrodkowanie głównych sił naprzeciw Prus Wschodnich oraz na kierunku warszawskim budzi uzasadnione obawy, że walka na tym froncie przekształci się w długotrwałe zmagania pozycyjne"[13].

Poza wszystkim, Żukow podczas gry wojennej miał pod swoimi rozkazami bezzasadnie zawyżoną liczbę wojsk „niemieckich". Na zakończenie gry, wyprowadzając kontratak, zgromadził on wojska, których w rzeczywistości nie było. Tylko to uratowało Żukowa od bezapelacyjnej i haniebnej klęski. W realnej sytuacji Pawłow zepchnąłby Żukowa do Morza Bałtyckiego.

VII

Radziecka propaganda po tysiąckroć powtarzała wymysły Żukowa o tym, jak przejrzał plan niemiecki i rozgromił Pawłowa. Przywoływano je również na najwyższych szczeblach władzy. O naradzie najwyższego dowództwa i o wojennych grach strategicznych mnóstwo razy pisali marszałkowie i generałowie, czynni i w stanie spoczynku. Generał armii Majorow:

---

[13] „Wojenno-istoriczeskij żurnał", nr 2/1992, s. 22.

„Celem planowanej gry operacyjno-strategicznej było sprawdzenie możliwości Armii Czerwonej w odparciu zbliżającej się agresji faszystów. [...] W opracowanym przez generała armii Żukowa planie «ataku» uwzględniono wszystkie elementy potencjału wojskowego Niemiec faszystowskich oraz doświadczenie Wehrmachtu w prowadzeniu «wojny błyskawicznej» na Zachodzie. I trzeba powiedzieć, że «czerwoni», którzy się bronili, reprezentując w walce nasze siły zbrojne, musieli włożyć sporo wysiłku, żeby powstrzymać atak «niebieskich»"[14].

Nie, towarzyszu Majorow, Żukow nie opracowywał żadnych planów niemieckiego ataku i nie uwzględniał żadnych elementów potencjału wojskowego Niemiec. I strona „czerwona" nie potrzebowała wkładać żadnego wysiłku, aby powstrzymać atak Żukowa i odrzucić go na pozycje wyjściowe oraz dużo dalej na Zachód.

Żukow kłamał o swoich zwycięstwach, a nasi marszałkowie i generałowie, tacy jak generał armii Majorow, wykazywali się podziwu godnym oportunizmem. Najpierw bezkrytycznie słuchali łgarstw chwalipięty, a następnie sami powtarzali jego niewiarygodne bujdy.

Ciekaw jestem, czy generał Majorow w ogóle przeglądał materiały tej gry. A inni marszałkowie i generałowie? Opisują jeden z drugim, jak to Żukow przewidział hitlerowskie plany. Czy naprawdę nie interesują ich żadne fakty? Czy nie warto było sięgnąć do archiwów i osobiście wczytać się w dokumenty? A jeżeli dokumenty są tajne, to zażądać od władz wyjaśnień. Jakże to? Skoro Wielki Geniusz wszystko przewidział i wszystko przepowiedział, to jaki ma cel ukrywanie dowodów jego jasnowidzenia?

O ile przyjmiemy, że nasi marszałkowie i generałowie nie czytali materiałów z gry strategicznej, wtedy strateg Majorow i całe stado dowódców podobnego autoramentu prezentują się w dosyć dziwnym świetle. Niby wszyscy wiedzą, że wielki Żukow przejrzał plan niemiecki, wszyscy to powtarzają – ale żaden nie miał w ręku dokumentów, żaden nie wgłębiał się

---

[14] „Wojenno-istoriczeskij żurnał", nr 12/1986, s. 41.

w szczegóły, nikogo nie zainteresowało, jak Żukowowi to wszystko się udawało.

Jeżeli natomiast założymy, że generał armii Majorow i podobni mu stratedzy znali treść dokumentów gry wojennej, a mimo to mówili coś zupełnie sprzecznego z ich treścią, to oznacza, że wszyscy oni są nie generałami i marszałkami, lecz agitatorami bez zasad i za odpowiednie wynagrodzenie powiedzą wszystko, co im się każe.

Ale to nie wszystko, najśmieszniejszą rzecz mamy jeszcze przed sobą. Generał armii Majorow pisał swój artykuł – albo pisano go za niego – w czasach, gdy archiwa odnoszące się do gry strategicznej uznawano jeszcze za tajne specjalnego znaczenia. Jednak w 1992 roku materiały odtajniono i oficjalni wojskowi historycy zgodnie doszli do wniosku: „Ani na naradzie, ani podczas gier wojennych ich uczestnicy nawet nie starali się analizować sytuacji, która mogłaby zaistnieć w toku pierwszych operacji po ewentualnej napaści wroga. Dlatego zapewnienia, że gry prowadzono «w celu przećwiczenia pewnych zagadnień, związanych z działaniami wojsk w początkowym okresie wojny» są całkowicie pozbawione podstaw. Te zagadnienia nie znalazły się na liście celów szkoleniowych i dlatego nie były analizowane"[15].

A jednak legenda o tym, że Żukow przewidział plan „Barbarossa" wciąż żyje.

W 1996 roku głos zabrał generał major Borszczow, doktor nauk historycznych, zastępca kierownika katedry historii wojen i sztuki wojennej Akademii Wojskowej Sztabu Generalnego. Opowiada zaskakujące rzeczy: „Jeszcze jednym wydarzeniem, które miało miejsce tuż przed wojną i potwierdza wysoki potencjał intelektualny Żukowa, były gry strategiczne, przeprowadzone w styczniu 1941 roku. Podczas pierwszej gry, mającej na celu sprawdzenie realnych możliwości ochrony granicy państwowej i planowanych operacji wojskowych w początkowym okresie wojny, Żukow występował po stronie „zachodnich". Jego decyzje dowodzą, że Żukow w zasadzie przewidział plany agresji niemiecko-faszystowskiego dowództwa na odcinku północno-

---

[15] *Nakanunie wojny, op. cit.*, s. 389.

-zachodnim; odpowiednio wykorzystując posiadane siły i środki, odniósł bezapelacyjne zwycięstwo nad «czerwonymi»"[16].

Niejednokrotnie słyszę zachęty, abym zabrał się do pisania książek nie na podstawie dostępnych źródeł, ale w oparciu o archiwa. Dziękuję, rozważę. Ale oto mamy generała majora, profesjonalnego historyka, zastępcę kierownika katedry historii wojen i sztuki wojennej Akademii Wojskowej Sztabu Generalnego. Z racji zajmowanego stanowiska ma dostęp do wszystkich archiwów. Tymczasem z jakiegoś powodu w swoich pracach nie opiera się na archiwach. Nie wiadomo, dlaczego nie opiera się również na dostępnych źródłach historycznych. Generała Borszczowa zajmowane stanowisko zobowiązuje do czytania książek, gazet i czasopism, a szczególnie „Wojenno-istoriczeskiego żurnału". To czasopismo Sztabu Generalnego Rosyjskich Sił Zbrojnych. Ale, jak widać, w Akademii Wojskowej nie cieszy się poczytnością. Przecież „Wojenno-istoriczeskij żurnał" już w 1992 roku zdemaskował kłamstwa i krętactwa Żukowa.

Generał Borszczow ze względu na swoje stanowisko powinien czytać książki o wojnie, wydawane pod redakcją generała Zołotariewa, głównego wojskowego historyka Rosji. Jest taka książka, w której Zołotariew demaskuje autora(-ów) niestworzonych historii Żukowa.

Ale w katedrze historii wojen i sztuki wojennej nie czyta się prac oficjalnych wojskowych historyków Rosji. Tam studiuje się historię w oparciu o wymysły strategicznego kłamcy.

Zabiera głos generał pułkownik Baryńkin. Opowiada o tragedii Żukowa: „Jako bezpośredni uczestnik wydarzeń Żukow boleśnie odbierał fakt, że w powojennych dekadach radziecka nauka wojenna nie umiała stworzyć oryginalnych prac, które ukazałyby w prawdziwym świetle wydarzenia Wielkiej Wojny Ojczyźnianej"[17].

Z powodu takich chorobliwych stresów biedny Żukow postanowił sam opowiedzieć o tym, jak w przededniu wojny przewidział niemiecki plan „Barbarossa".

---

[16] „Krasnaja zwiezda", 15 czerwca 1996.
[17] „Krasnaja zwiezda", 31 maja 1996.

Rozdział 9

Na Budapeszt!

Dowództwo Armii Czerwonej w obydwu grach wojennych do-
skonaliło u swoich żołnierzy umiejętności ataku, a nie obrony.[1]

P. Bobylew

I

Poczynania niemieckich i radzieckich generałów były bez
mała wzajemnym lustrzanym odbiciem. W 1940 roku Niemcy
przeprowadzili takie same gry wojenne jak Rosjanie, choć co
prawda z miesięcznym wyprzedzeniem. Jednak różnica w czasie między działaniami radzieckiego i niemieckiego dowództwa
powoli topniała.

29 listopada 1940 w Berlinie rozpoczęły się zakrojone na dużą skalę strategiczne symulacje działań na froncie wschodnim.
Dowodził nimi generał major Friedrich von Paulus ze Sztabu
Generalnego Wojsk Lądowych. Cała różnica sprowadzała się
do tego, że o ile w Moskwie prowadzono dwie gry wojenne, to
w Berlinie tylko jedną, która składała się z trzech etapów.

Etap pierwszy: atak wojsk niemieckich na ZSRR i walki
przygraniczne.

Etap drugi: atak wojsk niemieckich do linii Mińsk–Kijów.

Etap trzeci: zakończenie wojny i rozbicie ostatnich rezerw
Armii Czerwonej, gdyby takowe jeszcze pozostawały na wschód
od linii Mińsk–Kijów.

---

[1] „Izwiestia", 22 czerwca 1993.

Po każdym etapie gry następowała jego analiza. Całościowy rozbiór poszczególnych etapów zakończył się 13 grudnia 1940 roku. Dziewiętnaście dni później rozpoczęły się gry strategiczne w Moskwie, z których druga, o czym już dziś wiadomo, została pomyślnie zakończona 11 stycznia 1941 roku. Historię pisze zwycięzca. Archiwa Wehrmachtu wpadły w ręce Armii Czerwonej. Radzieccy historycy przedstawili następnie całemu światu istotę agresji imperializmu niemieckiego: oto, jakie mieli plany! Tymczasem archiwa radzieckie pozostawały skrzętnie zaryglowane. Pozwoliło to propagandzistom i agitatorom na spopularyzowanie tezy, że generałowie, admirałowie, marszałkowie oraz sam towarzysz Stalin cierpieli na... chroniczne umiłowanie pokoju. Tę ciężką przypadłość „Wojenno-istoriczeskij żurnał" opisał w sposób następujący: „Związek Radziecki miał skrajnie pokojowe nastawienie i nie zdążył jeszcze otrząsnąć się ze swojego pacyfizmu, mimo dopiero co zakończonej wojny z Finlandią"[2].

Pacyfizm Stalina i jego towarzyszy wywołują szczere współczucie, choć wnikliwa analiza relacji wielkich bohaterów i uczonych towarzyszy pozwala czytelnikowi wyłuskać ledwie zauważalne niekonsekwencje i nieścisłości. To właśnie one zdawały się wskazywać, że nie wszystko odbyło się tak, jak by mogło wynikać ze współczesnych opisów.

Oto przykład. Ukazała się „Historia radzieckiej myśli wojskowej", oficjalna publikacja naukowa Akademii Nauk ZSRR oraz Instytutu Historii Wojskowości Ministerstwa Obrony ZSRR. Czytamy w niej: „Na początku 1941 roku zostały przeprowadzone dwie operacyjno-strategiczne gry symulacyjne na mapach (2–6 stycznia i 8–11 stycznia). Ćwiczono początkowy etap wojny: wariant ataku «zachodnich» oraz obrony «wschodnich»"[3].

Od połowy lat pięćdziesiątych podawano liczne informacje o tym, że w styczniu 1941 roku „wschodni" opracowywali plany odparcia agresji „zachodnich". Przyzwyczailiśmy się a priori zawierzać opowiastkom o naszym wrodzonym umiłowaniu

---

[2] „Wojenno-istoriczeskij żurnał", nr 1/1990, s. 58.
[3] Istorija russkoj wojennoj mysli, Moskwa 1980.

pokoju. A tymczasem należało zwrócić uwagę na pewien szczegół. We wszystkich oficjalnych pracach badawczych mówi się o dwóch grach, tymczasem w pamiętnikach Żukowa zawarta jest informacja, że odbyła się tylko jedna gra. Nasi historycy powinni byli wskazać Żukowowi tę nieścisłość albo zweryfikować błąd w swoich badaniach. Nie wiadomo, dlaczego tego nie zrobili. Akademik Anfiłow relacjonuje, że odbył z Żukowem szereg długich dyskusji i że Żukow opowiedział mu wiele interesujących rzeczy o okresie przedwojennym oraz o początku wojny. Przypuśćmy. Sam Anfiłow pisze o dwóch grach wojennych.[4] Między ukazaniem się książek Żukowa i Anfiłowa upłynęły dwa lata. A więc? Jak to możliwe, że prawie jednocześnie marszałek i akademik ogłosili światu dwie różne wersje wydarzeń? Według Anfiłowa miały miejsce dwie gry, według Żukowa – jedna. Zaraz potem marszałek i akademik spotykają się, zasiadają przy herbacie i rozprawiają o sprawach wyższych. Dla akademika Anfiłowa była to wymarzona okazja: towarzyszu Żukow, według moich informacji odbyły się dwie gry wojenne, a wy piszecie o jednej. Któryś z nas nie ma racji...

Sam Żukow też mógłby wykonać pierwszy krok. Był największym dowódcą XX wieku. Miał przed sobą największego eksperta od początkowego okresu wojny. Żukow z czystej ciekawości powinien był przeczytać jego książki, a następnie wyrazić zdziwienie: pamiętam tylko jedną grę, a wy, szanowny kolego, piszecie o dwóch! Któryś z nas jest w błędzie. Spróbujmy wspólnie dojść prawdy.

Ale prawdy nie szukano, ani wspólnie, ani z osobna. Nie dostrzegali sprzeczności w swoich wiekopomnych dziełach i nie śpieszyli się z ich prostowaniem.

A dlaczego?

Dlatego, że sprzeczności dotyczyły drobiazgów. W sprawach zasadniczych obaj kłamali równo. Obaj na przykład pisali o obronnym charakterze gry (albo dwóch gier). Ani jeden, ani drugi, ani hordy ideologicznych kłamców nie widzieli sensu grzebać w drugorzędnych detalach.

---

[4] W. Anfiłow, *Biessmiertnyj podwig*, Moskwa 1971, s. 137.

Po latach wyszły na jaw szczegóły tych gier. Wtedy okazało się, że, mówiąc oględnie, obaj dżentelmeni powinni zostać uznani za źródła dezinformacji. Dokumenty archiwalne, przy całej ich sile przebicia, nie są w stanie przezwyciężyć stereotypowych ocen i poglądów. Siedem lat po odtajnieniu materiałów archiwalnych dotyczących gier strategicznych wystąpił mój dawny oponent pułkownik Wasilij Moroz, zastępca naczelnego „Krasnoj zwiezdy". Tradycyjnie już piętnował mnie i opowiadał zdumionym czytelnikom, że w Sztabie Generalnym RKKA był obowiązek przeprowadzania szkoleniowych ofensywnych symulacji strategicznych, ale że nie miało to miejsca. W grach strategicznych ćwiczono wyłącznie warianty odparcia agresji.[5]

Mógłbym nawet zrozumieć wypisywanie podobnych bredni w czasach, gdy dostęp do dokumentów archiwalnych był utrudniony albo niemożliwy. Ale materiały z gier strategicznych dawno temu zostały odtajnione i wiemy już ponad wszelką wątpliwość, że w toku tych gier nikt się nawet nie zająknął o obronie. Ćwiczono wyłącznie zagadnienia związane z podbojem Europy i ustanowieniem komunistycznej dyktatury na całym kontynencie. Tyle że w „Krasnoj zwieździe" o tym nikt nie wie. I nikogo z czytelników nie oburza niekompetencja centralnego organu Ministerstwa Obrony Federacji Rosyjskiej.

Przeczytawszy oświadczenia pułkownika Moroza, natychmiast rzuciłem się do pisania listu. Chciałem wytłumaczyć zastępcy redaktora naczelnego, że uprawia pranie mózgów swoich czytelników i że sam padł ofiarą tego procederu. Ale nagle zrozumiałem, że wcale nie chodzi o wieloletnie pranie mózgu, lecz o proces poniekąd odwrotny.

Witaliju Iwanowiczu, specjalnie dla Pana opowiadam o drugiej grze strategicznej. Niech Pan sam oceni, w co grali nasi dowódcy w styczniu 1941 roku.

---

[5] „Krasnaja Zwiezda", 13 stycznia 2000.

II

Z dwóch gier pierwsza była rozstrzygająca. „Rozbiór pierwszej z nich przeprowadzono na szczeblu najwyższego kierownictwa politycznego"[6].

Najwyższe kierownictwo polityczne – to sam Stalin. Uważnie śledził przebieg pierwszej gry i przekonał się, że w Prusach Wschodnich może ugrzęznąć na dłużej. Zaraz po zakończeniu pierwszej gry Stalin podjął decyzję: nie uderzymy na Europę od północy, lecz z kierunku południowego. Innymi słowy, nie z Białorusi i republik bałtyckich, lecz z terytorium Ukrainy i Mołdawii.

Ciekawa jest relacja Żukowa o tym, jak analizowano wyniki pierwszej gry. „Przebieg gry wojennej referował szef Sztabu Generalnego generał armii Mierieckow. Kiedy przytoczył dane o stosunku sił «walczących» stron i przewadze «niebieskich» na początku działań bojowych, zwłaszcza w czołgach i lotnictwie – Stalin, wyraźnie poirytowany niepowodzeniami «czerwonych», przerwał mu i oświadczył:

– Nie zapominajcie, że w czasie wojny ważna jest nie tylko przewaga arytmetyczna, ale także kunszt dowódców i walczących wojsk"[7].

Opowiadanie Żukowa można rozumieć tylko w jeden sposób: Mierieckow rzekomo donosił Stalinowi, że Niemcy – zarówno w grze, jak i w rzeczywistości – mają więcej czołgów i samolotów. A Stalin rzekomo odpowiadał na to z niezadowoleniem: sam wiem, ale nie to jest najważniejsze, liczy się nie tylko przewaga liczebna, ale umiejętności dowódców i wojsk.

Wszystko pięknie, tyle że Mierieckow nie mógł mówić niczego takiego ani Stalin nie mógł w ten sposób odpowiedzieć. Dlaczego? Z jednego prostego powodu: obaj wiedzieli, że Armia Czerwona pod względem liczby czołgów, samolotów i artylerii kilkakrotnie przewyższa armię Hitlera. Zarówno w rzeczywistości, jak i w grach strategicznych przewaga była po stronie Armii Czerwonej. Zgodnie z założeniami gry „niebiescy" („za-

---

6 Generał major Zołotariew [w:] „Krasnaja zwiezda", 27 grudnia 1990.
7 Żukow, *op. cit.*, s. 175.

chodni") mieli 3512 czołgów i 3336 samolotów, a „czerwoni" („wschodni") – 8811 czołgów i 5652 samoloty. Dlatego nie mógł Miereckow meldować Stalinowi o przewadze „niebieskich" na początku gry. I Stalin nie był zawiedziony przegraną „czerwonych", ponieważ „czerwoni" pod dowództwem Pawłowa w dwóch miejscach przerwali front „niebieskiego" Żukowa, okrążyli spore zgrupowanie wojsk Żukowa w rejonie Suwałk i w dwunastym dniu operacji prowadzili działania wojenne na terytorium Prus Wschodnich ok. 110–120 kilometrów na zachód od państwowej granicy ZSRR.

Żukow kontynuuje:

„– W czym tkwią przyczyny niepomyślnych działań wojsk strony «czerwonych»? – zapytał Stalin.

Pawłow próbował się wykręcić żartem, mówiąc, że w grach wojennych może się coś takiego zdarzyć. Ten dowcip wyraźnie nie podobał się Stalinowi"[8].

Pozostawmy te wszystkie dialogi na sumieniu Żukowa. Mam konkretną propozycję: trzeba przygotować kilkaset tysięcy pieczątek z krótkim słowem: KŁAMSTWO i ostemplować nimi wszystkie książki Żukowa. Najlepiej czerwonym tuszem na każdej stronie.

A nowe wydania Żukowa od razu drukować z ostrzeżeniem, że prawdy tu nie ma.

III

W dniach 8–11 stycznia odbyła się druga gra strategiczna, o której Żukow zapomniał. Wyjściowe założenia były podobne: w dniu 1 sierpnia 1941 roku wojska Niemiec i ich sojuszników wtargnęły na terytorium radzieckie; wiarołomny wróg uderzył tym razem nie z terenów Prus Wschodnich, ale z Węgier i Rumunii. Jednak wojska nieprzyjaciela od razu zostały zepchnięte na pozycje wyjściowe. Mało tego: do 8 sierpnia „wschodni" nie tylko wyparli „zachodnich" ze swojego terytorium, ale dodatkowo przenieśli działania wojenne na terytorium nie-

---

[8] *Ibid.*, s. 175.

przyjaciela na głębokość 90–180 kilometrów, a prawa flanka ich armii dotarła do linii Wisły i Dunajca.

Działania te rozkładały się w czasie w następujący sposób: wróg znienacka napada na ZSRR i przez dwa dni skutecznie naciera. Trzeciego dnia wojska radzieckie pod dowództwem Żukowa zatrzymują nieprzyjaciela, kolejne dwa dni były potrzebne do tego, żeby wypędzić wroga z całego terenu. Po 48 godzinach, to jest 7 sierpnia, „czerwoni" przekroczyli granicę i przesunęli się 90–180 kilometrów w głąb terytorium nieprzyjaciela. Tempo ofensywy – 45–90 kilometrów na dobę. Ale to dopiero wstęp. Właściwa gra rozpoczęła się już na terytorium nieprzyjaciela, 90–180 kilometrów na zachód od granic Związku Radzieckiego. Założeniem gry były „operacje odwetowe" Armii Czerwonej w Niemczech, Czechosłowacji, na Węgrzech i w Rumunii.

W każdej grupie grających zaszły nieznaczne zmiany. Niektórzy generałowie przeszli z grupy Pawłowa do grupy Żukowa i odwrotnie. Kilku generałów nie wzięło udziału w drugiej grze. Zastąpili ich inni. Ale główni przeciwnicy pozostali ci sami. Tyle że teraz Żukow, dowodząc wojskami radzieckimi, przeprowadzał „odwetowe uderzenie" na terytorium wroga, Pawłow zaś, dowodząc niemieckimi i węgierskimi wojskami, próbował odeprzeć atak radziecki.

W drugiej grze strategicznej pojawił się pewien nowy element. „Operacje odwetowe" Armii Czerwonej odpierał tym razem nie jeden front nieprzyjaciela, lecz dwa. Wojskami Niemiec i Węgier dowodził generał pułkownik wojsk pancernych Pawłow, a wojskami Rumunii – generał porucznik Kuzniecow.

Kuzniecow przybył na naradę do Moskwy jako dowódca Północnokaukaskiego OW. Po pierwszej grze awansował na dowódcę Bałtyckiego Specjalnego OW. Jeszcze nie objął stanowiska, a już polecono mu grać rolę w drugiej grze – dowodzić wojskami Rumunii...

Jak to należy rozumieć? Jeżeli Kuzniecow w rzeczywistości dopiero co został mianowany dowódcą nad Bałtykiem, to dlaczego w grze polecono mu dowodzić wojskami Rumunii? Przecież to zupełnie inny teren, inny odcinek strategiczny. Dlaczego dowodzenia wojskami rumuńskimi nie powierzono któremuś z generałów, którzy służyli na południowo-zachodnim pograniczu, którzy znali ten teren i armię Rumunii? Dziwne to wszystko. Ale tylko na pierwszy rzut oka. Bo to właśnie nominacja Kuzniecowa pozwala nam w jednej chwili przejrzeć na wskroś genialną koncepcję Stalina.

IV

Na początku stanęliśmy wobec kilku zagadek. W jakim celu przeprowadzono nie jedną grę, lecz dwie? Dlaczego nie dowodził nimi szef Sztabu Generalnego? Dlaczego wojskami nieprzyjaciela nie dowodził szef wywiadu wojskowego? Dlaczego te role odgrywali dowódcy okręgów wojskowych? Dlaczego Żukow i Pawłow zamieniali się miejscami?

Rola, którą odgrywał dowódca Bałtyckiego Specjalnego OW w drugiej grze – oto klucz do zrozumienia tamtych wydarzeń.

Wszystko jest proste i maksymalnie logiczne.

Między krajami bałtyckimi i Morzem Czarnym rozciąga się Polesie. Znajdują się tam rozległe, trudne do pokonania bagna. Polesie to największy obszar bagien w całej Europie, a może i na świecie. Na obszarze Polesia masowe dyslokacje wojsk i prowadzenie działań wojennych są skrajnie uciążliwe. Polesie rozdziela zachodni teatr działań wojennych na dwa kierunki strategiczne.

Główną zasadą strategii jest koncentracja. Dążenie do tego, żeby być silnym w każdym punkcie, prowadzi do rozproszenia sił i powoduje ogólne osłabienie. Jeżeli chcemy, by nasze wojska były równie silne na północ od Polesia i na południe, to po prostu dzielimy własne siły na dwoje. Tego nie wolno robić. Dlatego na jednym kierunku strategicznym powinno się ześrodkować siły główne, które wykonają rozstrzygające uderzenie na nieprzyjaciela, natomiast na drugim kierunku strategicznym należy wyprowadzić jedynie uderzenie wspierające.

Rodzi się pytanie: który kierunek uznać za główny, a który za drugorzędny? Spory na ten temat nigdy nie zostały ostatecznie rozstrzygnięte. Oba warianty miały swoje plusy i minusy.

Wtargnięcie na północ od Polesia oznaczałoby ofensywę wprost na Berlin, jednak na kierunku natarcia leżały Prusy Wschodnie, silne umocnienia, Królewiec. I cała armia niemiecka. Z kolei uderzenie na południe od Polesia oznacza, że natarcie pójdzie drogą okrężną... Ale z drugiej strony jest to uderzenie w odsłonięte zaplecze naftowe Niemiec. Na samym paliwie syntetycznym daleko się nie zajedzie.

Dlatego właśnie postanowiono przeprowadzić dwie gry, porównać wyniki i na tej podstawie dokonać ostatecznego wyboru. W pierwszej grze uderzenie na Europę poprowadzono kierunkiem północnym, z terenów Białorusi i republik bałtyckich. W drugiej grze uderzenie na Europę ćwiczono z terenów Ukrainy i Mołdawii.

Stratedzy radzieccy szykowali druzgocącą ofensywę na Europę. Dla Niemiec takie uderzenie mogło być śmiertelne. Hitler miał tego pełną świadomość, jego generalicja również. Przytaczałem niejedną wypowiedź Hitlera i jego generałów na ten temat. Kto ma ochotę, może odszukać masę faktów, które potwierdzą tę ocenę sytuacji. Jeżeli zniszczy się Niemcy, pozostała część kontynentu będzie zasypywać stalinowskie czołgi kwiatami, a droga dla nich stanie otworem aż do Atlantyku.

Jeżeli główne uderzenie przeprowadzi się na północ od Polesia, z terenów Białorusi i krajów bałtyckich, to dowódca Zachodniego Specjalnego OW generał pułkownik wojsk pancernych Pawłow zbierze wszystkie laury i imię jego będzie sławione na wieki. Podobna chwała czeka dowódcę Bałtyckiego Specjalnego OW generała porucznika Kuzniecowa. Ale w tym wypadku rola dowódcy Kijowskiego Specjalnego OW generała armii Żukowa zostałaby zepchnięta na dalszy plan. Jeszcze bardziej spadłoby znaczenie dowódcy Odeskiego Specjalnego OW generała pułkownika Czerewiczenki.

Gdyby natomiast uderzenie nastąpiło na kierunku przebiegającym na południe od Polesia, z terenów Ukrainy i Mołdawii, wtedy wszystkie laury zebrałby dowódca Kijowskiego Specjalnego OW Żukow i częściowo dowódca Odeskiego Specjalnego OW – Czerewiczenko. Z kolei dowódcy na Białorusi i w republikach bałtyckich zostaliby w cieniu.

Dlatego Stalin postanowił doprowadzić do konfrontacji swoich generałów: tych, którzy byli najbardziej zainteresowani, by kierunek północny został uznany za strategiczną oś ofensywy, z tymi, których interesowało coś zgoła przeciwnego.

V

Wśród zdecydowanych zwolenników uderzenia z terenów Białorusi i republik bałtyckich wyróżnia się generał pułkownik Pawłow, dowódca Zachodniego Specjalnego OW. A skoro tak, to właśnie jemu przypada główna rola w pierwszej grze strategicznej. Zadanie – wedrzeć się do Prus Wschodnich. Drużyna Pawłowa składała się przede wszystkim z generałów Bałtyckiego i Zachodniego OW. W tej drużynie wszyscy bez wyjątku – szefowie sztabów okręgów, ich zastępcy, czterej dowódcy armii stacjonujących w republikach bałtyckich i na Białorusi, dowódcy lotnictwa w tych okręgach – mieli wspólny interes: żeby Stalin uznał obszar na północ od Polesia za główny kierunek strategicznej ofensywy.

Komu ten wariant najmniej odpowiadał? Generałom, których wojska stacjonowały na południe od Polesia: dowódcom Kijowskiego i Odeskiego OW. Dlatego to właśnie im Stalin zlecił odparcie ataku Pawłowa na Prusy Wschodnie. Na czele grupy stanął generał armii Żukow, dowódca Kijowskiego Specjalnego OW. W jego drużynie znajdują się m.in. dowódca Odeskiego OW, szefowie sztabów Kijowskiego i Odeskiego OW, a także inni generałowie. W obu ekipach znalazło się ponadto wielu generałów z innych okręgów wojskowych, z aparatu Ludowego Komisariatu Obrony i innych.

W drugiej grze strategicznej wszystko odbyło się na odwrót. Stalin dał Żukowowi i jego drużynie możliwość wykazania, że tereny na południe od Polesia dają większe możliwości. Dlatego w drużynie Żukowa znowu widzimy dowódcę Odeskiego OW, szefa sztabu Kijowskiego OW, dowódców dwóch armii rozmieszczonych na terytorium Ukrainy, szefa sztabu Charkowskiego OW i innych.

Wiadomo, że generałowie, którzy służyli na Białorusi oraz w republikach bałtyckich, nie chcieli, żeby wybrano uderzenie na Europę z terytorium Ukrainy i Mołdawii. Więc postawiono im zadanie: powstrzymajcie atak Żukowa na Węgry, Rumunię, Czechosłowację i południowe Niemcy. Oto, dlaczego Stalin rozkazał dowodzić wojskami Węgier i Rumunii dowódcom Bałtyckiego i Zachodniego OW, a do ich drużyn włączyć szefów sztabów i dowódców armii, które stacjonowały na Białorusi i w republikach bałtyckich.

VI

Podczas drugiej gry strategicznej Żukow przeprowadzał uderzenie na Rumunię i na Węgry. Było to zadanie dosyć łatwe. Przede wszystkim był to teren pozbawiony rozbudowanych rejonów umocnionych, podobnych do tych, które znajdowały się w Prusach Wschodnich. Żukow miał wielką przewagę sił i środków. W pierwszej grze Żukow bronił się w Prusach Wschodnich, mając pod swoimi rozkazami tylko wojska niemieckie. W drugiej grze Pawłow i Kuzniecow bronili się, mając do dyspozycji siły, z których połowę stanowiły wojska rumuńskie i węgierskie. Ich zdolność do walki, przygotowanie i uzbrojenie ustępowały niemieckim.

Poza tym dowództwo gry wykonało dosyć dziwne posunięcie. Żukow miał bardzo dużo wojsk i dowodził nimi sam. Pawłow miał mało wojsk, a w dodatku połowę mu zabrano i oddano pod rozkazy Kuzniecowa. Kuzniecow zgodnie z zasadami gry nie podlegał Pawłowowi. Tym sposobem jednej potężnej formacji wojsk radzieckich przeciwstawiono dwa słabe związki, którymi z osobna dowodzili Kuzniecow i Pawłow. Zgodnie z zasadami gry obie te formacje nie miały wspólnego dowództwa.

Koordynatorzy gry wojennej – marszałkowie Timoszenko, Budionny, Kulik i Szaposznikow – ustawili Pawłowa i Kuzniecowa na z góry przegranej pozycji. Wszyscy czterej marszałkowie skłaniali się raczej ku koncepcji ofensywy z południa. Do tego samego wniosku po pierwszej grze doszedł również Stalin. Dlatego podczas drugiej gry, chcąc ostatecznie przekonać Stalina o słuszności wariantu południowego, marszałkowie celowo stworzyli dla Żukowa sytuację, w której nie dało się przegrać.

W rzeczywistości nie było takich rozbieżności w dowodzeniu

wojskami koalicji hitlerowskiej. Rozkazy dla wojsk niemieckich i ich sojuszników wydawane były przez jedno centrum dowodzenia w Berlinie. Tymczasem Kuzniecow i Pawłow musieli stawić czoło sztucznej sytuacji dwuwładzy, wymyślonej na użytek drugiej gry strategicznej. Mieli do wyboru: albo każdą decyzję podejmować wspólnie i tracić bezcenny czas na konsultacje, albo każdy decyduje za siebie – i nieuchronnie dochodzi do rozbieżności, gdyż prawa ręka nie wie, co robi lewa.

VII

Podczas drugiej gry Stalin był nieobecny. Nie brał też udziału w jej podsumowaniu, ponieważ już po pierwszej grze zadecydował, że atak na Europę należy poprowadzić na południe od Polesia.

Dowódcy gry, wiedząc, że nikt nie ma nad nimi kontroli, otwarcie faworyzowali Żukowa. Żukow w obu symulacjach miał dowództwo w swoich rękach, Pawłowowi w drugiej grze nie dano takiej możliwości.

Nie była to jedyna rażąca niesprawiedliwość, jakiej dopuścili się koordynatorzy gry wojennej. W pierwszej grze Żukow bronił się w Prusach Wschodnich w oparciu o nowoczesne umocnienia przygraniczne. Sama gra rozpoczęła się na linii granicy państwa. W drugiej grze Pawłow nie miał takich fortyfikacji. Na dodatek rzucono go 90–180 kilometrów na zachód od granicy, w głąb terenów, których miał bronić. Pawłow od razu znalazł się w sytuacji, w której nie pozostawało nic innego, jak tylko go dobić. Nawet dziś rosyjscy historycy wojskowości dziwią się takiemu podejściu. „Jak udało się «wschodnim» (to jest Żukowowi – W.S.) nie tylko odrzucić nieprzyjaciela ku granicy państwowej, ale też miejscami przenieść działania wojenne na jego terytorium – to pytanie pozostaje bez odpowiedzi"[9]. Innymi słowy, Żukow w ciągu dwóch dni odparł atak nieprzyjaciela, po czym w ciągu kolejnych dwóch dni wtargnął na jego terytorium na głębokość 90–180 kilometrów, dotarł nad Wisłę i Dunajec, ale nikt – włącznie z dowódcami gry

---

[9] *Nakanunie wojny...*, *op. cit.*, s. 389.

i Największym Strategiem Wszech Czasów – nie miał pojęcia, jak zdołał dokonać takiego cudu.

Pawłow mógłby oprzeć swoją linię obrony na masywach górskich. Góry są przecież naturalną rubieżą obronną, a zarazem przeszkodą dla atakującego. Ale warunki gry określono tak, że Pawłowowi zabrano góry i przerzucono go na równiny. To nie Żukow, ale dowództwo gry zepchnęło wojska Pawłowa z wygodnych pozycji defensywnych. Natomiast wojska Żukowa dowódcy gry cudem przenieśli przez grzbiety górskie – walcz nie tam, gdzie ciężko, ale tam, gdzie łatwo.

Faworyzując Żukowa, marszałkowie Timoszenko, Budionny, Kulik i Szaposznikow dopuścili się zbrodni. Wyobraźmy sobie na moment, że koordynator szkolenia wojsk amerykańskich sugeruje generałom, że w Wietnamie nie ma dżungli i bagien. Co warte są ćwiczenia bojowe w oparciu o takie założenia? Albo gdyby powiedzieć generałom radzieckim: wyobraźcie sobie, że w Afganistanie nie ma gór...

Lecz nawet po tych ewidentnych i zbrodniczych szachrajstwach Pawłow i Kuzniecow wciąż zachowali możliwość kontynuowania walki. Dlatego Żukowowi przypisano nie totalne zwycięstwo, a tylko pewną przewagę nad nieprzyjacielem.

Oficjalna kremlowska propaganda zrobiła wszystko, żeby pomniejszyć zasługi Pawłowa i Kuzniecowa i na ich tle wywyższyć Żukowa. Ofiarami propagandy stali się nawet uczciwi badacze naukowi. „Gry dowiodły, że jako dowódca Żukow jawnie przewyższał swoich kolegów. Zaznaczę, że obaj jego przeciwnicy w grze, Pawłow i Kuzniecow, bardzo nieudolnie dowodzili swoimi wojskami w pierwszych dniach Wielkiej Wojny Ojczyźnianej"[10].

„Druga gra [...] zakończyła się podjęciem przez «wschodnich» decyzji o ataku na Budapeszt"[11]. „Wschodnimi" w drugiej grze, jak pamiętamy, dowodził Żukow. To on podjął decyzje o przedarciu się nad Balaton i sforsowaniu Dunaju w rejonie Budapesztu. Decyzje zapadały na razie jedynie w toku gry

---

[10] B. Sokołow, *op. cit.*, s. 198.
[11] „Izwiestia", 22 czerwca 1993.

strategicznej, jednak sam Żukow zapewniał, że gry te nie miały charakteru czysto akademickiego, lecz ściśle wiązały się z nadciągającą wojną. Przypomnijmy wiersz Michaiła Isakowskiego „Wróg spalił mu rodzinny dom, zginęli wszyscy bliscy". Nie znam mocniejszego, bardziej gorzkiego utworu o wojnie. Wrócił żołnierz z wojaczki, pokonał trzy mocarstwa, ale nikt na niego nie czeka. Siada na zarośniętym chwastami grobie i pije w samotności.

A żołnierz siedzi, roni łzy,
Od samogonu w głowie zamęt,
Na jego piersi medal lśni,
Za Budapesztu szturmowanie.

Medal „Za zdobycie Budapesztu" ustanowiono 9 czerwca 1945 roku uchwałą Prezydium Rady Najwyższej ZSRR. Gieorgij Żukow już 11 stycznia 1941 roku zatroszczył się, by stworzyć sytuację, w której radzieckich wyzwolicieli, którzy pokonali po trzy mocarstwa, można było takim medalem odznaczać.

W tym wypadku rzeczywiście przewidział nadciągające zdarzenia.

Rozdział 10

Nie zdążył się zorientować w sytuacji

O obronie strategicznej, narzuconej nam przez wroga
latem 1941 roku, nasze dowództwo nawet nie myślało.[1]

GENERAŁ PORUCZNIK PAWLENKO

I

W wyniku przeprowadzonych symulacji wojennych ustalono, że strategiczny kierunek ofensywy na Europę będzie
przebiegać na południe od Polesia. Oznaczało to, że główne
uderzenie nastąpi z terytorium Ukrainy. W ten sposób decy-
dująca rola przypadała Kijowskiemu Specjalnemu OW, który
z chwilą rozpoczęcia wojny miał zostać rozwinięty we Front
Południowo-Zachodni i jego potrzebom należało podporządko-
wać wszelkie działania pozostałych wojsk.

Zgodnie z logiką tych decyzji, dwa dni po zakończeniu
drugiej gry wojennej dowódca Kijowskiego OW generał armii
Żukow został mianowany szefem Sztabu Generalnego RKKA.
Gdyby zdecydowano uderzyć na Europę z terenów położonych
na północ od Polesia, to szefem Sztabu Generalnego mianowano by Pawłowa.

Zadaniem Żukowa było przygotowanie głównego uderzenia
z terytorium Ukrainy oraz uderzeń wspomagających z pozostałych przygranicznych okręgów wojskowych: Odeskiego,
Zachodniego, Bałtyckiego i Leningradzkiego.

---

[1] „Wojenno-istoriczeskij żurnał", nr 11/1988, s. 21.

Poczynania Żukowa w przededniu wojny i tuż po jej rozpoczęciu uważam za odrębny temat. O jego aktywnej działalności w pierwszych dniach wojny warto napisać osobną książkę. Nadałbym jej roboczy tytuł „Zakuty łeb", aby podkreślić wyjątkowy upór, niebywałą siłę woli i nieprzeciętne walory intelektualne wielkiego stratega. Tymczasem mam tylko jedną uwagę. Muszę zaprzeczyć tym, którzy utrzymują, że Żukow nie poniósł w życiu ani jednej porażki. Otóż żaden z dowódców na świecie nie poniósł tylu kompromitujących porażek na tak wielką skalę jak Żukow. Klęska Armii Czerwonej latem 1941 roku to największa hańba w dziejach ludzkości. Takiej klęski nigdy nie poniosły żadne siły zbrojne. Cała znakomicie przygotowana Armia Czerwona została rozbita i wzięta do niewoli w pierwszych miesiącach wojny. W 1941 roku Armia Czerwona straciła 5,3 miliona żołnierzy i oficerów, którzy polegli, trafili do niewoli lub zaginęli bez wieści.[2] Nie wspominając o rannych, kontuzjowanych i okaleczonych. Cała przedwojenna kadra Armii Czerwonej została rozgromiona. Przez następne cztery lata wojny z hitlerowcami nie walczyła armia zawodowa, lecz rezerwiści. A cóż mogli zdziałać rezerwiści? Poza tym nie wszyscy rezerwiści walczyli. Z powodu pośpiesznej ucieczki na okupowanych przez wroga terytoriach pozostała cała rzesza 5 360 000 poborowych, których nie powołano na czas pod sztandary.[3]

W 1941 roku Armia Czerwona straciła 6 290 000 sztuk broni strzeleckiej.[4] Wystarczyłoby do uzbrojenia całego Wehrmachtu.

Armia Czerwona w tym samym czasie straciła 20 500 czołgów. Taka liczba wystarczyłaby do wyposażenia pięciu Wehrmachtów, jak również armii USA, Wielkiej Brytanii, Japonii, Włoch i Hiszpanii na dokładkę. I to dwu albo i trzykrotnie. Na dodatek były to czołgi, jakimi żaden z tych krajów nie dysponował.

Armia Czerwona w 1941 roku straciła 10 300 samolotów.

[2] „Wojenno-istoriczeskij żurnał", nr 2/1992, s. 23.
[3] Ibid.
[4] „Wojenno-istoriczeskij żurnał", nr 4/1991.

W zupełności starczyłoby na ponowne uzbrojenie Luftwaffe, także niejednokrotne. I znowu były to samoloty wysokiej klasy.

Straty artylerii w ciągu pierwszych sześciu miesięcy wojny to 101 100 dział i moździerzy. Wystarczyłoby do uzbrojenia wszystkich armii na świecie razem wziętych, nawet kilkakrotnego. I znowu: były to najlepsze na świecie armaty, haubice i moździerze.

Na granicach pozostawiono ponad milion ton amunicji.

Czyżby szef Sztabu Generalnego RKKA Gieorgij Żukow, największy strateg XX wieku, nie ponosił żadnej odpowiedzialności za tę haniebną sytuację?

II

Niektórzy twierdzą, że Żukow nie miał z tym nic wspólnego, że to Stalin wtrącał się do wszystkiego i w przededniu wojny uniemożliwiał podjęcie właściwych decyzji. Na te protesty odpowiem słowami naszego bohatera. Żukow utrzymuje, że 29 czerwca 1941 roku rzekomo sprzeczał się ze Stalinem. Stalin miał powiedzieć, że Żukow wygaduje bzdury, a Żukow ponoć odparł: „Jeżeli uważacie, że ja, jako szef Sztabu Generalnego, jestem zdolny do wygłaszania tylko bredni, to nie mam tu co robić. Proszę o zwolnienie mnie z obowiązków i skierowanie na front. Tam prawdopodobnie przyniosę większą korzyść ojczyźnie"[5].

Przypuśćmy, że taka rozmowa rzeczywiście miała miejsce. W takim razie nasuwa się pytanie: dlaczego Żukow tak się nie zachował, zanim Niemcy zaatakowali? Skoro w przededniu wojny Stalin faktycznie nie zgadzał się z opinią wielkiego stratega, to Żukow powinien był podjąć szybką i stanowczą decyzję. Jeżeli Stalin nie słucha moich rad, to po co mam język strzępić? Jeżeli nie liczy się z moim zdaniem, niech mnie wyśle na front!

Nie potrzeba było awantur ani górnolotnych frazesów, wystarczyło po prostu rozmówić się z Wodzem: Towarzyszu

---

[5] Żukow, *op. cit.*, s. 296.

Stalin, mamy odmienne poglądy, nie mogę wam pomóc, nie porozumiemy się. Po co wam doradca, którego opinii nie podzielacie? Będzie lepiej, jeżeli znajdziecie sobie innego szefa Sztabu Generalnego.

Można było postawić ultimatum: Proszę mnie rozstrzelać, ale nie zamierzam za waszą głupotę, towarzyszu Stalin, ponosić odpowiedzialności wobec narodu i historii!

Każdy wysokiej rangi dowódca ma sposób, aby zmusić innych do liczenia się z jego zdaniem. Tym sposobem jest dymisja. Od zawsze ministrowie, generałowie, marszałkowie wykorzystywali ten instrument szantażu i nacisku: za cudzą głupotę nie zamierzam odpowiadać, dlatego składam dymisję. Jeżeli człowiek ma zasady, powinien ich bronić. Tak postąpił w październiku 1941 roku dowodzący Frontem Dalekowschodnim generał armii Józef Apanasienko. Uważał, że nie można zabierać ostatnich dział przeciwpancernych z Dalekiego Wschodu, nawet kosztem ratowania Moskwy. Sklął Stalina i oświadczył: zerwij ze mnie generalskie pagony, rozstrzelaj, ale dział nie oddam.

Oto człowiek z zasadami.

W pierwszej połowie 1941 roku ważyły się losy kraju, jego być albo nie być. Szef Sztabu Generalnego powinien pozostawać nieugięty: Towarzyszu Stalin, odwołajcie mnie ze stanowiska albo przestańcie mi przeszkadzać w wykonywaniu moich obowiązków!

Ale czy tak postąpił Żukow?

Proponuję rozważyć dwie możliwości.

Wariant pierwszy. Stalin nie przeszkadzał Żukowowi i nie wtrącał się do jego decyzji. W tym przypadku cała odpowiedzialność za klęskę w 1941 roku spada na Żukowa, był bowiem szefem Sztabu Generalnego, a Sztab Generalny był mózgiem armii.

Wariant drugi. Stalin wtrącał się do pracy Żukowa, nie pozwalał mu się wykazać, ale Żukow miał słaby charakter i nie znalazł w sobie dość odwagi, by zrezygnować z prestiżowego stanowiska. W takim razie również ponosi pełną odpowiedzialność za klęskę. Jeżeli Żukow nie miał w sobie dość odwagi i determinacji, by odmówić wykonania zbrodniczych rozkazów, to znaczy, że powinien być pociągnięty do odpowiedzialności za współudział w zbrodni.

Miał jeszcze jedno wyjście, ostateczne. Nie chcąc wykonywać zbrodniczych poleceń, mógł wybrać śmierć. Jego samobójstwo mogłoby otworzyć oczy Stalinowi i innym dowódcom, uświadomić ich bezsensowne decyzje – i być może uratować miliony rodaków. Gdyby Żukow przed wojną strzelił sobie w łeb, protestując wobec poczynań Stalina, wtedy należałoby mu postawić pomnik. Wtedy odpowiedzialność za klęskę ponosiłby ktoś inny.

Odpowiedzialność szefa Sztabu Generalnego jest po tysiąckroć większa niż każdego innego generała. Cechy szefa Sztabu Generalnego wpływają na losy państwa i narodu nie tylko w danym momencie, ale przez następne dekady, a nierzadko nawet i stulecia. To stanowisko wymaga szczególnej siły. I odwagi. Szef Sztabu Generalnego powinien mieć stalowy charakter, nie ma prawa ulegać cudzym opiniom. Jego obowiązkiem jest mieć własne zdanie. Ale to nie wszystko. Szef Sztabu Generalnego powinien nie tylko mieć własne zdanie, ale też bronić go na każdym kroku. W ostateczności powinien zrezygnować ze stanowiska, o ile okoliczności nie pozwalają mu postępować zgodnie z własnymi przekonaniami i sumieniem.

Ale Żukow nie zrezygnował ze stanowiska szefa Sztabu Generalnego. Nie udało się też odnaleźć żadnych śladów jego protestów przeciw poczynaniom Stalina, choć poszukiwaniom owych śladów przez wiele lat sprzyjał cały aparat ideologiczny ogromnego państwa. W przededniu wojny Żukow nie wykonał choćby jednego symbolicznego gestu przeciw Stalinowi. Dlatego ponosi pełną odpowiedzialność za klęskę 1941 roku. Dlatego jest nie tylko najbardziej okrutnym i krwawym dowódcą w historii światowej, ale do tego najbardziej bezwolnym, tchórzliwym i nieudolnym.

III

Jest jeszcze jedno wytłumaczenie: Żukow nie jest winny tej klęski, ponieważ przed wybuchem wojny piastował stanowisko szefa Sztabu Generalnego zaledwie pięć miesięcy. Nie zdążył zorientować się w sytuacji.

Ten argument powtarzał się wielokrotnie. Wysuwał go sam zainteresowany. Akademik Anfiłow opublikował wspomnienia ze spotkania z Żukowem, które odbyło się 20 lat po wojnie. Wtedy miała miejsce rozmowa mniej więcej takiej treści.

„Anfiłow: Jak mogliście dopuścić, Gieorgiju Konstantynowiczu, do takiej wpadki na początku wojny?

Żukow: A wy, kiedy obejmowaliście nowe stanowisko, ile czasu potrzebowaliście, żeby się zorientować w sytuacji?

Anfiłow: No, gdzieś rok...

Żukow: Otóż to! Ja miałem zaledwie 5 miesięcy. A ile spraw na głowie!"

Anfiłow naturalnie przyjmuje argumenty Wielkiego Stratega. Przyjmijmy zatem i my. Ale cóż począć, kiedy fakty nie trzymają się kupy. Żukow i jego obrońcy nawet nie wiedzą, w co się wplątali.

Porównajmy dwie opowieści samego Żukowa. W styczniu 1941 roku szef Sztabu Generalnego spojrzał ponoć na mapę – i w jednej chwili miał przed oczami cały niemiecki plan „Barbarossa". Rzekomo w trakcie gry wojennej gromił Pawłowa tak samo, jak pół roku później generałowie niemieccy gromili wojska Pawłowa na polu walki. Ale zaraz potem, jeszcze w styczniu 1941, Żukow został szefem Sztabu Generalnego. I nagle przestał orientować się w sytuacji, nic nie mógł zrozumieć, z niczym sobie poradzić.

Na początku stycznia 1941 roku Żukow był zaledwie dowódcą okręgu wojskowego, nie miał dostępu do najważniejszych informacji. Miał tylko jeden dzień na opracowanie strategii w grze wojennej – 1 stycznia 1941 roku. A ze wspomnień Żukowa wynika, że na zorientowanie się w sytuacji czasu w ogóle nie było. Zgodnie z tym, co sam napisał, gry wojenne rozpoczęły się na drugi dzień po naradzie naczelnego dowództwa. Nie miał z tym jednak żadnych problemów. W jednej chwili wybitny strateg przeanalizował całą sytuację. Natychmiast wskazał, gdzie Niemcy uderzą i jakimi siłami.

I oto Żukow staje na czele Sztabu Generalnego. Ma pełny dostęp do wszelkich informacji i nieograniczone rzesze podwładnych do swojej dyspozycji. Żukow może wezwać na dywanik dowódcę któregokolwiek z okręgów wojskowych i którejkolwiek armii, dowódcę każdego korpusu, dywizji, brygady, pułku, szefa każdego sztabu, oddziału, odcinka – i w ciągu kilku minut zażądać naświetlenia sytuacji. W samym centrum Moskwy, na Polu Chodyńskim, zawsze czekał samolot do dyspozycji szefa Sztabu Generalnego. Żukow w dowolnym momencie mógł polecieć do któregokolwiek ze sztabów czy garnizonów, na jakikolwiek odcinek granicy i zapytać: Co u was słychać, towarzysze? Miał prawo wezwać do raportu każdego oficera wywiadu wojskowego, począwszy od rezydenta w Genewie, a skończywszy na szefie Razwiedupru: Poproszę o raport sytuacyjny!

2 stycznia 1941 roku generał armii Żukow, dowodzący Kijowskim Specjalnym OW, potrafił z marszu rozgryźć i w pełni ocenić sytuację strategiczną. Rozumiał ją przez osiem dni, do 11 stycznia, a więc do momentu zakończenia gier wojennych. Natomiast dwa dni później, 13 stycznia, kiedy został szefem Sztabu Generalnego, spojrzał na tę samą mapę – i już nic nie rozumiał. Patrzył całą noc, cały dzień, patrzył tydzień, miesiąc, dwa – i nadal nic nie rozumiał. Wezwał na pomoc Sztab Generalny, sztaby okręgów wojskowych, marynarki wojennej, zażądał pomocy setek generałów i tysięcy pułkowników, ale nijak nie mógł wczuć się w sytuację. Na pierwszy rzut oka wydawało się łatwe, a jak się bliżej przyjrzał – niech to cholera weźmie! W żaden sposób nie mógł się połapać, co i jak.

Od 13 stycznia do 22 czerwca upłynęło pięć miesięcy, tydzień i jeden dzień. Niestety, Żukowowi nie udało się zgłębić sytuacji. Zabrakło mu czasu. Na efekty nie trzeba było długo czekać. Wróg atakuje, a Żukow nawet nie ma przygotowanego rozkazu o rozpoczęciu działań obronnych.

IV

Nie uwierzę w żadne tłumaczenia, że Żukow nie miał czasu zorientować się w sytuacji. Oto dlaczego.

Na zachodnich kresach ZSRR istniało pięć okręgów wojskowych: Leningradzki, Bałtycki, Zachodni (czyli Białoruski),

Kijowski i Odeski. Na czas wojny okręgi te zostały rozwinięte we fronty, odpowiednio: Front Północny, Północno-Zachodni, Zachodni, Południowo-Zachodni i Południowy.

Żukow nie miał powodu zamartwiać się możliwością agresji na odcinku Leningradzkiego OW. Tamtejsze warunki naturalne gwarantują, że w Karelii nie ma mowy o żadnych operacjach militarnych na dużą skalę. Gęste, nieprzebyte lasy, tajga, tundra, jeziora, grzęzawiska, rwące rzeki w kamienistych korytach, urwiste brzegi, potężne skaliska, komary i meszki, które same mogą człowieka wykończyć. Zarazem całkowity brak dróg i bardzo ostry klimat. Do tego na Północy dochodzi noc polarna. Wszelkie działania wojenne muszą się tu przerodzić w lokalne potyczki. Jest więc jasne, że główne uderzenie wroga nastąpi w innym miejscu.

Pozostawały cztery okręgi o zróżnicowanym znaczeniu strategicznym. Powierzchowna choćby znajomość tematu pozwalała uznać za pewnik, że Niemcy mogą zaatakować przede wszystkim w kierunku Białorusi i Ukrainy. Pozostałe kierunki można uznać za drugorzędne. Dlatego Żukow powinien był przede wszystkim przyjrzeć się sytuacji na Ukrainie i Białorusi.

Ale ten właśnie rejon znał on przecież od podszewki!

Cały okres służby w jednostkach liniowych, od końca wojny domowej aż do początku II wojny światowej, Żukow spędził na Białorusi. Jedyne przerwy to roczny kurs w Wyższej Szkole Kawalerii w Leningradzie i praca w Inspektoracie Kawalerii Armii Czerwonej w Moskwie. Wszystkie funkcje liniowe Żukow niezmiennie pełnił na Białorusi. To właśnie tu w latach 1922–1939 przechodził kolejne szczeble kariery wojskowej, od dowódcy szwadronu kawalerii do zastępcy dowódcy okręgu wojskowego. Tutaj dowodził pułkiem, brygadą, dywizją, korpusem. Z racji sprawowanej funkcji Żukow musiał poznać sytuację na Białorusi równie dobrze jak artykuły regulaminu wojskowego. Musiał tam znać każdą kępkę i każdy krzaczek.

Z końcem maja 1939 roku Żukow zdał obowiązki zastępcy dowódcy Białoruskiego OW, a w styczniu 1941 roku awansował na szefa Sztabu Generalnego. To prawda, że w międzyczasie sytuacja na Białorusi trochę się zmieniła. Jednak zmiany te były nieskomplikowane dla człowieka, który znał na wskroś wcześniejszą sytuację na tym terenie. Ot, stacjonującą na tyłach dywizję skierowano w kierunku granicy... Inną dywizję rozwinięto w korpus... Tam, gdzie był korpus, jest cała armia... Czy naprawdę w kilka godzin nie da się ogarnąć takich drobiazgów? Tym bardziej że szef Sztabu Generalnego nie musi osobiście grzebać w papierach ani nawet ich czytać. Wystarczy podnieść słuchawkę i natychmiast, jak diabeł z pudełka, wyskakuje energiczny pułkownik, szef Zarządu Operacyjnego. Pięć minut później składa wyczerpujący raport, rozpościera mapę i prezentuje odpowiednie dokumenty. Oczywiście, gdyby zaszła taka potrzeba.

No i wreszcie w styczniu 1941 roku podczas gry wojennej Żukow (zgodnie z jego własną relacją) prowadził działania bojowe właśnie na Białorusi. Wtedy właśnie na mapach naniesiono realne dane strategiczne: dyslokacje wojsk i układ sił.

Skoro wówczas wszystko było dla niego oczywiste, dlaczego z czasem do światłego umysłu wkradły się wątpliwości?

Najpotężniejszy ze wszystkich okręgów był Kijowski Specjalny OW. Ale również w tym wypadku Żukow nie musiał zadawać sobie trudu analizowania jego sytuacji strategicznej. Przecież Żukow trafił do Sztabu Generalnego wprost z fotela dowódcy właśnie tego okręgu. Dlatego sytuację w Kijowskim OW powinien był znać od podszewki.

Ponadto, skoro Żukow był kolejno dowódcą brygady, dywizji, korpusu, zastępcą dowódcy Białoruskiego OW, to miał czas zapoznać się z sytuacją w pozostałych okręgach, przede wszystkim w sąsiednim Kijowskim. Kiedy natomiast Żukow dowodził Kijowskim OW, tym bardziej jego obowiązkiem było poznać warunki w sąsiednich okręgach: Białoruskim i Odeskim.

Dowódca pododdziału piechoty ma obowiązek uzgodnić zasady współdziałania z sąsiadami. Musi wiedzieć, kto walczy na prawym skrzydle, a kto na lewym, jakimi siłami dysponują sąsiedzi, jak są uzbrojeni, ilu mają ludzi i jaki zapas amunicji, do czego są zdolni i jakie zadania wykonują. Dowodząc plutonem, jest się zobowiązanym wiedzieć wszystko o plutonach obok. Ta reguła obowiązuje dowódców wszystkich szczebli, aż do najwyższych. Jeżeli jest się dowódcą Kijowskiego OW, to wypada zapoznać się z sytuacją sąsiadów.

Pozostają jeszcze dwa kierunki: republiki bałtyckie i Mołdawia. Z punktu widzenia obronności kraju nie są to kierunki priorytetowe. Sytuację w Mołdawii, czyli na terenie Odeskiego OW, Żukow musiał wcześniej poznać przynajmniej z dwóch powodów. Po pierwsze, Odeski OW sąsiaduje z Kijowskim OW. Po drugie, pół roku wcześniej, w czerwcu 1940, Żukow dowodził wojskami Frontu Południowego podczas wyprawy na Besarabię, czyli Mołdawię. Front Południowy rozwijał się na terytorium Kijowskiego i Odeskiego OW i w jego skład wchodziły jednostki obu tych okręgów. Przed objęciem komendy nad Frontem Południowym Żukow dwa miesiące spędził w Moskwie. Zwolniono go z wszelkich obowiązków, pozwalając gruntownie zapoznać się z sytuacją w Kijowskim i Odeskim OW oraz na sąsiednich obszarach. I wtedy, w czerwcu 1940 roku, wszystko, co dotyczyło tych okręgów, było dla Żukowa jasne jak słońce.

Czego więc Żukow później nie rozumiał?

Jeżeli nie rozumiał sytuacji w republikach bałtyckich, to należało wezwać szefa Zarządu Operacyjnego Sztabu Generalnego, który krótko i zwięźle wyjaśniłby co trzeba. Gdyby tego było za mało, należało wezwać dowódcę Bałtyckiego Specjalnego OW, jego szefa sztabu, dowódców tamtejszych armii – niech meldują!

Ale nawet jeśli Żukow przez pięć miesięcy żmudnych dociekań nie zdołał ustalić, gdzie stacjonuje 8., a gdzie 11. Armia oraz jakie formacje wchodzą w ich skład i do jakich zadań są przeznaczone – to i tak nie stało się nic strasznego. Niechby Żukow tylko zatrzymał natarcie wroga na Ukrainę i Białoruś. Z republikami bałtyckimi poradzono by sobie bez niego.

V

Zapytajmy: a co uczynił sam Żukow, aby rozwiać własne wątpliwości?

Istniał przecież sposób na to, by znaleźć rozwiązanie. Przypuśćmy, że głupi Stalin, który w ogóle niczego nie rozumiał, rozkazał przeprowadzić dwie gry strategiczne, obie z założenia ofensywne. Proszę bardzo, na zdrowie... Ale czy cokolwiek przeszkadzało Żukowowi w przeprowadzeniu trzeciej symulacji, tym razem obronnej? Nie było konieczności kolejnego spotkania na szczycie, nie trzeba było zwoływać narady wyższej kadry dowódczej. Wystarczyło po prostu zebrać najbardziej sensownych oficerów i generałów Sztabu Generalnego, przede wszystkim z Zarządu Operacyjnego, bo to oni opracowują plany wojny, a więc znają sytuację najlepiej ze wszystkich. No i trzeba było dać im zadanie: Niemcy mogą atakować tak lub tak, w ósmym dniu mogą dotrzeć pod Baranowicze – i co wtedy, koledzy? Żukow powinien był przepytać wszystkich podległych mu oficerów i generałów, co każdy z nich zrobiłby na miejscu szefa Sztabu Generalnego, w obliczu rychłej i nieuchronnej agresji wroga.

Zresztą nie było powodu, aby na taką defensywną grę wojenną nie zaprosić Stalina. Po śmierci Wodza Żukow opowiadał, że Stalin obawiał się wojny. Skoro tak, to trzeba było posadzić bojaźliwego Stalina w kąciku i zademonstrować mu plan bitwy obronnej: nie obawiajcie się, towarzyszu Stalin, jeżeli Niemcy po ośmiu dobach podejdą pod Baranowicze, to rozłożymy na ich drodze sto tysięcy min przeciwczołgowych! A za polami minowymi jeszcze w czasie pokoju wykopiemy rowy przeciwczołgowe. W lasach rozmieścimy oddziały partyzanckie. A tu ukryjemy w zasadzce brygadę artylerii przeciwpancernej!

Lecz Żukow nie zadał sobie trudu przeprowadzenia wojennej gry obronnej. Trudno to zrozumieć.

VI

Wiecie, co jest najśmieszniejsze w całej tej historii? Choć Żukow wielokrotnie deklarował, iż przejrzał plany Hitlera, to jednak nigdy nie pisnął słówka o tym, jakie kroki należy przedsięwziąć, aby uniknąć klęski.

Uwierzmy na chwilę w opowieści genialnego dowódcy. Przejdźmy do finału pierwszej gry wojennej w styczniu 1941 roku.

Dowódca Kijowskiego OW generał armii Żukow przedstawia Wodzowi konkluzje: w ten oto sposób, towarzyszu Stalin, Hoth i Guderian rozgromią Pawłowa. Towarzysz Stalin widzi klęskę, bezradnie rozkłada ręce – i tyle.

Zapytajmy więc, jak to możliwe, by Stalin nie zainteresował się problemem obrony Białorusi? Żeby nie zadał oczywistego pytania: co proponujesz w tej sytuacji? Z relacji Żukowa wynika, że Stalin nie próbował znaleźć rozwiązania tego problemu. Żukow zademonstrował Stalinowi, w jaki sposób Niemcy rozbiją wojska Pawłowa – i na tym koniec. Stalin skarcił Pawłowa za to, że przegrał symulowaną batalię, potem go awansował, wprowadził do elity radzieckiej generalicji – i nie wspominał więcej o obronie Białorusi.

Możemy wyśmiewać się ze Stalina. Głupek nad głupkami, na dodatek strachliwy. No, dobrze, a Żukow? To przecież geniusz! Czy jego też nie zainteresowało rozwiązanie problemu?

Gdyby Żukow naprawdę przejrzał plany nieprzyjaciela, powinien był wziąć Pawłowa na stronę: Siądźmy gdzieś w zaciszu, naradzimy się. Spróbujmy znaleźć jakieś rozwiązanie. Sam jesteś dupa, nie dałeś rady podczas gry. Co prawda gra się skończyła, ale rozwiązanie i tak musimy znaleźć! Twoje wojska sąsiadują po prawej z moim Kijowskim OW. Ch... z tobą, jeżeli tylko ciebie rozbiją. Ale kiedy Niemcy uderzą i ósmego dnia podejdą pod Baranowicze, zagrozi to moim wojskom na Ukrainie. Jeżeli przełamią twoją obronę, to wyjdą na skrzydło mojego okręgu, a z Białorusi mogą uderzyć na moje tyły.

Żukow miał obowiązek znaleźć sposób zatrzymania wojsk pancernych Hotha i Guderiana na Białorusi. Powodów było wiele.

Powód pierwszy: pragmatyka. Armie Pawłowa ześrodkowano tak, by osłaniały jego prawe skrzydło.

Powód drugi: Żukow był rosyjskim generałem. Potężnemu zgrupowaniu Armii Czerwonej na Białorusi groził pogrom. Powodowany najzwyczajniej w świecie miłością do swojego narodu, swojego państwa i swojej armii, patriota Żukow zobowiązany był zatroszczyć się o metodę odparcia ataku i poinformować o niej Stalina i Pawłowa.

Powód trzeci: dla sportu, żeby rozwiązać łamigłówkę. Znakomita łamigłówka: wiedząc, jak zachowa się strona atakująca, wybrać optymalny wariant obronny. Pawłow podczas gry wojennej nie potrafił znaleźć rozwiązania. Dlatego choćby z czystej ciekawości rozwiązania powinien był szukać Żukow. Powinien był wcielić się w rolę Pawłowa i zastanowić, jak ma postąpić dowódca Frontu Zachodniego, żeby czarne przepowiednie nie stały się koszmarną rzeczywistością. Powód czwarty: kariera. Nadarzała się sposobność, by się wyróżnić. Żukow pokazał Stalinowi, jak Niemcy będą postępować w pierwszych dniach wojny. Należało więc pokazać towarzyszowi Stalinowi odwrotną sztuczkę: nie ma powodu do obaw, towarzyszu Stalin, na miejscu Pawłowa postąpiłbym w następujący sposób. Oto rozwiązanie. Jeżeli Niemcy będą działać w ten sposób, to przeprowadzimy kontrmanewr.

Piąty powód: kilka dni po przeprowadzeniu gier wojennych Żukowa mianowano szefem Sztabu Generalnego. Teraz nie był już tylko sąsiadem Pawłowa, ale jego bezpośrednim przełożonym. Żukow wie, że Niemcy zaatakują i ósmego dnia mogą dotrzeć pod Baranowicze. Wie też, że Pawłow nie powstrzyma uderzenia. Wie ponadto, że Pawłow nie ma bladego pojęcia, jak powinien postępować. Skoro tak, to obowiązkiem Żukowa było znalezienie rozwiązania dla Pawłowa. Żukow powinien zwyczajnie rozkazać Pawłowowi: działaj tak i tak, tutaj kop rowy przeciwczołgowe, tam przygotuj rubież obronną dla 4. Armii, stąd szykuj przeciwuderzenie VI Korpusu Zmechanizowanego, rozmieść pola minowe, wycofaj samoloty z przygranicznych lotnisk polowych, wywieź zapasy strategiczne jak najdalej od granicy, daj rozkaz ewakuacji rodzin wojskowych w głąb kraju. Jeżeli Pawłow nie był zdolny dowodzić, to Żukow miał obowiązek zażądać od Stalina usunięcia go ze stanowiska. Ale Żukow nie wiadomo dlaczego tego nie zażądał.

Jeżeli więc Pawłow nie był w stanie wykonywać swoich obowiązków, a usunięcie go ze stanowiska nie było możliwe, to szef Sztabu Generalnego Żukow powinien był skontaktować się bezpośrednio z dowódcami armii, korpusów i dywizji: co zamierzacie robić na wypadek ataku? Jak zamierzacie się bronić? Obowiązkiem Żukowa było zażądać od wszystkich podwładnych Pawłowa, aby przedstawili własne rozwiązania. Co zrobi dowódca 3. Armii w razie ataku? A dowódca 10. Armii jaką podejmie decyzję?

Ale Żukow nic takiego nie robił.

W ostateczności Żukow powinien był pomyśleć o sobie. Jeżeli wojska Pawłowa zostaną rozbite, jeżeli ósmego dnia wojska niemieckie dotrą pod Baranowicze, co ja, szef Sztabu Generalnego, powinienem robić? Ale Żukow nie szukał rozwiązania dla Pawłowa, nie wydawał mu żadnych rozkazów. A ściślej mówiąc, wydawał rozkazy, ale zgoła innego typu. Nie ulegać prowokacjom! Nie okopywać się! Nie przestawiać wojsk na pozycje defensywne! Odsłonić granicę! Koncentrować siły! Pasy startowe budować przy samych granicach! Siły powietrzne podciągnąć pod samą granicę! Rezerwy strategiczne – pod granicę! Rodzin wojskowych nie wywozić z terenów przygranicznych!

Dlaczego, skoro cały kraj szykuje się do obrony?

Nie będę się spierał: w Mińsku siedział głupi, nieudolny Pawłow. Nie wiedział, jak odeprzeć atak niemiecki. Ale przecież w Moskwie urzędował najmądrzejszy wódz XX wieku!

Dziwna to sprawa: Żukow potrafił wcielić się w Hitlera i hitlerowskich strategów, by przejrzeć ich zamiary, ale równocześnie zapomniał wcielić się w swoją własną rolę szefa Sztabu Generalnego, by próbować rozwiązać problem obrony Białorusi i całego Związku Radzieckiego.

VII

Generał armii Pawłow nie wiedział, jak powstrzymać uderzenie pancernych zagonów na Baranowicze, Bobrujsk, Mińsk i Witebsk i uniknąć klęski. A czy Żukow wiedział? Jeżeli tak, to dlaczego nie poprosił Stalina o mianowanie go dowódcą Zachodniego Specjalnego OW? W Sztabie Generalnym Żukow i tak nie miał co robić, podobno Stalin nie słuchał jego genialnych rad, więc mógł powiedzieć:

– Towarzyszu Stalin, mam złe przeczucia. Pawłow nie utrzyma frontu na Białorusi. Sami widzieliście podczas gry wojennej. Ja natomiast utrzymam. Odwołajcie Pawłowa ze stanowiska, wyślijcie mnie na Białoruś, a nie przepuszczę Hotha i Guderiana!

I oto mamy dylemat: czy w ogóle było możliwe powstrzymanie wojsk niemieckich latem 1941 roku? Czy istniało rozwiązanie tej zagadki? Jeżeli nie, to Żukow nie powinien był po wojnie eksponować własnego geniuszu na tle nieudolności Pawłowa.

A jeżeli istniało rozwiązanie, to dlaczego szef Sztabu Generalnego Żukow nie ujawnił go swojemu podwładnemu Pawłowowi ani bezpośredniemu przełożonemu Stalinowi? Żukow nie miał nawet dość wyobraźni, żeby przynajmniej po wojnie wymyślić jakieś rozwiązanie i ogłosić je swoim zwolennikom: Ci głupcy nie mieli pojęcia, jak bronić Białorusi. A ja wiedziałem: trzeba było zrobić tak i tak.

Cała historia wojen składa się z przykładów dwojakiego rodzaju. Albo dowódca (król, książę, generał, admirał, feldmarszałek) nie odgadł zamiarów wroga i musiał za to zapłacić klęską. Albo przeciwnie, przejrzał zamiary wroga, jakoś się tym zamiarom przeciwstawił – i w rezultacie odnosił spektakularne zwycięstwo.

Pewien dowódca, wiedząc, że nieprzyjaciel ma przewagę i niebawem rozniesie jego szeregi, polecił, by na własnych tyłach połączono wozy łańcuchami. Żeby wojska się nie cofały. Inny mądry wódz powstrzymał swoje wojska przed samobójczym atakiem, kiedy zorientował się, że nieprzyjaciel wykopał wilcze doły, przykrył je gałęziami i przysypał ziemią. Jeszcze inny wódz, przejrzawszy zamiary nieprzyjaciela, ukrył w pobliskim lesie sekretny pułk, który w rozstrzygającym momencie bitwy uderzył na skrzydło i tyły wroga i przechylił szalę zwycięstwa.

Ale oto mamy jedyny w swoim rodzaju przypadek: genialny dowódca Żukow, który w jednej chwili odgadł zamiary nieprzyjaciela, postanowił, że nie będzie wyciągać żadnych wniosków ze swoich przewidywań.

Wyobraźmy sobie, że przed wypłynięciem w morze „Titanica" pewien nawigator zgromadził ogromną ilość informacji o prądach morskich, o trasach dryfowania gór lodowych, informacji o ich położeniu... Nawigator przeprowadził skomplikowane obliczenia i ustalił ponad wszelką wątpliwość, że jeżeli popłynie tą trasą z określoną prędkością, to w nocy z 13 na 14 kwietnia w pewnym określonym punkcie na oceanie „Titanic" zahaczy o górę lodową. Nawigator zbiera pochwały za

swą przenikliwość i zostaje mianowany kapitanem „Titanica".
Wtedy – cała naprzód! Statek pełną parą przemierza ocean,
by pewnej ciemnej nocy i dokładnie w tym miejscu, o którym
mówił nawigator, uderzyć w rzeczoną górę lodową. Wówczas
kapitan-nawigator triumfalnie ogłasza: wszystko się spraw-
dziło. Dokładnie tak, jak mówiłem. A zachwycony świat bije
brawo genialnemu jasnowidzowi.

W takiej właśnie sytuacji znalazł się fantasta Żukow. Jego
samochwalstwo stawia go w bardzo dwuznacznej sytuacji.
Gdyby był mądrym człowiekiem, to jego opowieść powinna
wyglądać tak: ustaliłem, że Niemcy ósmego dnia przedostaną
się pod Baranowicze. I przedostali się! A tam wpadli w pułapkę,
którą na nich zastawiłem!

Natomiast Żukow stwierdza: wszystko rozumiałem, prze-
powiedziałem klęskę, mianowano mnie szefem Sztabu Generalnego i przez pięć miesięcy nie zrobiłem nic, żeby zapobiec
własnym przepowiedniom. Katastrofa jednak się wydarzyła!
Dokładnie taka, jak przepowiadałem.

A świat przyklaskuje profetycznemu strategowi. I tysiące
zwolenników Żukowa chusteczkami ocierają łzy wzruszenia:
geniusz, po prostu geniusz! Jak powiedział, tak się stało!

A my znowu stoimy przed wyborem.

Albo Żukow jest kłamcą i jego opowieści o własnych prze-
powicdniach są nieprawdziwe.

Albo jest wrogiem narodu: wiedział, gdzie i jak Niemcy będą
atakować, ale nie zrobił nic, żeby im w tym przeszkodzić.

Rozdział 11

Rozpocząć działania wojenne!

Z osobą Żukowa, posiadającego wybitny talent przywódczy,
związane są najważniejsze operacje strategiczne
Radzieckich Sił Zbrojnych.[1]

GENERAŁ ARMII MAJOROW

I

Powtórzmy raz jeszcze: sztab jest mózgiem armii. Atakowanie sztabu – to jakby cios obuchem w głowę. Aby uniemożliwić nieprzyjacielowi okładanie nas obuchem, trzeba własny sztab odpowiednio ukryć i zabezpieczyć. Nieprzyjaciel nie powinien wiedzieć, kto, gdzie i w jakim trybie podejmuje decyzje, na czym one polegają, kiedy i jakimi kanałami rozkazy trafiają do oddziałów.

Powszechnie sądzi się, że funkcja szefa sztabu sprowadza się do zdobywania, gromadzenia, analizowania, opracowywania i oceniania informacji, przygotowania wstępnych rozwiązań, wydawania rozkazów oraz planowania działań wojennych, organizowania współpracy i kontroli ich wykonania. To wszystko prawda, ale nie to jest najważniejsze.

Można stworzyć genialne plany, które nigdy nie dotrą do wojsk. Nie będzie z nich żadnego pożytku. Dlatego zanim podejmie się jakąś decyzję, należy zbudować pewien system dowodzenia, tzn. ośrodki, w których decyzje będą zapadać,

---

[1] „Wojenno-istoriczeskij żurnał", nr 12/1986, s. 40.

oraz kanały łączności, którymi podjęte decyzje będą przepływać. Krótko mówiąc, zanim zaczniemy się zastanawiać, czy skręcić w prawo, czy w lewo, trzeba najpierw mieć w rękach kierownicę. Każdy szef sztabu powinien zacząć od stworzenia systemu dowodzenia wojskiem, a nie od podejmowania mądrych decyzji i wydawania genialnych rozkazów. Powinien to być system tajny i bezpieczny, tj. taki, któremu nic nie zagraża. O to w pierwszym rzędzie musi troszczyć się każdy dowódca. Szef sztabu odpowiada głową za sprzęt, kamuflaż i obronę stanowiska dowodzenia oraz węzła łączności.

Pamiętając o wszystkich tych kwestiach, powróćmy do Gieorgija Żukowa, największego dowódcy XX wieku, który 13 stycznia 1941 roku został szefem Sztabu Generalnego RKKA.

Kiedy otrzyma się w prezencie używany samochód, to przede wszystkim warto sprawdzić podstawowe rzeczy: czy jest fotel kierowcy? A kierownica? Czy są wszystkie dźwignie, pedały, stacyjka?

Podobnie śmiem przypuszczać, że wielki strateg Żukow po objęciu nowego stanowiska zapytał na przykład, gdzie będzie jego miejsce pracy w razie wojny. Gdzie jest to podziemne stanowisko dowodzenia, niedostępne dla wroga, w którym będzie przebywał w ostatnich godzinach pokoju, w pierwszych dniach i kolejnych latach wojny? Przecież nie będzie dowodził wojną ze swojego gabinetu. Gdzie są te ukryte przed wrogiem, strzeżone bunkry dla kancelistów, szyfrantów, łącznościowców, członków sztabu?

Założyłem, że wielki strateg zadawał te pytania. Ale moje przypuszczenia okazały się błędne. Otóż wielki strateg takich pytań nie zadał. Żukowa nie interesowało, jak i skąd będzie kierował odparciem hitlerowskiego ataku. Siedział w Sztabie Generalnym dzień, dwa, tydzień, miesiąc, pięć miesięcy. Przez ten czas nawet nie pomyślał, że podczas prowadzenia działań wojennych jakoś trzeba będzie dowodzić Armią Czerwoną i że w tym celu dobrze byłoby stworzyć jakiś system dowodzenia. Należało zacząć od centrum dowodzenia Sztabem Generalnym. Trzeba było zażądać również od dowódców flot, armii i flotylli oraz okręgów wojskowych, żeby oni także stworzyli, wyposażyli i ukryli swoje stanowiska dowodzenia. System stanowisk dowodzenia trzeba było połączyć węzłami i liniami łączności, które również powinny być tajne i dobrze strzeżone.

II

Armia Czerwona miała znakomicie dopracowany system dowodzenia operacjami wojskowymi w wojnie zaczepnej na terenie wroga. Mam na myśli stanowiska dowodzenia umieszczone w pociągach. Można je było sprawnie i szybko przemieszczać w ślad za podążającymi naprzód wojskami. Jeszcze w czasie pokoju dla tych ruchomych stanowisk dowodzenia wybudowano specjalne ukrycia, w których m.in. znajdowały się podziemne centrale łączności rządowej. Istniały również pociągi przewożące ruchome węzły strategicznego systemu łączności. Dla obrony ruchomych stanowisk dowodzenia i pociągów łączności utworzono dywizjony pociągów pancernych oraz dywizjony pociągów przeciwlotniczych.

Natomiast na wypadek wojny obronnej nie czyniono żadnych przygotowań. System dowodzenia działaniami Armii Czerwonej na wypadek wojny obronnej po prostu nie istniał.

Sam Żukow opisywał sytuację w następujący sposób: „W toku zapoznawania się na wiosnę 1941 roku z istniejącym stanem rzeczy okazało się, że Sztab Generalny – podobnie jak i ludowy komisarz obrony oraz dowódcy rodzajów sił zbrojnych i rodzajów wojsk – nie ma przygotowanych na wypadek wojny stanowisk dowodzenia, z których można by kierować wojskami, szybko przekazywać im dyrektywy Kwatery Głównej, a także opracowywać meldunki otrzymywane od walczących oddziałów. W okresie przedwojennym nie wykorzystano czasu na budowę stanowisk dowodzenia"[2].

Pisząc o odniesionych zwycięstwach, wielki dowódca stwierdza: założyłem, przewidziałem, widziałem, postanowiłem, żądałem, upierałem się, wywalczyłem. Opisując natomiast błędne rachuby i wpadki, wręcz przestępczą niechlujność, ten sam geniusz strategiczny wyraża się w formie bezosobowej:

---

[2] Żukow, *op. cit.*, s. 196.

ktoś bliżej nieokreślony nie wykorzystał czasu przeznaczonego na zbudowanie stanowisk dowodzenia. Armia Czerwona nie posiadała systemu dowodzenia wojskami w wojnie obronnej i wiadomo, że ktoś był temu winny. No, ale oczywiście nie szef Sztabu Generalnego. Czy winni są jego poprzednicy? Niewątpliwie. Ale ich nie zaliczamy przecież ani do geniuszy, ani w poczet świętych. Żukowa zaś traktuje się prawie jak świętego stratega, który choć został mianowany szefem Sztabu Generalnego już 13 stycznia 1941 roku, to dopiero na wiosnę zorientował się, że nie ma ani fotela kierowcy, ani kierownicy, ani lewarka zmiany biegów, ani pedałów.

Jeżeli wielki strateg wiosną 1941 roku zrozumiał, że Sztab Generalny nie posiada stanowiska dowodzenia na wypadek wojny obronnej, to należałoby przypuszczać, że natychmiast wydał rozkaz zbudowania takiego obiektu. Niestety, to znowu pomyłka. Nam jest łatwo powiedzieć: nie ma punktu dowodzenia, to znaczy trzeba go zbudować. Ale geniusze myślą inaczej. Podwładni Żukowa wielokrotnie zwracali uwagę: trzeba stworzyć stanowisko dowodzenia! A Żukow zabraniał, i to kategorycznie.

W 1941 roku marszałek Związku Radzieckiego Wasilewski był generałem majorem w Zarządzie Operacyjnym Sztabu Generalnego. Nie wymieniając nikogo z nazwiska, Wasilewski opisuje zaistniałą sytuację w następujący sposób: „Bez względu na wszystkie nasze żądania, przed wojną nie pozwolono nam nawet zorganizować podziemnego stanowiska dowodzenia, podziemnego pomieszczenia do pracy. Dopiero w pierwszym dniu wojny, mniej więcej w tym samym czasie, kiedy zaczęła się mobilizacja, a mobilizację – jakkolwiek by to dziwnie brzmiało – ogłoszono 22 czerwca o godzinie 14.00, tzn. dwanaście godzin po rozpoczęciu wojny, dopiero wtedy na podwórzu 1. Domu Ludowego Komisariatu Obrony zaczęto rozgrzebywać ziemię, kopać schron"[3].

W styczniu 1941 roku genialny Żukow przybył do Sztabu Generalnego. Wiosną zorientował się, że nie ma punktu dowo-

---

[3] „Znamia", nr 5/1988, s. 90.

dzenia. Ale dopóki wojna nie wybuchła, nie zajmował się budowaniem, rozwijaniem i doskonaleniem systemu dowodzenia siłami zbrojnymi, a więc nie wypełniał swoich podstawowych obowiązków.

Opracowując system dowodzenia Armią Czerwoną, Żukow musiał również przewidywać prowadzenie wojny obronnej. Nie wymagało to nader skomplikowanych planów. Należało tylko naszkicować na mapie ogólną koncepcję operacji defensywnej w razie ataku nieprzyjaciela. Następnie trzeba było określić i przydzielić zadania wojskowe. To wszystko.

Gdyby Armia Czerwona szykowała się do wojny obronnej, to każdemu dowódcy, poczynając od szczebla dowódcy okręgu, wystarczyłoby przydzielić określone zadanie bojowe i powiedzieć, co ma robić. Na pytanie jak, każdy dowódca i jego sztab sami powinni byli znaleźć odpowiedź, przygotowując we własnym zakresie plan obrony.

Jednak Armia Czerwona nie przygotowywała się do wojny obronnej na swoim terytorium, lecz do jakiejś innej wojny. Dlatego też wszystkim dowódcom i sztabom zabroniono szykowania jakichkolwiek planów na wypadek konfliktu zbrojnego. Sztab Generalny pod rozkazami Żukowa miał przygotowywać plany nie tylko dla najwyższego dowództwa, ale też dla wszystkich niższych szczebli w strukturze dowodzenia.

W razie wojny przygraniczne okręgi wojskowe miały rozwinąć się we fronty. Każdy front to grupa armii. Sztab Generalny przygotowywał szczegółowe plany działań wojennych dla każdego frontu, każdej armii, korpusu, dywizji, pułku. Wszystkie te plany były pakowane w tak zwane czerwone koperty. Każdy dowódca, poczynając od dowódcy pułku i wyżej, posiadał w swoim sejfie czerwoną kopertę, ale nie miał pojęcia, co się w niej znajduje.

W przypadku zagrożenia ze Sztabu Generalnego miał nadejść rozkaz otwarcia kopert. Otrzymawszy taki rozkaz, każdy dowódca winien był otworzyć czerwoną kopertę i działać zgodne ze wskazówkami, które zawierała.

Do opracowania planów dołożono ogromnych starań. Jednak działania Armii Czerwonej 22 czerwca 1941 roku były zupełnie nieskoordynowane i sprawiały wrażenie pełnej anarchii.

Można było sądzić, że wszyscy, począwszy od szeregowych, na Żukowie i Stalinie kończąc, nie wiedzieli, co mają robić. Tak więc, czy Armia Czerwona miała jakieś plany? Marszałek Wasilewski wyjaśnia: „Oczywiście istniały plany operacyjne i były dość dokładnie opracowane, tak samo jak i plany związane z mobilizacją. Plany mobilizacji zostały przekazane dokładnie każdej jednostce, włączając również jednostki o mniejszym znaczeniu na tyłach frontu, jak np. magazyny czy jednostki gospodarcze. Problem tkwił nie w braku planów, lecz w tym, że nie było możliwości ich realizacji w zaistniałej sytuacji"[4].

Jeżeli wierzyć Wasilewskiemu lub komukolwiek z radzieckich dowódców i uczonych, to największy strateg XX wieku Żukow sporządził przyzwoity plan odparcia ataku, który jednak zawierał mały szkopuł: w razie agresji nie można było go zastosować.

Cóż za samorodny talent!

Nawet dziś zżera nas ciekawość i chcielibyśmy obejrzeć te plany! Niestety, niezmiennie słyszymy tę samą odpowiedź: Plan Żukowa to tajemnica państwowa ZSRR. Próbujemy polemizować: Przecież ZSRR dawno się rozpadł! Nie szkodzi – powiadają kustosze tajemnicy. – Planu i tak nikomu nie można pokazać.

Sytuacja staje się naprawdę zabawna, gdy przypomnimy sobie przechwałki samego Żukowa o tym, jak w styczniu 1941 roku rozszyfrował niemiecki plan „Barbarossa". Nasz geniusz strategiczny na odległość 1500 kilometrów przejrzał na wskroś hitlerowskie sejfy wraz z zawartością, po czym opracował własne plany, które okazały się zupełnie nieprzydatne podczas odpierania niemieckiego ataku. Dobre, prawda?

III

Sam Żukow miał świadomość, że jego plan obronny jest przydatny w każdych okolicznościach, poza jednym wyjątkiem: poza koniecznością zastosowania go zgodnie z przeznaczeniem.

---

[4] „Znamia", nr 5/1988, s. 82.

Dlatego Żukow nawet nie starał się wprowadzić w życie swojego planu obrony państwa.

Sięgnijmy ponownie do pamiętników marszałka. Pisze, iż czuł, że wojna się zbliża. Skoro tak, to czemu nie wprowadził w życie swojego genialnego planu? Dlaczego nie rozkazał wszystkim dowódcom, żeby otworzyli czerwone koperty? Oto relacja Żukowa: „Zrozumcie sytuację moją i Timoszenki. Z jednej strony baliśmy się, ponieważ widzieliśmy z meldunków napływających z okręgów, że wróg zajmuje pozycje wyjściowe do ataku, a nasze wojska przez upór Stalina nie były postawione w stan gotowości. Z drugiej strony istniała jeszcze niewielka szansa, że uda się Stalinowi uniknąć wojny w 1941 roku. W takim stanie pozostawaliśmy aż do wieczora 21 czerwca, dokąd informacje niemieckich dezerterów nie rozwiały tych złudzeń"[5].

Tak więc wieczorem 21 czerwca 1941 roku Żukow nie miał już złudzeń. Zrozumiał: to wojna! Ale dlaczego nie wprowadził w życie swojego genialnego planu?

Znad granicy masowo spływały dramatyczne nowiny: wróg bombarduje lotniska, artyleria nieprzyjaciela otworzyła huraganowy ogień, okręty podwodne minują podejścia do radzieckich portów i baz, grupy dywersyjne nieprzyjaciela zdobywają mosty graniczne, przez mosty przedzierają się czołgi! Co powinien zrobić Żukow, otrzymując takie informacje? Odpowiedź jest jedna: wprowadzić w życie plan obronny! Ale z uporem tego nie robi.

Żukow opisywał Stalina jako bezbronnego, zagubionego i nieporadnego wodza, natomiast siebie jako spokojnego, rozsądnego i trzeźwo myślącego dowódcę. Jeżeli naprawdę tak było, to w pierwszych godzinach wojny Żukow powinien był przede wszystkim uspokoić towarzysza Stalina: mamy plan działania! Musimy wprowadzić go w życie!

Ciekawe, że nawet ćwierć wieku później genialny dowódca pisząc swoje dzieło, nawet nie próbował się usprawiedliwiać: miałem plan obrony, chciałem wprowadzić go w życie, ale przeszkodził mi Stalin. Nie ma takich usprawiedliwień u Żukowa,

---

[5] „Wojenno-istoriczeskij żurnał", nr 3/1995, s. 41.

podobnie jak nie ma żadnych wzmianek o istnieniu planu obrony. Szef Sztabu Generalnego w momencie wybuchu wojny albo nie miał żadnych planów, albo zapomniał, że je ma. Do dziś opublikowano tysiące relacji uczestników tamtych wydarzeń. Ani jeden marszałek, ani jeden generał czy admirał, ani jeden badacz historii nie wspomina o tym, żeby Żukow – czy też ktokolwiek inny – polecił wprowadzić w życie wcześniej opracowane plany i postępować zgodnie z instrukcjami, które znajdowały się w czerwonych kopertach. Ani jeden dowodzący frontem, flotą, armią, flotyllą, ani jeden dowódca korpusu, dywizji, brygady lub pułku nigdy nie otrzymał rozkazu otwarcia czerwonej koperty.

IV

W *Lodołamaczu* pisałem, że planów odparcia agresji nie było, ale za to istniał plan niespodziewanego ataku na Niemcy i podboju Europy. Dokładnie opracowany scenariusz miał być wprowadzony w życie natychmiast po tym, jak dowodzący frontami i armiami otrzymają krótki sygnał: „BURZA". Był to kryptonim owej operacji.

Czy rzeczywiście istniał plan „Burza"? Czy to może tylko moja fantazja?

Ministerstwo Obrony Rosji nie może zaprzeczyć istnieniu tego planu. Ale wspomnianemu kryptonimowi przypisuje zupełnie inne znaczenie. „Sygnał «Burza» był rzeczywiście ustalony. Ale oznaczał coś zupełnie innego. Na to hasło dowódcy dywizji i armii osłonowych mieli otworzyć czerwone koperty. Wewnątrz znajdowały się rozkazy ze wskazaniem kroków zmierzających do zajęcia stanowisk bojowych w celu odparcia ataków nieprzyjaciela w razie agresji"[6].

Jeżeli uwierzyć tłumaczeniom Ministerstwa Obrony Rosji, to jesteśmy w kolejnym ślepym zaułku. Powstaje bowiem taki oto obraz.

Każdy dowódca posiadał czerwoną kopertę. Uzgodniono kryptonim „Burza", który dla dowódców miał być sygnałem

---

[6] „Krasnaja zwiezda", 30 czerwca 1993.

do otwarcia czerwonej koperty. Pojawia się zatem pytanie: kiedy ów uzgodniony sygnał został przekazany wojskom? Kiedy Żukow owym hasłem wprowadził w życie plan wojny obronnej? Odpowiedź brzmi: nigdy. Czerwone koperty pozostały w sejfach. Każdy dowódca działał według własnego widzimisię. Oczywiście takie działania musiały doprowadzić do największej klęski w historii.

Rozgromienie wojsk radzieckich w 1941 roku pociągnęło za sobą szereg konsekwencji, a na dalszą metę również rozpad Związku Radzieckiego.

Oficjalna propaganda kremlowska niejednokrotnie opluwała i postponowała całe dowództwo Armii Czerwonej. Udało jej się przekonać świat, że dowódcy Armii Czerwonej byli tchórzliwi, głupi i leniwi. Na rozkaz Ministerstwa Obrony Rosji pewien pseudouczony z uniwersytetu w Tel Awiwie nawet przeprowadził specjalne badania i z naukową dokładnością wyliczył odsetek idiotów pośród dowódców Armii Czerwonej.

Ale spróbujmy wczuć się w rolę tych nieszczęsnych dowódców. Spójrzmy na świat ich oczami. Dowódcom radzieckich pułków, brygad, dywizji, korpusów, dowódcom armii i frontów kategorycznie zabraniano opracowywania jakichkolwiek planów na wypadek wojny. Za wszystkich myślał Żukow. Plany wojny spływały ze Sztabu Generalnego, przechowywane w opieczętowanych kopertach jako największa tajemnica państwowa.

Przed rozpoczęciem wojny nikt nie miał prawa wiedzieć, co konkretnie zaplanował Żukow.

I oto wybucha wojna. Nikt nie ma własnego planu działania, oczywiście nie z własnej winy. Na otwarcie czerwonej koperty potrzebna jest zgoda Żukowa. Ale takiej zgody nie ma. Za samowolne złamanie pieczęci można zapłacić głową.

W takiej sytuacji znalazła się cała Armia Czerwona. Dowódcy nie mieli prawa porozumiewać się między sobą w zakresie współdziałania. Koordynacją operacji Sił Zbrojnych ZSRR winien był zajmować się Sztab Generalny. Niestety, sztab nie wywiązał się z tej roli w najmniejszym stopniu, dlatego najlepsi dowódcy, najlepsze sztaby i jednostki wojskowe Armii Czerwonej absurdalnie wykrwawiały się w walkach granicznych.

A ich dowódców pośmiertnie obrzuca się błotem, nazywa się durniami i oblicza, ilu z nich to idioci.

Żukow celowo, z głupoty albo ze strachu, zapomniał wydać rozkaz otwarcia kopert. Tym samym pozostawił Armię Czerwoną bez planów operacyjnych, a w konsekwencji skazał ją na pogrom. I za to właśnie nazywają go geniuszem. I dlatego właśnie ustanowiono Order Żukowa.

V

Nie ma armii bez dyscypliny. Dyscyplina jest fundamentem i szkieletem sił zbrojnych. Dyscyplina w armii bywa czasem ślepa. Na wojnie ślepa dyscyplina jest często uzasadniona. Będąc dowódcą, nie ma się prawa ujawniać swych planów. Dziesiątki, sctki, tysiące, miliony ludzi muszą wykonywać rozkazy, nie rozumiejąc ich sensu. Jednak dyscyplina może okazać się samobójcza, jeżeli wojsko otrzymuje bezsensowne rozkazy.

Szef Sztabu Generalnego generał armii Żukow przed wojną wydał tyle rozkazów, że całkowicie sparaliżował Armię Czerwoną. Nie zestrzeliwać samolotów nieprzyjaciela! Odebrać amunicję pułkom i dywizjom z pierwszej linii! Wycofać działa, żeby nie było przypadkowej kanonady! Rozminować mosty przygraniczne! Nie reagować na prowokacje! Wszystkich winnych ostrzeliwania samolotów Luftwaffe naruszających radziecką przestrzeń powietrzną – pod sąd wojskowy!

Wykonania rozkazów Żukowa czujnie pilnowali towarzysze z NKWD. W marcu 1941 roku, kiedy Żukow był już szefem Sztabu Generalnego, całe dowództwo marynarki wojennej o mały włos nie zostało rozstrzelane za to, że okręty samowolnie otworzyły ogień do niemieckich samolotów. Żukow nie znalazł zrozumienia dla dowódców marynarki i nie cofnął rozkazu o nieatakowaniu niemieckich samolotów. Przeciwnie, towarzysze z NKWD oskarżali dowództwo marynarki wojennej nie z własnej inicjatywy, lecz na wniosek Żukowa, który domagał się przykładnego ukarania wszystkich, którzy strzelają bez rozkazu. Po wojnie Żukow tłumaczył się w dość pokrętny sposób: baliśmy się sprowokować konflikt, nie chcieliśmy dać Hitlerowi pretekstu do zaatakowania nas.

Nie chcieliście dać Hitlerowi pretekstu... I co z tego wynikło? Czy to go powstrzymało? Armia Czerwona musiała ślepo słuchać rozkazów Żukowa. Ale jak wojsko miało rozpoznać, gdzie przebiega granica między prowokacją a wojną? Wyobraźmy sobie sytuację dowódcy pułku lotniczego. Bombardują jego pasy startowe. Wiadomo, że jeśli bombardowane są wszystkie lotniska, to znaczy, że wojna już trwa. Ale nasz dowódca tego nie wie. Widzi tylko swoje lotnisko i setkę swoich płonących samolotów. Tak samo każdy z milionów żołnierzy na pierwszej linii widzi tylko drobny wycinek większej operacji. Zacznie strzelać, a potem okaże się, że tylko na jego odcinku nieprzyjaciel dopuścił się prowokacji. Co zrobią z nim Żukow i kaci z NKWD?

Rozkazy Żukowa i dyscyplina wojskowa wymagały od żołnierzy, aby nie ulegali prowokacjom. Armia wykonała rozkaz, nie uległa prowokacjom. 22 czerwca wysunięte dywizje liniowe bez walki oddały mosty przygraniczne. Żeby tylko nie dać się sprowokować! A po latach słyszę narzekania: ależ byliśmy głupi, nie rozumieliśmy, że zaczęła się wojna! Oburzamy się na działania żołnierzy, którzy wypełniali rozkazy Żukowa, ale nie oburza nas postępowanie Żukowa, który te rozkazy wydawał.

Ale czy rzeczywiście żołnierze na granicy nie wiedzieli, że to wojna? Rzeczywiście nie mieli o tym bladego pojęcia. Mieli jednoznaczne rozkazy. Nie dysponowali innymi informacjami. Możemy uważać ich wszystkich za idiotów. Ale przecież Sztab Generalny dysponował wszelkimi informacjami. Żukow już wieczorem 21 czerwca wiedział, że niebawem rozpocznie się wojna. Jak sam wspomina, stracił wtedy resztki złudzeń. Ale z jakiegoś powodu do końca nie uznał za stosowne wprowadzić w czyn swoich planów wojny obronnej.

VI

Czy Żukow zastanawiał się nad tym, co sam będzie robił w czasie wojny? Może i tak. Ale nic nie wymyślił. Wszystkie poczynania Żukowa w pierwszych minutach, godzinach i dniach wojny – to totalna improwizacja. Były to działania niezaplanowane i nawet nieprzemyślane.

Przed atakiem niemieckim Żukow zasypywał armię kolejnymi zakazami użycia broni. Nawet 22 czerwca 1941 roku o godzinie 0.25 wojskom została wydana dyrektywa nr 1: „Zadania naszych wojsk – nie dać się wciągnąć w żadne prowokacyjne działania..." Dyrektywa została podpisana przez marszałka Związku Radzieckiego Timoszenkę i generała armii Żukowa. Zakończona była kategorycznym żądaniem: „Żadnych innych przedsięwzięć bez specjalnego zarządzenia nie podejmować"[7]. Stara prawda głosi, że lepiej udawać durnia niż mądrego. Timoszenko nigdy nie potwierdził publicznie, że wieczorem 21 czerwca 1941 zrozumiał, iż wojny nie da się uniknąć. Dlatego do marszałka Timoszenki nie mam pretensji.

A Żukow ciągle udawał mądrego, dlatego regularnie wychodził na durnia. Ogłosił wszem i wobec, jakoby wieczorem 21 czerwca wszystkie złudzenia się rozwiały i sam rzekomo zrozumiał: to wojna! Wyznanie Żukowa opublikował „Wojenno-istoriczeskij żurnał", organ Ministerstwa Obrony Rosji. Kiedy wieczorem 21 czerwca 1941 Żukow zdał sobie sprawę, że zaczyna się wojna, to kilka godzin później, a konkretnie o godzinie 0.25, wydał wojskom rozkaz: nie dać się wciągnąć w żadne prowokacyjne działania i nie podejmować żadnych kroków.

Czy mądry człowiek mógłby coś takiego powiedzieć? Jeżeli porównać dwa oświadczenia Żukowa, to wielkiego stratega należałoby powiesić na głównym placu głową w dół za działanie na szkodę państwa, za świadome niszczenie własnej armii, za współdziałanie z wrogiem i zdradę Ojczyzny.

Czy mądry człowiek wydałby wojskom rozkaz o unikaniu prowokacji po tym, jak zrozumiał, że nie chodzi o prowokację, lecz początek wojny?

Dyrektywę nr 1 przekazano do sztabów okręgów wojskowych, tam została rozszyfrowana i na jej podstawie zaczęto pisać wytyczne dla sztabów armii. Zaszyfrowali – i rozesłali. W sztabach armii otrzymali, rozszyfrowali, przeczytali – i za-

---

[7] Żukow, *op. cit.*, s. 219.

częli opracowywać wytyczne dla sztabów korpusów... Kiedy genialne wytyczne Żukowa dotarły do jednostek, już dawno płonęły lotniska, eksplodowały magazyny amunicji, gęsto dymiły zbiorniki ropy, niemieckie wojska miażdżyły wysunięte dywizje radzieckie. A dyrektywa przekazywała kategoryczne żądanie największego dowódcy XX wieku: nie ulegać prowokacjom! Nie podejmować żadnych kroków bez specjalnego zarządzenia!

Dyrektywa nr 1 była w istocie wyrokiem śmierci dla Armii Czerwonej: nie stawiaj oporu, gdy do ciebie strzelają!

Gdyby generał, który podpisał ten absurdalny dokument, miał choć trochę oleju w głowie, to powinien był zgrywać głupka: podpisałem, bo nie rozumiałem sytuacji. Ale nasz strateg postanowił udawać mądralę: ja pierwszy uświadomiłem sobie, że to wojna! Pojąłem to już 21 czerwca. Głupi Stalin nawet nazajutrz nie przyjmował tego do wiadomości!

Żukowowi nie można wierzyć. Ale jeżeli mu uwierzymy, to nasuwa się wiele pytań.

21 czerwca wieczorem Żukow pojął, że to nie prowokacja, lecz wojna, a następnie wydał rozkaz wojskom: nie dać się sprowokować. Dlaczego? Czy był wrogiem swojego narodu? Czy działał na szkodę państwa? A może został zwerbowany przez hitlerowców i na ich rozkaz skazał Armię Czerwoną na klęskę? Czy też dokonał tej zbrodni z własnej inicjatywy?

Jeżeli uwierzymy opowiadaniom Żukowa, to nasuną się pytania również odnośnie do radzieckich przywódców. Wiedzieli przecież, że Żukow wydał zbrodniczy rozkaz, który zgubił Armię Czerwoną. Zrobił to nie z głupoty, ale celowo. Dlaczego więc go wychwalają? Czy też są wrogami narodu?

Od dziesięcioleci opisuje się tchórzliwego Stalina, który nic nie zrobił w momencie wybuchu wojny. Opisuje się też mądrego Żukowa, który skierował dyrektywy do sił zbrojnych.

A moim zdaniem lepiej było nic nie robić, niż wysyłać takie dyrektywy.

VII

Żukow nie powinien był wydawać podobnych rozkazów albo miał obowiązek stworzyć system alarmowy, który pozwoliłby w momencie wybuchu wojny – a najlepiej przed jej rozpoczęciem – wycofać wszystkie wcześniejsze ograniczenia użycia broni. Należało ustalić jakiś sygnał, który miałby szansę dotrzeć naraz do wszystkich oddziałów.

Każda armia podejmuje wojnę obronną, nie czekając na rozkazy, podobnie jak wartownik odpiera agresję, nie czekając na dyrektywy czy sygnały. Ale Żukow bardzo rygorystycznie zapowiedział: walki nie rozpoczynać, ognia nie otwierać. Skoro wprowadził taki zakaz, to niechby wymyślił krótkie, dźwięczne hasła – „Osłona", „Szafir", „Tajga" – i zawczasu określił ich znaczenie. Niech podwładni wiedzą: jeżeli szef Sztabu Generalnego przekazał takie hasło, to znaczy, że wszystkie restrykcje zostają odwołane. Ten sygnał pozwala rozpocząć walkę. Jest WOJNA!

Generał armii Gieorgij Żukow już rok wcześniej roztkliwiał się nad przyszłymi ofiarami. Od tej chwili „całe swoje życie poświęcił zbliżającej się wojnie". Następnie pięć miesięcy siedząc w fotelu szefa Sztabu Generalnego, rozmyślał o wojnie. Przez ten cały czas nie wymyślił jednego krótkiego słowa, na wypadek gdy trzeba będzie poinformować kraj i armię o napaści. Mało tego, że całą armię pozostawił bez żadnych planów, to jeszcze wprowadził zakaz podejmowania działań bojowych. Ale to jeszcze nie wszystko. W momencie wybuchu wojny Żukow zapomniał odwołać wprowadzone przez siebie zakazy. A klęskę 1941 roku wytłumaczył tym, że „wróg był silniejszy", „wojska były nieodporne, wpadały w panikę i cofały się w popłochu".

Żukow cały czas opowiadał o głupim i tchórzliwym Stalinie. Wczesnym rankiem 22 czerwca 1941 roku Stalin jeszcze nie wierzył, że rozpoczęła się wojna, a mądry Żukow wszystko rozumiał. Skoro rozumiesz, to uderzaj na alarm! Wciskaj guziki alarmowe! Zrywaj plomby! Włączaj syreny! Wszystkimi kanałami wysyłaj szyfrówki dla dowódców frontów i armii, krzycz otwartym tekstem do słuchawek, żeby otwierali czerwone koperty. Przekaż podwładnym własną ocenę sytuacji! Ci głupcy nie rozumieją, że zaczęła się wojna, ale ty przecież jesteś geniuszem. Musisz im uświadomić, że pokój się skończył. Ale Żukow nie robi nic. Więc proszę mi teraz wyjaśnić, komu potrzebna była jego mądrość, jeżeli nie wykraczała poza ściany kremlowskiego gabinetu? Jaki pożytek z takiej mądrości? Jaki pożytek z tego, że Żukow wszystko rozumiał i wszystko wiedział, skoro nie raczył przekazać tej wiedzy siłom zbrojnym?

Obowiązkiem dowódców frontów, armii, flotylli, dowódców korpusów, dywizji, brygad, pułków, batalionów, kompanii i plutonów – jest odpieranie ataków wroga. Nie wywiązali się ze swoich obowiązków, ponieważ byli związani jednoznacznie brzmiącym rozkazem: nie otwierać ognia.

Obowiązkiem Żukowa było zawiadomić armię o wybuchu wojny. W swoich poczynaniach Żukow nie był niczym związany. A więc dlaczego nic nie zrobił?

Sam Żukow opisuje te pierwsze chwile i godziny wojny. Do gabinetu Stalina wchodzi Mołotow i ogłasza, że odbył spotkanie z niemieckim ambasadorem, który przekazał mu oficjalne dokumenty o wypowiedzeniu wojny Związkowi Radzieckiemu. Żukow opisuje reakcję Stalina na tę wiadomość, ale nie wiadomo, dlaczego nie opisuje własnej reakcji. Ponoć od dawna wie, że wojna się rozpoczęła, a tu jeszcze Mołotow przynosi dodatkowe poświadczenie...

Reakcja Żukowa powinna być jednoznaczna i natychmiastowa. Każda chwila zwłoki oznacza kolejne zajęte przez wroga mosty, magazyny broni i amunicji. Każda minuta zwłoki to kolejne kilometry pancernej ofensywy Hotha, Guderiana, Mansteina. Każda godzina zwłoki oznacza kolejne setki samolotów spalonych na lotniskach i morze bezsensownie przelanej krwi. Dlatego, usłyszawszy oficjalne potwierdzenie z ust Mołotowa, że wojna została wypowiedziana, Żukow powinien był chwycić słuchawkę telefonu i krzyczeć: WOJNA! WOJNA! WOJNA!

Ale Żukow krąży po gabinecie, wygłasza aforyzmy, ale nie alarmuje wojsk, które nie mają żadnych wskazówek, prócz kategorycznych żądań, by wstrzymać się od jakichkolwiek działań.

Nie mając wskazówek z Moskwy, dowodzący Frontem

Zachodnim generał armii Pawłow na własną odpowiedzialność o 5.25 wydaje rozkaz: „Z powodu rozpoczętych ze strony niemieckiej masowych operacji wojennych rozkazuję postawić wojska w stan gotowości i rozpocząć działania bojowe". Co to oznacza: podjąć działania bojowe? Atakować? Bronić się? Wycofywać? Wyobraźmy sobie konkretną sytuację. Jest most przygraniczny. Rozkazano podjąć działania bojowe. Czy to znaczy, że należy bronić mostu? A może wysadzić go? Czy może wysłać przez ten most na terytorium nieprzyjaciela bataliony rozpoznawcze dywizji pancernych?

Rozkaz podjęcia działań bojowych oznaczał, że każdy może działać tak, jak chce. Skutkiem tego był brak jakiejkolwiek koordynacji działań. Każdy dowódca wydawał własne rozkazy, nie mając pojęcia, co robią sąsiedzi. Atakują, bronią się, uciekają czy chowają się w lasach. Taką sytuację określa się strasznym terminem: utrata kontroli przez dowództwo.

Miało to miejsce nie tylko w Zachodnim Specjalnym OW, ale również we wszystkich pozostałych.

Jedne oddziały zgodnie z rozkazami – albo bez rozkazów – wycofywały się.

Inne stawały do zaciekłej obrony. Wśród nich 99. Dywizja Piechoty, którą generał major Andriej Własow uczynił najlepszą dywizją Armii Czerwonej. Własowcy trwali na pozycjach do ostatniej kropli krwi, broniąc swojej ojczyzny. 99. DP jako pierwsza w Armii Czerwonej została odznaczona orderem za udział w walce. Było to 22 lipca 1941 roku.

Jeszcze inne ruszyły do wściekłego kontrataku. Na przykład jednostki Flotylli Dunajskiej przerzuciły potężne siły desantowe na rumuńskie brzegi i wywiesiły czerwone sztandary wyzwolenia na wszystkich dzwonnicach.

Jednym słowem, zapanował chaos. Nic dobrego wyjść z tego nie mogło. I nie wyszło.

Nauczono nas wyśmiewać się z Pawłowa. Dureń, wydał rozkaz „podjąć działania bojowe", który każdy zrozumiał, jak chciał. Ale my nie będziemy się śmiać z Pawłowa. Pawłow wykazał inicjatywę. Postąpił wbrew wskazówkom i dyrektywom Żukowa. Polecił dać się wciągać w prowokacje! Generał armii Dmitrij Pawłow, nie mając po temu żadnego pełnomocnictwa, nie wiedząc, że Niemcy wypowiedziały wojnę Związkowi Radzieckiemu, w zasadzie sam wypowiedział wojnę Niemcom. W swoim rozkazie dowódca Frontu Zachodniego powiedział rzecz najważniejszą: to jest wojna! Zezwalam podjąć walkę! Co jeszcze mógł rozkazać? Atakować? Ale jeżeli inne fronty się wycofują? Wycofywać się? A może inne fronty kontratakują? Nie znając sytuacji na innych frontach i nie mając żadnych wskazówek z Moskwy, Pawłow po prostu pozwolił swoim wojskom walczyć, nie mówiąc dokładnie, kto i co ma robić.

Można do woli wyśmiewać się z Pawłowa i jego rozkazów, ale pamiętajmy, że genialny Żukow siedział w Moskwie, wiedział, że wojna się zaczęła, ale żadnego rozkazu nie wydał. Ostatnie, co od niego usłyszano, to: nie ulegać prowokacjom!

Spróbujmy wczuć się w rolę dowódcy przygranicznej dywizji. Dostał dwa polecenia. Pierwsze od Żukowa: nie reagować na działania wojsk niemieckich, które miażdżą żołnierzy gąsienicami, zasypują ich pociskami i bombami. Drugie od Pawłowa: podjąć działania bojowe!

Którą z tych decyzji uznacie za obłędną? Autora którego z tych rozkazów zastrzelilibyście jak wściekłego psa?

VIII

Czym zajmował się wielki strateg Żukow w tamtych godzinach? Pisał dyrektywę nakazującą, co mają robić wojska.

I to jest hańba.

Dowódców okręgów wojskowych i armii, dowódców korpusów, dywizji, brygad, pułków należało poinstruować przed wojną. A w momencie wybuchu konfliktu trzeba było dać im tylko odpowiedni sygnał. Działania w sytuacjach nadzwyczajnych w każdym pododdziale, jednostce, w każdej formacji opracowywane są zawczasu. Kiedy zaistniała nadzwyczajna sytuacja, dowódca powinien rzucić krótki rozkaz: Do broni! I każdy ma obowiązek wiedzieć, co robić.

Tak to powinno być zorganizowane, zawsze i wszędzie, na wszystkich szczeblach, począwszy od plutonu.

Ale nie u Żukowa.

Po co Żukow pisze dyrektywę? Przecież każdy radziecki

dowódca już ma w ręku czerwoną kopertę, choć nie śmie jej otworzyć. Trzeba tylko dać mu polecenie. Ale Żukow polecenia nie daje, natomiast tworzy nowe instrukcje. 1 stycznia 1941 roku rzucił okiem na mapę i w lot przewidział niemieckie plany wojny. Później przez pół roku opracowywał jakieś plany, których w przypadku uderzenia wroga nie dało się wykorzystać.

I oto 22 czerwca rusza ofensywa wroga. W tym momencie wybitny strateg postanowił napisać dyrektywę dla wojsk. Postanowił wytłumaczyć dowódcom armii i frontów, co mają robić na wypadek ataku, który już trwa.

W swojej książce Żukow informuje: „O godzinie 7.15 [22 czerwca – W.S.] dyrektywa nr 2 ludowego komisarza obrony została przekazana do okręgów wojskowych. Jednakże ze względu na stosunek sił, a także istniejącą sytuację okazała się ona całkowicie nierealna. Dlatego też nie mogła być wcielona w życie"[8].

Można było napisać: dyrektywa nr 2. Ale Żukow uściśla: dyrektywa ludowego komisarza obrony nr 2. W ten sposób Żukow zrzuca z siebie odpowiedzialność i obarcza nią marszałka Związku Radzieckiego Timoszenkę. Jednak wszyscy wiedzą, że każdy rozkaz ludowego komisarza obrony przygotowywany jest przez szefa Sztabu Generalnego. W tym wypadku dyrektywa nie tylko była podpisana przez Żukowa, ale była własnoręcznie przez niego napisana.

Zadziwia mnie fakt, że tekst pierwszego dokumentu czasu wojny, który na dodatek był napisany własnoręcznie przez wybitnego stratega, z jakiegoś powodu w dziennikach Żukowa nie jest cytowany. Dowiadujemy się tylko, że dyrektywa ta była nie do wykonania, tzn. idiotyczna.

Stale słyszymy, że „z osobą Żukowa, posiadającego wybitny talent dowódczy, związane są wszystkie ważniejsze operacje strategiczne Radzieckich Sił Zbrojnych". To fakt. Z osobą Żukowa i jego wielkim talentem dowódczym związana jest klęska Armii Czerwonej w czerwcu 1941 roku. I to jest piętno, którego nie da się zetrzeć.

---

[8] Żukow, *op. cit.*, s. 223.

Rozdział 12

Jak Żukow nabił Armię Czerwoną na niemiecką pikę

Plan odparcia agresji faszystowskiej miał charakter kontr-ofensywy. Wstępnie przyjęto koncepcję, która zakładała, że na atak nieprzyjaciela należy odpowiedzieć potężnym uderzeniem, a następnie przystąpić do zdecydowanych działań ofensywnych na całym froncie. Tej idei był podporządkowany cały system strategicznego rozmieszczania sił zbrojnych. Prowadzenie obrony strategicznej oraz inne możliwości działań wojennych w zasadzie nie były opracowywane.[1]

MINISTER OBRONY ZSRR MARSZAŁEK ZWIĄZKU RADZIECKIEGO JAZOW

I

Żukow informuje, że 22 czerwca 1941 roku o godzinie 7.15 dyrektywa nr 2 została przekazana do okręgów wojskowych. Wielki geniusz jest w błędzie.

„Wojenno-istoriczeskij żurnał" opublikował faksymile „Dyrektywy nr 2", którą Żukow pisał rankiem 22 czerwca 1941 roku.[2] Ten utytłany, pokreślony skrawek papieru był zupełnie nieczytelny. Zawierał masę poprawek.

Przede wszystkim dokument powinien być opatrzony klauzulą „Ściśle tajne". Żukow napisał: „Szyfrem". Skreślił. Napisał „Tajne". Dalej umieścił listę adresatów: „Do rad wojskowych Leningradzkiego OW, Północno..." Tu Żukow znów skreślił

---

[1] „Wojenno-istoriczeskij żurnał", nr 5/1991, s. 13.
[2] „Wojenno-istoriczeskij żurnał", nr 4/1991.

niedokończone słowo „Północno". Zamiast niego napisał: „Bałt-SOW, ZachSOW, KSOW, OdSOW".

Za tym kryje się rzecz następująca: w celu przygotowania ataku na Niemcy, Węgry i Rumunię jeszcze w czasie pokoju wojska Bałtyckiego, Zachodniego i Kijowskiego Specjalnego OW zostały przekształcone odpowiednio we Fronty: Północno--Zachodni, Zachodni i Południowo-Zachodni. Jednak można było o tym poinformować dopiero w momencie, kiedy rozpocznie się natarcie na Niemcy, Węgry i Rumunię. Przed rozpoczęciem ataku, dla zmylenia przeciwnika, radzieckie rozwinięte już fronty ciągle jeszcze nazywano okręgami wojskowymi. Żukow chciał zaadresować dyrektywę do rad wojennych frontów, ale przypomniał sobie, że atak Armii Czerwonej jeszcze się nie zaczął, więc informacji o utworzeniu frontów nie może umieścić nawet w poufnym dokumencie. Dlatego Żukow przekreślił nie dopisany nagłówek do rad wojskowych Frontu Północno-Zachodniego i pozostałych frontów – i skierował dyrektywę do okręgów wojskowych.

Później do gotowego już dokumentu małymi literkami, między wierszami, dorzucił jeszcze jeden adres: „Kopia dla ludowego komisarza spraw wewnętrznych". Żukow w ciągu pięciu miesięcy długich rozmyślań nie zdołał nawet sporządzić listy, kogo w pierwszej kolejności należy powiadomić o rozpoczęciu wojny. W ostatnim momencie Żukow zorientował się, przypomniał sobie o czekistach i wciągnął resort bezpieczeństwa na listę adresatów.

A więc do gmachu NKWD na Łubiance natychmiast przekazano kopię dyrektywy szefa Sztabu Generalnego Żukowa, z której ludowy komisarz spraw wewnętrznych Ławrientij Beria miał się dowiedzieć, że wojna się rozpoczęła! Natomiast – ciekawostka! – podobnej kopii nie przekazano admirałowi Kuzniecowowi, ludowemu komisarzowi marynarki wojennej.

Co prawda na dole dokumentu znalazł się dopisek: „Skopiowano odręcznie w jednym egz. i wręczono kapitanowi 1. rangi Gołubiewowi – LKMW. Podpis na odwrocie". W krytycznym momencie dyrektywa ta nie została przekazana marynarce wojennej. Ktoś później odręcznie przepisywał gryzmoły Żukowa i przekazywał do Ludowego Komisariatu Marynarki Wojennej.

Żukow nawet nie wspomniał o dowódcy Głównego Zarządu Obrony Przeciwlotniczej ani o dowódcy Głównego Zarządu Sił Powietrznych. Dlatego dyrektywa Żukowa nie dotarła ani do jednego, ani do drugiego. O nich strateg po prostu – to przecież ludzkie! – zapomniał.

Następnie, po wyliczeniu adresatów, Żukow wpisuje datę oraz godzinę: 22.06.41 r., godzina 7.15. A więc 7.15 nie jest godziną, o której dyrektywa została przekazana do okręgów. O 7.15 Żukow dopiero zasiadł, żeby ją napisać. Wtedy właśnie w lewym górnym rogu umieścił godzinę. Dyrektywę jeszcze trzeba było ułożyć. Właściwe słowa jak na złość nie przychodziły mu do głowy. Później dyrektywę należało przekazać szyfrantom. Oni też potrzebowali czasu, żeby zaszyfrować dokument. Następnie trzeba było go przekazać do węzła łączności, trzeba było go nadać. Trzeba było go odebrać i odszyfrować...

A tymczasem już od dawna płonęły lotniska. A tymczasem czekiści już polowali na tych nielicznych pilotów, którzy na własną rękę zdołali wzbić się w powietrze, podjąć walkę i szczęśliwie powrócić do bazy. Wojska otrzymały na razie tylko dyrektywę Żukowa nr 1: NIE DAĆ SIĘ WCIĄGNĄĆ W ŻADNE PROWOKACYJNE DZIAŁANIA! Kto podejmie walkę, ten jest prowokatorem. Temu od razu na lotnisku, wśród płonących samolotów i eksplodującej amunicji, czekiści odbijają nerki, żeby pozostałym odechciało się ulegać prowokacjom.

W jednostkach wojskowych panuje totalne bezhołowie, każdy robi, co chce – a Żukow w męczarniach wciąż płodzi dokument. Kreśli, na górze coś dopisuje, znów zamazuje, obok pisze jeszcze coś innego i strzałką pokazuje, gdzie ten dopisek umieścić w tekście.

Nie mogąc doczekać się poleceń wielkiego stratega, dowodzący frontami generałowie Kuzniecow, Pawłow, Czerewiczenko, Kirponos byli zmuszeni przekroczyć własne prerogatywy i złamać przestępcze zakazy Żukowa. Wydawali własne rozkazy: „rozpocząć działania bojowe". Było to równoznaczne z załamaniem się centralnego dowodzenia Armią Czerwoną.

Radzieckie trybunały w każdych okolicznościach uznawały taką postawę za zbrodnię: kara śmierci przez rozstrzelanie. Po wojnie Żukow zwalał winę na Pawłowa, Kuzniecowa, Kirponosa i pozostałych dowódców okręgów. Ale czy to oni zawinili?

Dyrygent orkiestry nie przeprowadził żadnych prób. Nuty opieczętowano, nikt nie miał do nich dostępu. Kapelmistrz nawet nie poinformował orkiestry, jaki utwór ma zagrać. Rozpoczął się koncert, a dyrygenta nie ma. Każdy muzyk podejmuje własny temat: ktoś gra *Taniec z szablami*, ktoś inny *Umierającego łabędzia*[3]. Orkiestrę obrzucono zgniłymi jajami. I oto pojawia się długo oczekiwany genialny dyrygent. On również obrzuca swoich wykonawców zgniłymi jajami. Na dodatek coś peroruje o brakach w edukacji muzyków i o tym, że mają złe instrumenty.

A my wciąż wierzymy w dyrygenta. Stawiamy mu pomnik i na wieki okrywamy hańbą tych, którzy próbowali cokolwiek zrobić, wtedy, gdy Żukow nie robił nic.

A więc do rzeczy.

Dowodzenie Armią Czerwoną zostało zniszczone nie na szczeblu dowódców okręgów wojskowych, lecz na szczeblu Sztabu Generalnego. W pierwszych godzinach wojny Żukow nie wydał Armii Czerwonej żadnych poleceń, co ma robić w razie ataku. Również przed wojną Żukow nie dał okręgom wojskowym żadnych wskazówek, jak mają postępować w takim wypadku. A zatem Armia Czerwona została pozbawiona dowództwa nie w pierwszych chwilach wojny, ale jeszcze przed jej rozpoczęciem.

II

Żukow miał jeszcze jedną możliwość. Mógł ogłosić początek wojny i rozpocząć mobilizację. Marszałek Związku Radzieckiego Bagramian informuje, że przed wojną wydano rozkaz:

---

[3] Popularny w Rosji utwór wg francuskiego kompozytora Camille'a Saint-Saënsa (1835–1921) – [przyp. tłum.].

nie zestrzeliwać niemieckich samolotów. Dalej wyjaśniano: otwierać ogień dopiero po ogłoszeniu mobilizacji.[4]

Kto odpowiada za mobilizację? Osobiście szef Sztabu Generalnego. Mobilizację przygotowuje Sztab Generalny, a przeprowadza się ją na podstawie decyzji najwyższych organów władzy państwowej. Jednak obowiązkiem szefa Sztabu Generalnego jest podpowiedzieć władzy, że właśnie nadszedł właściwy moment!

Stalin skupiał w swoich rękach całą władzę. Uwierzmy Żukowowi, że Stalin wystraszył się i nie wiedział, co robić. No, to wykaż inicjatywę! Potraktuj milczenie Stalina jako przyzwolenie. A jeżeli nie ma zgody Stalina, przekrocz własne prerogatywy! Generał armii Pawłow tak właśnie postąpił. Nie miał ani decyzji z Moskwy, ani nie było obok niego Stalina. Żukow nie musiał wrzeszczeć do głuchego telefonu, nie musiał pisać i szyfrować wiadomości dla Stalina. Żukow przebywał w gabinecie Stalina, gdzie zgromadzono całe Politbiuro. Jeżeli nikt nie wiedział, jakie podjąć środki, to Żukow powinien był krzyknąć:

– Ogłaszam mobilizację! Kto przeciw?

I to by wystarczyło. Któż by się sprzeciwił? Gdyby nawet znalazł się taki osobnik, to wziąłby na siebie odpowiedzialność za opóźnianie działań wojennych. A tak zwlekanie z ogłoszeniem mobilizacji na wieki pozostanie na sumieniu Żukowa.

Mijały godziny, mobilizacji wciąż nie ogłaszano. Jak informuje marszałek Związku Radzieckiego Wasilewski, dopiero dwanaście godzin po rozpoczęciu wojny podano informację o mobilizacji.

Słyszę opinie, że dowódcy frontów ślamazarnie reagowali na wydarzenia. To prawda. Za to strategiczny geniusz Żukow był wzorem zdecydowanego działania...

Pozostała jeszcze jedna kwestia. Pierwszy dzień mobilizacji wyznaczono na 23 czerwca 1941 roku. Zatem owa perła strategicznej mądrości Żukowa mogła być interpretowana w sposób następujący: od 24 czerwca 1941 roku zezwala się zestrzeliwać samoloty niemieckie.

A nasz geniusz płodzi nowy dokument: dyrektywę nr 3.

---

[4] I. Bagramian, *Tak wykuwaliśmy zwycięstwo*, Warszawa 1980.

Jej tekstu w swojej książce też nie przytacza. I oczywiście ma to swoje uzasadnienie. Dyrektywa nr 3 nakazywała Armii Czerwonej nie bronić się, lecz atakować: „okrążyć i zniszczyć suwalskie zgrupowanie nieprzyjaciela, a do 24.06. opanować rejon Suwałk", „okrążyć i zniszczyć zgrupowanie nieprzyjaciela atakujące na odcinku Włodzimierz Wołyński – Brody", „do 24.06. opanować rejon Lublina".

Byłoby lepiej, gdyby nasz strateg nie podpisywał takich dokumentów! Sens tej dyrektywy sprowadza się do tego, że zabrania wojskom radzieckim obrony. Żukow pchnął wojska do ofensywy na terytorium nieprzyjaciela, stawiając im niewykonalne zadanie opanowania prosto z marszu Suwałk i Lublina.

Po wojnie Żukow opowiadał, „że wróg był silniejszy". Jeżeli tak, to daj rozkaz obrony! Jeżeli nasze wojska są słabe, to każdy atak jest dla nich równoznaczny z samobójstwem. Tym bardziej, jeżeli jest to atak spontaniczny, nie poprzedzony odpowiednim przygotowaniem. Żukow po prostu żąda złożenia w ciągu dwóch dni meldunku o zajęciu miast na terytorium wroga.

W tej sytuacji rozkaz generała armii Pawłowa o rozpoczęciu działań bojowych wydaje się o wiele rozumniejszy. Każdy dowódca widział, co dzieje się dookoła, i postępował zależnie od okoliczności: przechodził do obrony albo się wycofywał. A dyrektywa nr 3 zmuszała wszystkich do ataku.

Żukow oczekiwał ofensywy w specyficznych warunkach. Zniszczone były wszystkie lotniska. Radzieckie samoloty zwiadowcze nie mogły wystartować, w związku z czym dowódcy nie mieli pojęcia, gdzie znajdował się nieprzyjaciel. Żukow żądał atakowania na oślep, podczas gdy nieprzyjaciel w pełni opanował przestrzeń powietrzną. Żukow wymagał ataku w warunkach, kiedy wróg widział wszystko z góry, a my mieliśmy wykłute oczy.

W dzieciństwie słyszałem opowieści o polowaniu na niedźwiedzia. Na niedźwiedzie chadzano z piką. Pika składała się z długiego drzewca zakończonego grotem. Polowanie odbywało się w pojedynkę. Metoda była nieskomplikowana. Niedźwiedzia trzeba było najpierw rozwścieczyć. Kiedy ruszał do ataku, wtedy grot należało skierować w pierś niedźwiedzia, a koniec piki zaprzeć w ziemi. Jeśli drzewce i nerwy myśliwego były wystarczająco mocne – zwierzę zabijało się samo. Nabijało się na pikę całą swoją masą. Dokładnie w ten sam sposób dyrektywa nr 3 zgubiła Armię Czerwoną. Tą dyrektywą Żukow nadział wielkiego rosyjskiego niedźwiedzia na niemiecką pikę.

III

Z poprzednich rozdziałów pamiętamy, że podczas gier wojennych w styczniu 1941 roku Żukow zaprezentował się jako dowódca wyższej klasy niż Kuzniecow i Pawłow, którzy w początkowym okresie wojny postępowali nieudolnie. Jednak obaj dowodzili swoimi wojskami nieudolnie nie dlatego, że byli gorsi od Żukowa, tylko dlatego, że stosowali się do drakońskich reguł, które on właśnie ustanawiał.

Wojska przygranicznych okręgów wojskowych, którymi dowodzili Pawłow, Kuzniecow, Kirponos i Czerewiczenko, były wysunięte nad samą granicę i z chwilą zaskakującego ataku żołnierze nie zdążyli dopaść własnych czołgów i armat. Stało się tak nie dlatego, że głupi dowódcy frontów z własnej woli zapędzili miliony żołnierzy nad granice, ale dlatego, że tak rozkazał szef Sztabu Generalnego.

Lotniska okręgów przygranicznych były wysunięte nad same granice i po brzegi zapełnione samolotami. Maszyny te w większości spłonęły, nie zdążywszy wzbić się w powietrze. Stało się to nie z powodu kaprysu Pawłowa, Kuzniecowa czy też innego dowódcy okręgu, lecz na rozkaz Żukowa.

Rezerwy strategiczne również znajdowały się przy granicy i dostały się w ręce nieprzyjaciela nie dlatego, że Pawłow i Kuzniecow byli głupi i nieudolni, a dlatego, że tak rozkazał szef Sztabu Generalnego Żukow.

Wojska okręgów przygranicznych nie miały planów odparcia agresji i winny był temu Sztab Generalny i jego genialny szef.

Już w czasie pokoju wojska Frontu Zachodniego oraz Południowo-Zachodniego na głównych odcinkach znalazły się w pułapce. Rozlokowano je w występach, które głęboko wcinały się w terytorium nieprzyjaciela. Tak więc zgrupowania wojsk radzieckich z trzech stron były otoczone przez wroga. Pozostawało tylko uderzenie na ich tyły i odcięcie drogi odwrotu. Co też nieprzyjaciel uczynił. Winny był temu Sztab Generalny i osobiście jego szef. To Żukow określił zasady dyslokacji wojsk. Bez zgody Sztabu Generalnego dowódca okręgu nie miał prawa przemieścić nie tylko armii czy korpusu, ale nawet jednego batalionu, pułku czy dywizji.

Główne uderzenie armia niemiecka przypuściła na wojska Pawłowa, ześrodkowane na północ od Polesia. Natomiast główne siły Armii Czerwonej z jakiegoś powodu znajdowały się na południe od Polesia. Żukow wszystko wiedział i wszystko rozumiał. Przewidział, że Niemcy zaatakują na południe od Polesia, ale... własne wojska skoncentrował w innym miejscu.

Wmawiano nam, że wszystkiemu winni byli dowódcy okręgów wojskowych, a w Moskwie siedział geniusz. To stara sztuczka. Dziesięć lat przed klęską 1941 roku Stalin przeprowadzał kolektywizację. Mordował i niszczył najbardziej ofiarnych i pracowitych rolników, którzy żywili kraj i połowę Europy. Rezultat operacji był opłakany. I wtedy towarzysz Stalin napisał artykuł do gazety „Prawda". Winą obarczył władze lokalne: poniosło was, towarzysze, za bardzo się przejęliście swoją rolą, aż wam się kręci w głowie od sukcesów! I zaczęto strzelać do tych, którzy najbardziej się starali, do tych, którzy dokładnie wypełniali rozkazy Stalina.

W 1941 roku Stalin powinien był rozstrzelać Żukowa. Ale wtedy cień padłby na kierownictwo w Moskwie, a przez to i na samego Stalina. Wygodniej było zwalić wszystko na wykonawców rozkazów. Dlatego pod topór trafił dowódca Frontu Zachodniego generał armii Pawłow oraz inni generałowie.

A Żukow pozostał czysty.

IV

Od pierwszych dni wojny Żukow koordynował działania Frontu Południowo-Zachodniego i Południowego.

Generał pułkownik Kuzniecow w krajach bałtyckich dowodził dwoma korpusami zmechanizowanymi, przeciwko którym walczyła jedna niemiecka grupa pancerna – 631 czołgów.

Generał armii Pawłow na Białorusi miał 6 korpusów zmechanizowanych, przeciwko którym walczyły dwie niemieckie grupy pancerne – 1967 czołgów.

Generał armii Żukow w Mołdawii i na Ukrainie miał 10 korpusów zmechanizowanych, przeciwko którym walczyła jedna niemiecka grupa pancerna – 799 czołgów.

No, chyba geniusz strategiczny zademonstrował tutaj swój talent dowódczy! Niestety, bezsensownymi marszami Żukow wykończył sześć korpusów, a później wystawił je na ogień nieprzyjaciela, by uległy całkowitej zagładzie. Pozostałe cztery korpusy wykrwawił do cna.

Obecnie wciska się całemu światu, że starcie pancerne w 1943 roku na Łuku Kurskim pod Prochorowką było największym w historii drugiej wojny światowej i w całej historii świata. Ale to nieprawda. Największa bitwa pancerna miała miejsce w dniach 23–27 czerwca 1941 roku w rejonie Dubna, Łucka i Równego, gdzie doszło do konfrontacji sześciu radzieckich korpusów zmechanizowanych z niemiecką 1. Grupą Pancerną Kleista. Radzieckimi wojskami dowodził Żukow. Miał pełną przewagę zarówno pod względem ilości, jak i jakości posiadanego uzbrojenia.

1. Grupa Pancerna miała na stanie 799 czołgów.

Po to, żeby zatrzymać taką liczbę czołgów, Żukowowi powinno było wystarczyć na Ukrainie i w Mołdawii 266 czołgów podobnej klasy co niemieckie. Tymczasem Żukow w składzie Kijowskiego i Odeskiego OW miał 8069 czołgów, czyli 30-krotnie więcej, niż było potrzebne do obrony.

Sam tylko IV KZmech, który Żukow rzucił przeciwko 1. Grupie Pancernej, miał 892 czołgi, w tym 414 najnowszych czołgów typu T-34, KW-1 i KW-2. Podobnych czołgów ani Hitler, ani nikt w świecie nie miał nawet w projektach.

VIII KZmech miał 858 czołgów, włączając 171 T-34 i KW.

XV KZmech – 773 czołgi, w tym 131 T-34 i KW.

XXII KZmech – 647 czołgów, w tym 31 T-34 i KW.

Czy to za mało? Hitler na żadnym froncie nie miał ani jednego czołgu, który można by porównać do czołgów radzieckich.

Każdy z tych korpusów można śmiało uważać za prawdziwą armię pancerną. Podczas wojny mało która armia radziecka miała taką liczbę czołgów. Również niemieckie armie pancerne podczas wojny nigdy nie miały na stanie tylu czołgów. USA, Wielka Brytania, Francja, Japonia, Włochy w tej dziedzinie nie mogły dorównać poziomowi ZSRR i Niemiec, gdyż w swoich siłach zbrojnych nigdy nie miały armii pancernych.

Mając taką przewagę nad nieprzyjacielem, Żukow haniebnie przegrał jedną z największych bitew w historii świata. Członek rady wojennej Frontu Południowo-Zachodniego komisarz korpusu Waszugin po zakończeniu bitwy strzelił sobie w łeb. A był tylko komisarzem, to nie on przygotowywał, planował i dowodził tym starciem.

Tę bitwę pancerną przygotowywał, planował i poprowadził sam Żukow. To on w ciągu czterech dni rzucił w ogień sześć korpusów zmechanizowanych, a inne wykrwawił. Po takiej klęsce Żukow też powinien się zastrzelić i chociaż częściowo oczyścić się z hańby. A ściślej mówiąc, najpierw powinien był zastrzelić się Żukow, a dopiero później pozostali, którzy nie ponosili za tę hańbę takiej odpowiedzialności jak on.

Ale Żukow wsiadł do samolotu i poleciał do Moskwy.

Co zrobiłby wielki Żukow, gdyby miał nie dziesięć korpusów zmechanizowanych, tylko dwa, jak Kuzniecow?

Co zrobiłby wielki Żukow, gdyby przeciwko niemu walczyła nie jedna grupa pancerna, lecz dwie, jak przeciw Pawłowowi?

Dowodzący frontami generałowie Pawłow i Kuzniecow nie mieli prawa porzucić rozgromionych wojsk i wrócić do Moskwy. Szef Sztabu Generalnego generał armii Żukow takie prawo miał. Porzucił rozgromione z własnej winy wojska i miał wszystko gdzieś.

Sprawa ta wymaga dokładniejszej analizy. Powrócimy do niej przy innej okazji.

V

Żukow po wojnie ogłosił: mieliśmy mało amunicji. Przestarzałe czołgi. Samoloty jak latające trumny. Wojska skrajnie wyczerpane.

Spróbujmy zamienić armie miejscami, jak to się czyni podczas gier wojennych. Wyobraźmy sobie, że na miejscu Armii Czerwonej stoi niemiecki Wehrmacht. Że to nie Armia Czerwona ma bronić Związku Radzieckiego, lecz armia niemiecka. A Wehrmachtowi rozkazuje największy dowódca XX wieku – Żukow. Wszystko jest w najlepszym porządku: w armii niemieckiej są odporni, dobrze przeszkoleni żołnierze, mądrzy dowódcy i świetna technika wojskowa. Jakie byłoby to połączenie: wzorcowa armia i na jej czele radziecki geniusz?

Możecie to sobie wyobrazić? Dobrze. Idźmy dalej.

Przed wojną zostają wydane w Moskwie dyrektywy Żukowa: lotniska przenieść nad granice, wprost pod ogień wrogich baterii! I rezerwy strategiczne również tam! Do samolotów nieprzyjaciela nie strzelać! Zamki z broni zdać do magazynów! Przeciąć na granicach druty kolczaste! Transzei i okopów nie kopać! Miliony żołnierzy przerzucić pod same granice. Tam też rozmieścić sztaby, stanowiska dowodzenia i węzły łączności! Żadnych map swojego terytorium wojskom nie dawać! Najpotężniejsze armie wprowadzić w przyczółki, które wcinają się w terytorium wroga! Żadnych przedsięwzięć bez rozkazu z Moskwy nie podejmować! Nie dać się wciągnąć w żadne prowokacyjne działania!

Dowódcy wszystkich szczebli, od plutonu począwszy, nie mają pojęcia o planach dowództwa. Wszystkie plany zostały dostarczone w opieczętowanych kopertach. Za otwarcie bez rozkazu grozi pluton egzekucyjny.

I nagle na tę wzorcową armię spada nieoczekiwany, druzgocący atak. Rozkaz Żukowa, by nie dać się wciągnąć w prowokacyjne działania, oznaczał, że nie wolno walczyć. A rozkaz niepodejmowania żadnych przedsięwzięć bez polecenia oznaczał, że nie wolno w ogóle nic robić. Po takich rozkazach w najbardziej dramatycznej chwili nieprzyjacielskiej agresji następuje wielogodzinne milczenie Moskwy. Zakaz prowadzenia wojny wciąż obowiązuje, nie zostaje odwołany.

Co zrobiłaby zdyscyplinowana armia niemiecka w takiej sytuacji? Czy byłoby jej lżej niż Armii Czerwonej w dniu 22 czerwca 1941 roku? Czy armia niemiecka od razu zaczęłaby wygrywać, gdyby żaden generał ani oficer nie miał żadnych planów? A potem nagle otrzymał niewykonalne dyrektywy, w których Żukow wymaga atakowania bez żadnego przygotowania. Atakowania w sytuacji, kiedy nie wolno tego robić. Atakowania na ślepo. W których wręcz zmuszał do nabicia się na niemiecką pikę.

Czy po tym wszystkim ktoś jeszcze odważy się powiedzieć, że Żukow to geniusz? Czy po tym wszystkim ktoś jeszcze odważy się winić Armię Czerwoną za to, że źle walczyła?

Rozdział 13

Jak Żukow ratował Moskwę

Żukow znacznie bardziej lubił władać, niż kierować. W ciężkich chwilach jego podkomendni nie mogli liczyć na dobre słowo ani wsparcie ze strony swojego dowódcy i towarzysza broni.[1]

MARSZAŁEK ZWIĄZKU RADZIECKIEGO ROKOSSOWSKI

I

Miesiące poprzedzające wybuch wojny oraz czerwiec i lipiec 1941 roku są na tyle istotne, że nie da się ich opisać w kilku rozdziałach. Na ten temat powstanie odrębna książka.

Wróćmy teraz do sierpnia 1941 roku, przenieśmy się w okolice miasta Jelnia. Tutaj w sierpniu i wrześniu 1941 roku Front Odwodowy pod dowództwem Żukowa przeprowadził pierwszą w tej wojnie udaną ofensywę. Tutaj narodziła się tradycja gwardyjska. Za wytrwałość w obronie i zdecydowanie w ataku oraz za zbiorowe bohaterstwo i męstwo wszystkich żołnierzy 100. i 127. Dywizja Piechoty 24. Armii Frontu Odwodowego zostały przemianowane odpowiednio na 1. i 2. Dywizję Piechoty Gwardii.

Bitwa pod Jelnią – to pierwszy triumf Armii Czerwonej w wojnie z Niemcami hitlerowskimi. Do tego przyczynił się Żukow. Trzeba mu to przyznać.

Ale co tak naprawdę wydarzyło się pod Jelnią?

Czołowe oddziały 2. Grupy Pancernej Guderiana przełamały radziecką obronę i 19 lipca 1941 roku zajęły Jelnię. Niemcom udało się uchwycić dobrze umocniony przyczółek, który

---

[1] „Wojenno-istoriczeskij żurnał", nr 2/1990, s. 50.

miał szczególne znaczenie – był skierowany w stronę Moskwy. Przez niecały miesiąc 2. Grupa Pancerna toczyła walki na linii od Brześcia do Jelni, pokonując odległość około 700 km. Od Moskwy dzieliło ją zaledwie 300 km. Gdyby czołgi Guderiana posuwały się nadal z taką prędkością, to do rogatek Moskwy dotarłyby w ciągu dwóch tygodni. Występ jelnieński miał być rubieżą wyjściową do ataku na stolicę. W wyniku krwawych bojów w sierpniu i na początku września Żukowowi udało się ją zniszczyć. Wielkość jego czynu ukazuje nam się w całej okazałości. A jednak...

A jednak po bliższym zapoznaniu się z faktami jesteśmy zmuszeni trochę inaczej ocenić ówczesną sytuację.

Podchodząc pod Jelnię 2. GPanc Guderiana wysforowała się daleko naprzód. Jej flanki były odsłonięte, tyły zagrożone. Rezerw nie było. Wojska potrzebowały odpoczynku i uzupełnienia zapasów, sprzęt wymagał napraw. Brakowało czołgów, silników, środków transportu, amunicji, części zamiennych. A co najważniejsze – Guderianowi brakowało paliwa. Tak więc Moskwa nie była wtedy bezpośrednio zagrożona. Guderian musiał zaczekać na dostarczenie mu wszystkiego, co było niezbędne do przeprowadzenia ataku. Zaopatrzenie nacierających wojsk niemieckich było możliwe tylko jedną linią kolejową Mińsk–Smoleńsk–Wiaźma–Moskwa, wówczas mocno zagrożoną i w znacznym stopniu uszkodzoną.

Ale nawet gdyby Guderian miał wszystkiego pod dostatkiem, to i tak uderzenie na Moskwę było wtedy dosyć ryzykownym przedsięwzięciem. Od północy 2. GPanc zagrażały wojska radzieckiego Frontu Północno-Zachodniego, liczące około pół miliona żołnierzy, setki czołgów i tysiące dział. Wojska tego frontu same nie były narażone na żadne niebezpieczeństwo, ponieważ znajdowały się na terenach Wyżyny Wałdajskiej, niedostępnej dla niemieckich czołgów. Natomiast od południa, ze strony Kijowa, Konotopu i Briańska, cała 2. GPanc oraz jej jedyna kolejowa droga zaopatrzenia była zagrożona przez wojska Frontu Zachodniego oraz Briańskiego, liczące ponad milion żołnierzy, tysiąc czołgów i pięć tysięcy dział.

Niemieckie dowództwo stanęło wobec dylematu w zasadzie nie do rozstrzygnięcia: uderzać na Moskwę czy najpierw rozbić zgrupowanie wojsk radzieckich pod Kijowem? Guderian i wielu innych generałów skłaniało się ku temu, żeby iść na Moskwę. Hitler uważał, że atak na Moskwę to wkładanie głowy w potrzask. Nie można uderzać na Moskwę, mając na prawej flance tak potężne zgrupowanie wojsk radzieckich.

Rubież obronna wojsk radzieckich w rejonie Kijowa oparta była na potężnej przeszkodzie wodnej – Dnieprze oraz na Kijowskim Rejonie Umocnionym. W tej sytuacji atak frontalny nie rokował powodzenia. Jednak 2. GPanc Guderiana, przebiwszy się daleko na wschód, zagrażała prawej flance kijowskiego zgrupowania i mogła uderzyć na jego tyły.

21 sierpnia 1941 roku Hitler rozkazał tymczasowo wstrzymać atak na Moskwę, a zamiast tego uderzyć na południe i okrążyć wojska radzieckie pod Kijowem. Operacja ta została przeprowadzona. W kotle kijowskim wojska niemieckie wzięły do niewoli około 665 000 żołnierzy i oficerów radzieckich, zdobyły 884 czołgi, 3178 dział, setki tysięcy ton amunicji, paliwa, części zamiennych i żywności.

II

Na Kremlu snuto różne domysły na temat planów Hitlera na przełomie lata i jesieni 1941 roku. Szef Sztabu Generalnego Żukow jak zwykle wszystko wiedział, wszystko rozumiał i wszystko przewidział. A głupi Stalin nic nie wiedział, nic nie rozumiał i niczego nie przewidział. Sam Żukow opowiada, że 29 lipca zadzwonił do Stalina i poprosił o przyjęcie w celu złożenia pilnego meldunku. Oto, co zameldował:

„Na moskiewskim kierunku strategicznym Niemcy w najbliższych dniach nie będą mogli prowadzić działań zaczepnych, ponieważ ponieśli zbyt wielkie straty. Nie mają tutaj wielkich strategicznych odwodów w celu ubezpieczenia prawego i lewego skrzydła Grupy Armii „Środek"; na kierunku leningradzkim bez dodatkowych sił Niemcy nie podejmą próby zdobycia Leningradu, aby połączyć się z armią fińską, a następnie skierować na Moskwę..."[2]

---

[2] Żukow, *op. cit.*, s. 294–295.

Żukow rzekomo powiedział Stalinowi: Hitler nie uderzy teraz na Moskwę ani nie będzie szturmował Leningradu. Teraz jest inne zagrożenie: wojska niemieckie zapewne uderzą na tyły Frontu Południowo-Zachodniego, utrzymującego rejon Kijowa. Dlatego trzeba jak najszybciej wyprowadzić wojska z okolic Kijowa za Dniepr.

Stalin: A co z Kijowem?

Żukow: Kijów trzeba będzie opuścić.

Wtedy właśnie miała ponoć miejsce owa słynna wymiana zdań.

Stalin: Co za bzdura!

Żukow: Jeżeli uważacie, że ja, jako szef Sztabu Generalnego, jestem zdolny do wygłaszania tylko bredni, to nie mam tu co robić. Proszę o zwolnienie mnie z tego stanowiska i skierowanie na front.

Doniesiono nam, że taka rozmowa rzekomo się odbyła i w jej wyniku Stalin odwołał Żukowa ze stanowiska szefa Sztabu Generalnego i mianował go dowódcą Frontu Odwodowego. I właśnie dowodząc Frontem Odwodowym, Żukow przeprowadził błyskotliwą operację zaczepną pod Jelnią.

Zwróćmy uwagę na następującą okoliczność – Hitler się wahał: uderzyć na Moskwę, czy na Kijów? Oba warianty były równie kuszące. Z jednej strony Moskwa, bezbronna, w odległości zaledwie 300 kilometrów. Z drugiej strony, jeżeli zawrócić pod Kijów, można bez większego wysiłku rozbić milionowe zgrupowanie wojsk radzieckich. Co zatem wybrać?

Warto zauważyć, że oba rozwiązania były w równym stopniu skazane na porażkę. Gdyby Hitler w sierpniu uderzył na Moskwę, to przed porą jesiennych deszczy nie zdążyłby zdobyć Ukrainy. Wtedy o Ukrainę trzeba by było walczyć jesienią i zimą. Gdyby natomiast uderzył na Ukrainę, wtedy przed porą deszczową nie zdobyłby Moskwy i bitwa o nią również przypadłaby na jesień i zimę. Żadna z tych możliwości nie uchroniłaby wojsk niemieckich od kampanii zimowej – walki w błocie, mrozie i śniegu. Zresztą wojna i tak zaczęła się przeciągać i nie było widoków na rychłe zwycięstwo Niemiec. A jeszcze planowano przecież zdobycie Leningradu! Niemcy nie chcieli również zostawić Stalinowi Krymu. Krym był bazą radzieckiego lotnictwa, które przymierzało się do bombardowania rumuńskiego zaplecza naftowego III Rzeszy. Hitler zdawał sobie z tego sprawę. Oba kierunki ataku były równie kuszące – i w równym stopniu nie rokujące szans na szybkie zwycięstwo. Prawdopodobieństwo wyboru każdej opcji było identyczne, dlatego tak trudno było przewidzieć, na co zdecyduje się Hitler.

Dzisiaj już wiemy, że po długich wahaniach i sporach Hitler podjął ostateczną decyzję dopiero 21 sierpnia: Moskwy na razie nie atakować, skierować się na południe, na tyły kijowskiego zgrupowania wojsk radzieckich. Ale genialny Żukow (jeżeli wierzyć jego pamiętnikom) już 29 lipca dokładnie wiedział, jaką decyzję podejmie Hitler. I rzekomo meldował Stalinowi: nie uderzą na Moskwę, lecz na Kijów.

Biedny Hitler 29 lipca 1941 roku pogryzał paznokcie, nie wiedząc, na co się zdecydować: Moskwa czy Kijów? I nawet nie domyślał się, że wielki Żukow z odległości półtora tysiąca kilometrów odczytał jego myśli trzy tygodnie wcześniej, nim zawitały w jego, Führera, głowie.

III

Przypuśćmy, że to, co stało się pod Jelnią, odbyło się tak, jak mówią agitatorzy. Załóżmy, że była to pierwsza podczas tej wojny udana operacja zaczepna wojsk radzieckich, zbiorowy heroizm, narodziny radzieckiej gwardii – a wszystko to za sprawą Żukowa, organizatora i inspiratora owego czynu.

Postawmy jednak pytanie: w jakim celu? Komu i po co potrzebna była ofensywa pod Jelnią?

Cofnijmy się do prognoz Żukowa z 29 lipca 1941 roku. Żukow ponoć zawczasu wiedział, że Hitler nie uderzy na Moskwę, że pójdzie na Kijów. Podobno za te właśnie przepowiednie głupi Stalin odwołał go ze stanowiska szefa Sztabu Generalnego.

Dobrze, załóżmy, że tak było.

Teraz przyjrzyjmy się działaniom Żukowa. Przez półtora miesiąca szturmuje występ jelnieński, bo jest to przyczółek do ewentualnej ofensywy na Moskwę, chociaż sam ponoć wie, że w tym momencie nikt na stolicę uderzać nie zamierza.

Żukow rzekomo przepowiedział, że nastąpi atak na tyły wojsk broniących Kijowa. I takie uderzenie faktycznie nastąpiło. W kotle kijowskim ginie sześć armii. Siły Guderiana też są na wyczerpaniu. Guderian opisuje, że musiał rzucić do boju ostatnie rezerwy – kompanię ochrony sztabu. W rezerwie nie miał już ani jednego żołnierza. Żukow nie powinien był więc tracić czasu na zbędne atakowanie występu jelnieńskiego, zamiast tego należało montować linię obrony totalnej. Dywizje, które wydostały się z okrążenia, należało skierować do pomocy armiom zamkniętym w kotle kijowskim. Siły Guderiana były na wyczerpaniu. Czasem źdźbło trawy może przetrącić grzbiet wielbłąda. Gdyby Żukow przynajmniej częścią swoich dywizji uderzył na tyły 2. GPanc, to największe zwycięstwo Guderiana pod Kijowem mogłoby się obrócić w największą jego klęskę.

2. GPanc rozciągnęła się na ogromnym obszarze, jej skrzydła i tyły nie miały żadnej osłony. Z przodu czołgi, za nimi – niezliczone kolumny służb tyłowych: lazarety polowe, bataliony remontowe, bezkresne kolumny transportowe z paliwem i amunicją, kuchnie polowe itd. Wszystkie są wyjątkowo łatwym celem. Ale bez tych służb grupa pancerna nie może funkcjonować i walczyć.

To dopiero okazja dla Żukowa! Uderzyć na tyły Guderiana! Żukow sam przepowiedział, że najbliższym celem Hitlera jest Kijów, a nie Moskwa. I oto toczy się bitwa o Kijów. Wojska niemieckie opadają z sił, są na granicy wyczerpania. Nie mają rezerw, utrudniona jest dostawa zaopatrzenia. A Żukow wydaje się tego nie dostrzegać. Żukow szturmuje niemieckie okopy pod Jelnią, nadaremnie przelewa krew żołnierzy w imię nikomu niepotrzebnego występu jelnieńskiego.

Jedno z dwojga. Albo Żukow nie przewidział, że Hitler uderzy na Kijów, i dopiero po wojnie wszystkim ogłosił swoje przypuszczenia. W takim wypadku jest kłamcą.

Albo Żukow istotnie miał nosa, że Hitler zwróci swoje wojska na Kijów, lecz mimo to bezsensownie tracił siły na drugorzędnym odcinku, kiedy w kotle kijowskim ginęły tysiące żołnierzy radzieckich, a nawet niewielka pomoc mogła diametralnie odwrócić sytuację na korzyść Armii Czerwonej. W tym przypadku Żukow okazałby się nieudolnym kapralem, niezdolnym do podejmowania właściwych decyzji nawet w oczywistej dlań sytuacji.

IV

W połowie lipca 1941 roku 2. Grupa Pancerna Guderiana zdobyła Jelnię, po czym przeszła do obrony. Żukow od początku sierpnia nieprzerwanie szturmował jej pozycje. Wiadomo, że bez żadnego skutku. Tym samym przyczynił się do śmierci niezliczonej liczby swoich żołnierzy, w żaden sposób nie szkodząc Guderianowi. Nie ma nic głupszego niż szturmowanie dobrze umocnionych pozycji, na których okopał się silny nieprzyjaciel. Takim szturmem bezsensownie uśmierca się własnych żołnierzy. Nawet jeżeli spodziewano się natarcia na Moskwę z występu jelnieńskiego, to i tak nie było potrzeby go szturmować. Trzeba było natomiast organizować obronę przeciw ześrodkowanym tam siłom nieprzyjaciela.

Weźmy przykład. W 1943 roku nadeszły informacje, że wojska niemieckie przygotowują ofensywę z okolic Orła i Białogrodu. Czy z tego wynika, że wojska radzieckie natychmiast miały uderzyć na Orzeł i Białogród? Bynajmniej. Skoro z tych rejonów spodziewany jest atak nieprzyjaciela, to oznacza, że nieprzyjaciel na tym kierunku zgromadził duże siły. Dlatego nie należało atakować jego pozycji, tylko przygotowywać obronę: kopać rowy przeciwczołgowe, kłaść pola minowe, okopywać się, budować schrony, przygotowywać zapory przeciwczołgowe i zasadzki. Jeżeli nieprzyjaciel jest silny i szykuje atak na danym kierunku, niech natknie się na naszą obronę. Niech połamie sobie zęby na naszych umocnieniach.

W 1943 roku Hitler upierał się, żeby ściąć Łuk Kurski, gdzie rozmieszczone były znaczące siły Armii Czerwonej, które przygotowały tam obronę nie do ruszenia. Ta operacja Hitlera wykrwawiła najlepsze jednostki Wehrmachtu.

Żukow to strateg tegoż samego pokroju co Hitler. Żukow również zaczynał od kaprala i do końca dni swoich pozostał mentalnie kapralem, bez względu na pagony marszałkowskie. Żukow widzi występ jelnieński, gdzie, według niego, znajdują się siły zdolne uderzyć na Moskwę. Czyli potężne siły. I Żukow wydaje rozkaz natarcia. Pięć ataków dziennie! Dziesięć! Hura-a-a!

Przeciwnik siedzi w okopach, nie widać nawet hełmów. Strzela, spokojnie celując. A nasi żołnierze atakują wyprostowani. Muszą strzelać w biegu. Dźwigają zapas amunicji i granatów, tracą oddech z powodu szybkiego biegu. Nie mogą celować. I w ogóle, do kogo mają strzelać, skoro Niemcy są okopani. Niemieccy snajperzy i karabiny maszynowe koszą radzieckie tyraliery jedną po drugiej. Nie szkodzi! Ludzi mamy pod dostatkiem! Ponowić atak! No, jeszcze raz! I jeszcze! Jeszcze!

Przez cały sierpień 1941, bez chwili przerwy, Żukow szturmował występ jelnieński. Wykrwawił tam najlepsze formacje Armii Czerwonej. To właśnie resztki dwóch dywizji, które ocalały po niezliczonych szturmach, otrzymały we wrześniu tytuły gwardyjskie.

Jelni broniła nie tylko piechota, była tam również 2. GPanc, co stanowiło jedną czwartą niemieckiej potęgi pancernej. Nie ma chyba nic straszniejszego, niż rzucić piechotę wprost na okopane czołgi. Czołgi w obronie są nie do pokonania. Nad ziemię wystaje tylko zamaskowana wieża. Ale nawet gdyby była odsłonięta, nie jest w nią łatwo trafić. Zresztą trafienie rzadko kiedy daje jakikolwiek efekt. Załoga okopanego czołgu jest chroniona pancerzem, walczy w komfortowych wręcz warunkach. Biegnąca w polu piechota Żukowa stanowi łatwy cel. Podobnie nacierający czołg jest dla czołgu okopanego bardzo łakomym kąskiem. Atakujcie, wojska Żukowa, atakujcie hurmem! Im więcej was, tym lepiej! Wszystkich rozwalimy...

21 sierpnia Hitler wydał rozkaz o potajemnym wycofaniu 2. GPanc z występu jelnieńskiego. Grupa wykonała rozkaz i zaatakowała Konotop, następnie Łochwicę oraz tyły radzieckiego zgrupowania pod Kijowem. Głęboko na tyłach wojsk radzieckich 2. GPanc Guderiana połączyła się z 1. GPanc Kleista, zamykając pierścień okrążenia wokół radzieckiego Frontu Południowo-Zachodniego. Był to największy kocioł w dziejach wojen.

Wycofując się, Guderian zostawił na występie jelnieńskim tylko kilka słabych dywizji piechoty, bez czołgów i prawie bez artylerii. I ten opustoszały rejon Żukow znowu zaczął szturmować. Dzień po dniu. Tydzień po tygodniu. Bez odrobiny litości dla własnych żołnierzy.

Żukow w końcu zdobył występ jelnieński. Ale było to raczej wyparcie wojsk niemieckich, a nie ich pogrom. Niemieckie dywizje piechoty po prostu wycofały się z przyczółka zawalonego ciałami radzieckich żołnierzy. Opuszczając go, wojska niemieckie zostawiły po sobie pola min przeciwpancernych i przeciwpiechotnych. Wadą nieprzerwanych ataków jest to, że przeciwnik poznaje metody walki, jakimi kieruje się atakujący. Jeżeli na danym kierunku w ciągu półtora miesiąca przeprowadził 127 nieudanych ataków, to znaczy, że nadal będzie przebijać głową mur w tym samym miejscu.

Wojska niemieckie na wszystkich frontach posuwały się naprzód, więc miny przeciwpiechotne i przeciwpancerne nie były im przydatne. A z występu jelnieńskiego Niemcy pod naciskiem Żukowa stopniowo się wycofywali, więc miało sens właśnie tu je wykorzystać. Tak też się stało. Praktycznie cały zapas min, jaki posiadała armia niemiecka, został zużyty na tym odcinku. I właśnie po tych nieprzebytych polach minowych rwały się naprzód dywizje Żukowa, niszcząc same siebie i nie czyniąc szkody nieprzyjacielowi.

Zadajmy sobie pytanie: co Żukow wiedział o przeciwniku znajdującym się w występie jelnieńskim?

Jeżeli uważał, że jest tam 2. GPanc, a mimo to rozkazał go szturmować, to znaczy, że był zbrodniarzem. Rozkaz frontalnego ataku na czołgi – jedną czwartą niemieckiej potęgi pancernej – okopane na pozycjach obronnych to zbrodnia. Jeśli natomiast sądził, że na występie jelnieńskim nie ma czołgów Guderiana, które zagrażałyby Moskwie, to szturmowanie pól minowych było podwójną zbrodnią.

Gdyby 2. GPanc tam nie było, to obowiązkiem Żukowa było natychmiast dowiedzieć się, gdzie jest i co zamierza. Tymczasem zanim jeszcze Żukow zaczął szturmować Jelnię, podstawowe siły 2. GPanc przystąpiły już do likwidacji sześciu armii osaczonych w kotle kijowskim.

Dalej wydarzenia rozwijały się następująco. Wojska niemieckie, wśród nich 2. GPanc, rozgromiły sześć armii radzieckich, wzięły do niewoli niezliczone rzesze jeńców i niebywałe trofea, po czym zawróciły w kierunku Moskwy. Pod koniec września 1941 rozpoczęło się natarcie na stolicę ZSRR. Niemieckie grupy pancerne doskonale radziły sobie bez występu jelnieńskiego. Był im niepotrzebny. Z powodzeniem zaatakowali na innych kierunkach i ponownie znaleźli się na przedpolach Moskwy. Jelnia, którą Żukow szturmował przez ponad miesiąc, płacąc za jej zdobycie morzem krwi radzieckich żołnierzy, poddała się bez walki. Front Odwodowy, którym do niedawna dowodził Żukow, dostał się w okrążenie i został rozgromiony. Powód był oczywisty: pod dowództwem Żukowa Front nie przygotował się do odparcia ataku, tylko bezsensownie szturmował Jelnię. W walkach o występ wojska Frontu Odwodowego zostały znacznie przetrzebione i osłabione, straciły niewyobrażalną ilość amunicji i zostały praktycznie z gołymi rękami. Wtedy właśnie dostały się pod uderzenie niemieckich dywizji. Trzy tygodnie po niepotrzebnym zwycięstwie pod Jelnią triumf Żukowa przemienił się w spektakularną klęskę całego Frontu Odwodowego.

Gdyby w sierpniu i na początku września Żukow spróbował uratować sześć armii z kotła kijowskiego, wówczas inaczej potoczyłyby się losy wojsk w okolicach Jelni. Gdyby Żukow nie szturmował Jelni, lecz siłą kilku dywizji uderzył na tyły Guderiana, wtedy walki pod Kijowem przeciągnęłyby się do października i listopada. W tym przypadku wojska Żukowa pod Jelnią miałyby czas na przygotowanie obrony. Poza tym również sam nieprzyjaciel po krwawych bojach o Kijów byłby już poważnie osłabiony. No i przystąpiłby do ataku na Moskwę nie z końcem września, lecz dużo bliżej zimy. Może nawet w ogóle by nie przystąpił.

Ale Żukow w sierpniu i wrześniu nie przyszedł z pomocą ginącym w okrążeniu pod Kijowem. Dlatego natychmiast po rozgromieniu kijowskiego zgrupowania wojsk radzieckich przyszła kolej na Front Odwodowy. Wojska, którymi dowodził Żukow, same dostały się w potrzask.

Co prawda sam Żukow uniknął okrążenia. Miał szczęście: jeszcze przed niemieckim atakiem na Moskwę Stalin skierował go do Leningradu. W przeciwnym razie wcinałby więzienną karmę w niemieckim oflagu, tak jak setki tysięcy żołnierzy i oficerów Frontu Odwodowego, których skazał na niewolę i śmierć absurdalnymi atakami na Jelnię.

Rozdział 14

Jak zakończyła się „klęska Niemców pod Moskwą"?

W 29. Armii zostało 6000 ludzi. [...] Wyczerpała się amunicja i żywność. Żołnierze zaczęli umierać z głodu.[1]

I

O Żukowie powstało wiele legend. Między innymi taka, że ocalił Leningrad.

Zacznijmy od tego, że przez dwa stulecia rosyjscy carowie fortyfikowali tereny wokół Petersburga. Zdobycie miasta szturmem było niemożliwe, to było najlepiej umocnione miasto na świecie. Na dodatek latem oraz wczesną jesienią 1941 roku do Leningradu przeniesiona została cała Flota Bałtycka. W okolicach Leningradu skoncentrowano niesłychane siły – 360 dział artylerii morskiej, w tym 207 nadbrzeżnej i 153 okrętowej. Takiej potęgi nie było w żadnej innej bazie wojskowej w czasie II wojny światowej.[2] Mowa tu nie o artylerii polowej, lecz morskiej. Przeważnie były to działa dużego kalibru. Armia niemiecka nie miała artylerii o porównywalnej sile ognia, którą mogłaby przeciwstawić artylerii radzieckiej.

Oprócz tego Leningradu broniły cztery armie: 8., 23., 42. i 55. Ich obrona opierała się na potężnej sieci rejonów umocnionych.

---

[1] „Wojenno-istoriczeskij żurnał", nr 2/1995, s. 17.
[2] „Wojenno-istoriczeskij żurnał", nr 6/1973, s. 37.

Nieba nad Leningradem strzegł korpus Wojsk Obrony Powietrznej. „Najwyższa koncentracja artylerii przeciwlotniczej przy obronie Moskwy, Leningradu i Baku była 8–10 razy większa niż podczas obrony Berlina i Londynu"[3]. Poza tym nieba nad Leningradem broniła artyleria przeciwlotnicza okrętów wojennych.

Leningradu broniło też lotnictwo Floty Bałtyckiej i Frontu Leningradzkiego.

Szturmowanie Leningradu byłoby szaleństwem. I Hitler na takie szaleństwo się nie zdecydował.

Przypomnijmy sobie jeszcze raz prognozy Żukowa, które 29 lipca 1941 roku przedstawił Stalinowi: „Bez dodatkowych sił Niemcy nie podejmą próby zdobycia Leningradu, aby połączyć się z armią fińską"[4]. Z pamiętników Żukowa wynika wprost: Leningradowi nie groził szturm. Po lipcu sytuacja się zmieniła: liczebność wojsk niemieckich pod Leningradem nie zwiększyła się. Wręcz przeciwnie, zmniejszyła się. I to znacznie.

Główna siła uderzeniowa, która szła na Leningrad, to 4. Grupa Pancerna generała Ericha Hoepnera. Żukow otrzymał rozkaz, by udać się do Leningradu. A Hoepner otrzymał rozkaz przeniesienia 4. GPanc z kierunku leningradzkiego na moskiewski.

W powieści Czakowskiego *Blokada* opisany jest moment pierwszej narady, jaką przeprowadził Żukow w sztabie Frontu Leningradzkiego. Dzwoni telefon, ktoś krzyczy do słuchawki:

– Niemcy!

Wszyscy obecni wpadają w panikę i tylko nieporuszony Żukow pyta spokojnie:

– Jacy Niemcy?

Nikt ze zgromadzonych nie rozumie spokoju Żukowa: przecież trzeba natychmiast przedsięwziąć jakieś środki, żeby zatrzymać hitlerowców, którym udało się przerwać linię frontu. Lecz okazuje się, że spokój Żukowa spowodowany jest tym, że dobrze rozumie sytuację. Wie, że Niemcy nie mają wystarczających sił, żeby przeprowadzić szturm. Dlatego jest spokojny.

---

[3] *Sowietskaja wojennaja encykłopiedija*, op. cit., t. 1, s. 289.
[4] Żukow, *op. cit.*, s. 296.

Powieść Czakowskiego to fikcja literacka. Ale pytanie postawione jest właściwie: „Jacy Niemcy?"

Siły niemieckie były zdecydowanie niewystarczające do szturmu Leningradu. Po przeniesieniu 4. GPanc na kierunek moskiewski pod Leningradem nie pozostał ani jeden niemiecki czołg. Zatem szturmu nie należało się obawiać. A więc nie można przypisywać Żukowowi zasługi ocalenia miasta.

I jeszcze jedno. Gdy mówimy o obronie Leningradu, należy zastanowić się nad tym, w jaki sposób wróg się tam znalazł. Jak to się stało, że lotniska Frontu Północno-Zachodniego znalazły się przy samej granicy, tak blisko, że rozjechały je gąsienice czołgów Hoepnera i Mansteina? Jak to się stało, że ani jedna dywizja Frontu Północno-Zachodniego (i wszystkich innych frontów) nie pośpieszyła z odsieczą? Jak to się stało, że mosty nad Niemnem i Dźwiną wpadły w ręce wroga? Jak to możliwe, że fortyfikacje Pskowskiego i Ostrowskiego RU nie były obsadzone przez załogi i zostały z marszu zajęte przez nieprzyjaciela? Czyż szef Sztabu Generalnego generał armii Żukow nie powinien był ponieść odpowiedzialności za te kompromitujące zdarzenia?

A skoro tak, to za jakie zasługi śpiewamy mu pieśni pochwalne?

Pieśni pochwalne śpiewamy za to, że Żukow przez swoje przedwojenne planowanie, przez swoje rozkazy w pierwszych godzinach i dniach wojny postawił wojska Frontu Północno-Zachodniego i innych frontów w sytuacji, która skazywała je na rozgromienie. Swoim działaniem Żukow otworzył wrogowi drogę do Leningradu. A kiedy wróg wycofał główną część swoich wojsk spod Leningradu, Żukow swoją obecnością zapobiegł szturmowi, którego... niemieckie dowództwo nie planowało.

II

A po Leningradzie – Moskwa.

Pewien znany generał okrzyknął Żukowa geniuszem za to, że ten „zatrzymał pułki faszystowskie pod murami Moskwy". Mocno powiedziane. Jednak dokumenty niemieckie wskazują na to, że armia niemiecka dowlokła się pod mury Moskwy resztkami sił. Była już wyczerpana i wykrwawiona nieustannymi walkami, dlatego zatrzymała się sama, niezależnie od kontrofensywy Armii Czerwonej, a nawet na kilka dni przed jej początkiem. Ofensywa armii niemieckiej na Moskwę zachłysnęła się w rzekach, rozlewiskach i jeziorach krwi żołnierzy Armii Czerwonej. Wielomiesięczne nieprzerwane bitwy wyczerpały siły Wehrmachtu. Najpełniejszy obraz rozwoju armii niemieckiej w okresie przedwojennym oraz w trakcie wojny przedstawił generał major Müller-Hillebrandt w pracy „Armia lądowa Niemiec, 1933–1945". Wystarczy przeczytać jedną stronę, żeby ocenić stan wojsk niemieckich po bitwie o Kijów.

Jesienią 1941 roku niemieckie dywizje pancerne dysponowały 35% swojej początkowej zdolności bojowej. „Dlatego w operacjach powinna była nastąpić przerwa. [...] Nasze wojska są o krok od całkowitego wyczerpania zasobów materialnych i ludzkich. [...] Zdolność manewrowa i siły ofensywne naszych wojsk wyczerpały się. [...] Najlepsze, na co możemy liczyć, to podciągnięcie północnego skrzydła pod Moskwę i zajęcie przez 2. Grupę Pancerną zakola Oki, na północny zachód od Tuły"[5].

Jak zatem widać, nie było wielkiej różnicy, czy Żukow pojawiłby się pod Moskwą czy też nie.

Po drugie, nie można nie zgodzić się z ochroniarzem Stalina, który słusznie stwierdził: „Żukow miał zbyt wysokie mniemanie o sobie i czasami tracił samokontrolę. Co miało oznaczać, że nie podda Moskwy? Kwatera Główna Naczelnego Dowództwa przerzuciła na Front Zachodni 39 dywizji i 42 brygady z Uralu, Syberii i Kazachstanu. Bez nich nawet chwała genialnego Żukowa przepadłaby bezpowrotnie"[6].

A po trzecie, należy powtórzyć to samo pytanie: w jaki sposób, z czyjej winy pułki niemieckie pojawiły się pod murami Moskwy? Jakim cudem „marszałek zwycięstwa", mając 36-krotnie więcej samolotów, niż potrzeba było do obrony,

[5] B. Müller-Hillebrandt, *op. cit.*, t. 3, s. 23.
[6] A. Rybin, *Stalin i Żukow*, Moskwa 1994, s. 23.

wpuścił wroga na swoje terytorium? I w jaki sposób genialny dowódca znalazł się pod samą Moskwą?

Aby zatrzymać trzy tysiące niemieckich czołgów na samej granicy i nie pozwolić im wtargnąć na terytorium ZSRR, 22 czerwca 1941 roku Żukowowi wystarczyło mieć na całym froncie tysiąc czołgów. Góra półtora tysiąca. Jak to możliwe, że mając 25 479 czołgów, wielki dowódca oparł się plecami o mury stolicy?

III

Gdy mowa jest o słynnych czynach Żukowa pod murami Moskwy, przypominam sobie akademicki kurs historii wojen i sztuki wojennej. U nas na początku wojny wszystko było nie tak, a później powoli zaczęto nabierać rozumu.

I właśnie na wykładzie w akademii opowiadają nam, że wywiad wojskowy po raz pierwszy został właściwie zorganizowany w bitwach zaczepnych wojsk radzieckich nad rzeką Lamą w styczniu 1942 roku.

Tam też, nad rzeką Lamą, po raz pierwszy zostało dobrze zorganizowane inżynieryjne zabezpieczenie operacji ofensywnej. Również podczas tej operacji, w styczniu 1942 roku, po raz pierwszy dobrze przygotowano zabezpieczenie tyłów w trakcie walk zaczepnych.

Obrona powietrzna po raz pierwszy dobrze funkcjonowała w trakcie walk nad rzeką Lamą. Mam nadzieję, że domyśliliście się już kiedy.

Po raz pierwszy odpowiednie planowanie działań bojowych miało miejsce... w styczniu 1942 roku nad Lamą.

Gdzie się ruszyć, wszystko bierze swój początek nad brzegami Lamy. Jeśli na przykład nie wiecie, gdzie po raz pierwszy w ciągu wojny dobrze wykonano operacyjny kamuflaż wojsk, to podpowiem: nad rzeką Lamą. A kiedy? W styczniu 1942 roku. Nie wierzycie, to sięgnijcie po „Wojenno-istoriczeskij żurnał"[7].

Słuchacze akademii wojskowych Związku Radzieckiego

---

[7] „Wojenno-istoriczeskij żurnał", nr 1/1972, s. 13.

powtarzali to wszystko semestr po semestrze. Jedni kończyli naukę, odchodzili do armii, na ich miejsce przychodzili następni. I tak rok w rok, przez całe dziesięciolecia. I nikt tego nie kwestionował. A dla mnie to jest kompletnie niezrozumiałe. Zresztą ja zawsze wszystko kwestionuję. Cóż to za wojska bez nazwy? Dlaczego opowiadają nam o jakichś radzieckich jednostkach nad rzeką Lamą, nie podając numerów dywizji ani numerów armii, nie wymieniając żadnych nazwisk?

I jeszcze jedno: 10 stycznia 1942 roku Kwatera Główna Naczelnego Dowództwa rozesłała do dowódców frontów i armii dyrektywę o sposobach prowadzenia tak zwanego natarcia artyleryjskiego. Może to wydać się dziwne, ale rankiem tego samego dnia wojska radzieckie, które nie otrzymały jeszcze tej dyrektywy i nie miały czasu się z nią zapoznać, pomyślnie przeprowadziły tak zwane natarcie artyleryjskie. Nadzwyczaj pomyślnie! Zaświadcza marszałek artylerii Pieredielski: „Po raz pierwszy natarcie artyleryjskie – w takiej formie, jaka została przewidziana w dyrektywie – miało miejsce podczas ataku 20. Armii nad rzeką Lamą w styczniu 1942 roku"[8].

No, nareszcie te wojska zostały jakoś nazwane. Nie jakieś tam bezimienne. To 20. Armia, wchodząca w skład Frontu Zachodniego. A kto dowodzi 20. Armią? Sięgnijmy po „Radziecką encyklopedię wojskową". Wymienionych jest jedenastu generałów, którzy w czasie wojny kolejno dowodzili 20. Armią. Pierwszych pięciu to generałowie porucznicy: Riemiezow (czerwiec–lipiec 1941), Kuroczkin (lipiec–sierpień 1941), Łukin (sierpień–wrzesień 1941), Jerszakow (wrzesień–październik 1941), Rejter (marzec–wrzesień 1942)...[9]

Stop! Nas interesują bitwy 20. Armii nad rzeką Lamą w styczniu 1942 roku. Ale z „Encyklopedii" wynika, że od października 1941 roku do marca 1942 roku 20. Armią nikt nie dowodził. Cuda nad rzeką Lamą działy się bez udziału dowódców. Poprzednia strona „Encyklopedii" podaje: „20. Armię ześrodkowano na północ od Moskwy i włączono w skład Frontu Zachodniego. W grudniu 1941 roku na prawej flan-

<hr>

[8] „Wojenno-istoriczeskij żurnał", nr 11/1976, s. 13.
[9] *Sowietskaja wojennaja encykłopedija, op. cit.*, t. 3, s. 104.

ce Frontu uczestniczyła w operacji zaczepnej na kierunku Klin–Sołniecznogorsk. Współdziałając z 16., 30. i 1. Armią Uderzeniową, zadała ona klęskę 3. i 4. GPanc wroga, odrzuciła je 90–100 kilometrów na zachód, na rubież rzeki Lamy, wyzwoliła Ruzę, Wołokołamsk i wiele innych miejscowości. W styczniu 1942 roku wojska 20. Armii uderzyły na kierunku Wołokołamsk–Szachowska, przełamały umocnioną linię obrony wroga na rubieży Lamy, po czym nękając wycofującego się wroga, z końcem stycznia dotarły do rejonu na północny wschód od Gżacka. Ta ofensywa wzbogaciła radziecką sztukę operacyjną o doświadczenie koncentracji sił i środków na głównym kierunku oraz ich właściwego wykorzystania w warunkach zimowych"[10].
I tak dalej.

IV

No więc w tych wszystkich bojach, które wzbogaciły radziecką sztukę operacyjną, 20. Armia miała swojego dowódcę. Był w randze generała majora. Nazywał się Andriej Własow. Za walki stoczone nad Lamą otrzymał stopień generała porucznika i najwyższe odznaczenie państwowe – Order Lenina. Pod bokiem armii Własowa działały armie Rokossowskiego i Goworowa. Rokossowski i Goworow z czasem zostali marszałkami Związku Radzieckiego. Jednakże ani Rokossowskiego, ani Goworowa nie stawiano za wzór. Byli dobrymi dowódcami, a nawet bardzo dobrymi. Ale za wzór stawiano Własowa. Był lepszym dowódcą niż obaj przyszli marszałkowie.

Gdyby los sprawił inaczej, to właśnie on poprowadziłby Defiladę Zwycięstwa w Moskwie. Własow był o wiele bardziej światłym dowódcą niż Rokossowski i Goworow.

Nad Własowem, Rokossowskim i Goworowem stał Żukow. Można by przyjąć, że ocalenie Moskwy i wszystkie cuda nad Lamą wydarzyły się na rozkaz Żukowa. Ale wtedy nieuchronnie nasuwa się pytanie, dlaczego Żukow doprowadził do perfekcji tylko kunszt wojenny Własowa. Dlaczego zapomniał

---

[10] *Ibid.*, s. 103.

o Rokossowskim, Goworowie i innych dowódcach armii Frontu Zachodniego?

I wtedy pozostaje nam przyznać, że błyskotliwe operacje 20. Armii nad Lamą były dziełem Własowa, bez udziału Żukowa, a możliwe, że wręcz wbrew Żukowowi.

Do eposu narodowego nie dostał się ani Żukow, ani Goworow, ani Rokossowski. Nad krajem rozbrzmiewała chwała Własowa. O nim naród układał pieśni:

> *Grom wojenny huczał basem,*
> *Wszystkie grzmiały nam armaty,*
> *O tym, że generał Własow*
> *Frycom spuścił niezłe baty!*

Później los sprawił, że nazwisko Własowa wykreślono i puszczono w niepamięć.[11] No, ale co zrobić z chwałą wybawcy Moskwy?

Chwałę wybawcy zdecydowano przypisać Żukowowi.

---

[11] Generał Andriej Własow w lipcu 1942 roku dostał się do niewoli. Kilka miesięcy później za wiedzą Berlina stanął na czele Rosyjskiego Ruchu Wyzwoleńczego, tworzonego wśród jeńców pod hasłem: „Bolszewizm – wrogiem ludu rosyjskiego". W 1944 roku utworzył Komitet Wyzwolenia Narodów Rosji (KONR). Zaraz potem za zgodą władz III Rzeszy Własow sformował dwie dywizje piechoty. W maju 1945 roku jedna z tych dywizji – 20 000 ludzi – wystąpiła przeciw Niemcom podczas powstania w Pradze. Pod koniec wojny żołnierze Własowa wycofali się do strefy amerykańskiej. Na mocy porozumień jałtańskich Własow i większość przywódców KONR zostali wydani władzom ZSRR. Skazany w Moskwie 1 sierpnia 1946 roku na karę śmierci. Wyrok wykonano nazajutrz. W ZSRR Własow był symbolem renegata i zdrajcy. Komunistyczna propaganda i historycy mianem „własowców" określali żołnierzy wszelkich formacji tworzonych przez Niemców z jeńców radzieckich. W PRL rozpowszechniano kłamstwa o udziale armii Własowa w tłumieniu Powstania Warszawskiego. Dzisiaj wiadomo, że ruch Własowa był jednym z najbardziej wieloznacznych i tragicznych epizodów II wojny światowej [przyp. tłum.].

V

W grudniu 1941 roku Armia Czerwona przegoniła Niemców spod Moskwy. W związku z kontrofensywą wojsk radzieckich opowiada się, że Stalin tak zachłysnął się sukcesem, że zażądał, aby Armia Czerwona ruszyła do natarcia równocześnie na wszystkich kierunkach. I to był błąd.

A mądry Żukow radził Stalinowi, żeby nie pędził Niemców na całym froncie, ale raczej skoncentrował siły na strategicznym kierunku moskiewskim. Niemcy atakowali Moskwę, tutaj ześrodkowali swoje doborowe oddziały. Tu skupili gros swoich sił. Tu mieli prawie wszystkie czołgi. I wszystkie pozbawione paliwa. A więc tu najlepiej było uderzyć, w te oddziały z wolna zamarzające na śmierć. Rozbijemy najlepsze wojska na najważniejszym kierunku, a z resztą pójdzie łatwiej. Sami dadzą nogę! Przecież nacierać równocześnie na czterech frontach, to jakby łapać cztery sroki za ogon. Niepotrzebnie tracimy energię. Nie tylko nie pokonamy wroga, ale też do wiosny zużyjemy wszystkie rezerwy strategiczne. Tak pisze Żukow w swoich pamiętnikach. Wszystko jest proste i jasne: nie można było atakować wszędzie równocześnie. Nie można. I kropka!

Ale głupi Stalin nie posłuchał mądrego Żukowa. Atakował równocześnie na wszystkich kierunkach. I w efekcie nie dość, że nie rozbił wroga do wiosny, to jeszcze został bez rezerw. Skutkiem była utrata wiosną 1942 Krymu i Sewastopola, rozbicie 2. Armii Uderzeniowej Własowa, sromotna klęska pod Charkowem, podejście wroga pod Stalingrad, do nadwołżańskich arterii naftowych, zaopatrujących armię i przemysł w ropę z Kaukazu.

Ten przykład wyraźnie pokazuje głupotę Stalina i geniusz Żukowa. Jest tylko jedno „ale".

W ostatnim dniu 1941 roku na Kremlu odbyła się narada, na której ustalano plany działań wojennych na następny rok. „W przeddzień narady w Kwaterze Głównej, 31 grudnia 1941 roku, generał armii Żukow i Bułganin telefonicznie zameldowali Stalinowi, że w trakcie walk wojska Frontu Zachodniego rozbiły XX, XII, XIII, XLIII, LIII i LVII Korpus Armijny składające się z 292., 258., 183., 15., 98., 34., 259., 260., 52., 17., 137., 31., 290. i 167. DP i 19. DPanc oraz 2. Brygady SS, przerzuconej drogą lotniczą z Krakowa; pod uderzeniami wojsk Frontu nieprzyjaciel nadal wycofuje się w kierunku zachodnim, porzucając w walce i na drodze odwrotu rannych, artylerię, uzbrojenie i sprzęt"[12].

Jeśli wierzyć tym chełpliwym meldunkom, wychodzi na to, że Żukow w grudniu 1941 roku pod Moskwą dokonał czegoś na miarę obrony Stalingradu. Dalej w artykule czytamy: „Wszystko to, oględnie mówiąc, odbiegało od rzeczywistości. Wymienione jednostki jeszcze przez kilka lat broniły się i stawiały zażarty opór wojskom Frontu Zachodniego"[13].

Żukow, mówiąc oględnie, kłamał, opowiadając Stalinowi o swoich wspaniałych zwycięstwach. W pogoni za orderami i zaszczytami decydował się na fałszerstwa. W styczniu 1942 roku należało zaatakować tylko na jednym, strategicznym kierunku działań wojennych, mianowicie na kierunku zachodnim. A Stalin, jak wiemy, zdecydował się atakować na wszystkich kierunkach naraz. Tę decyzję Stalin podjął nie z głupoty, lecz dlatego, że matacz Żukow przypisał sobie zwycięstwa, których nie było. Żukow przedłożył raport: na głównym kierunku zachodnim wróg został praktycznie rozgromiony, pozostało tylko dokończyć dzieła na kierunkach drugorzędnych.

W grudniu 1941 roku armia niemiecka stanęła w obliczu klęski. Rozgromienie Grupy Armii „Środek" mogłoby oznaczać rozbicie całego niemieckiego frontu, od Bałtyku do Morza Czarnego. Ale z powodu kłamliwych i chełpliwych meldunków Żukowa, który dezinformował Naczelnego Wodza, tak się nie stało. Stalin rozkazał atakować jednocześnie na wszystkich kierunkach. Nacierano raz za razem, ale wszystkie ataki były zbyt słabe. To dało armii niemieckiej możliwość umocnienia się na terytorium radzieckim, przez co jej agonia potrwała jeszcze trzy i pół roku.

---

[12] Centralne Archiwum Ministerstwa Obrony ZSRR, zespół 208, rejestr 2511, teka 1035, karta 63–64 [w:] „Wojenno-istoriczeskij żurnał", nr 2/1991, s. 24.
[13] *Ibid.*

VI

Już dawno zauważono, że kłamca pierwszy wierzy we własne wymysły.

Żukow zameldował Stalinowi, że na zachodnim kierunku wróg został w zasadzie rozbity i jest w odwrocie. Żukow sam uwierzył w ten optymistyczny raport. Genialny strateg posłał swoje armie w ślad za uciekającymi (jak mu się zdawało) wojskami niemieckimi. Ech, lepiej, żeby nie przeprowadzał tego kontrataku! Tak zwana „klęska Niemców pod Moskwą" pod mądrym przewodem Żukowa przerodziła się w klęskę Armii Czerwonej.

Żukow był dowódcą Frontu Zachodniego i jednocześnie naczelnym dowódcą kierunku zachodniego, w którego skład wchodziły dwa Fronty: Zachodni i Kaliniński. I oto Żukow planuje wielką operację. „Zakładała ona, że siły Frontu Kalinińskiego i Zachodniego przeprowadzą zbieżne uderzenie w kierunku na Wiaźmę, okrążą i zniszczą rżewsko-wiazemskie zgrupowanie wroga"[14].

„7–8 lutego dowódcy Frontów podjęli decyzję o przeprowadzeniu operacji. Decyzja ta nie była adekwatna do ówczesnej sytuacji. Na żadnym Froncie nie utworzono silnego zgrupowania, które byłoby w stanie doprowadzić do sukcesu i pomyślnego kontynuowania działań na flankach. W zasadzie każda armia atakowała z osobna. Próba przełamania, podjęta przez Żukowa dowodzącego Frontem Zachodnim, przy udziale stworzonej przez niego armii uderzeniowej, nie gwarantowała sukcesu, tj. rozgromienia nieprzyjaciela, ponieważ armia ta nie dysponowała środkami wystarczającymi do przeprowadzenia takiej operacji"[15].

W rejon, gdzie zgrupowania uderzeniowe Frontu Kalinińskiego i Zachodniego powinny były zamknąć pierścień okrążenia wokół sił głównych Grupy Armii „Środek", z rozkazu Żukowa zrzucono desant spadochronowy w składzie IV Korpusu Powietrznodesantowego wzmocnionego przez 250. Pułk Specjalny.

---

[14] „Krasnaja zwiezda", 14 marca 1993.
[15] Generał pułkownik Baryńkin [w:] „Krasnaja zwiezda", 14 marca 1997.

Tuż przed rozpoczęciem wojny z inicjatywy Żukowa w Armii Czerwonej utworzono korpusy powietrznodesantowe. Żukow pisze: „Z charakteru przypuszczalnych operacji bojowych wynikała oczywista konieczność znacznej rozbudowy wojsk powietrznodesantowych. W kwietniu 1941 roku rozpoczyna się formowanie pięciu korpusów powietrznodesantowych"[16]. Ten fragment źle wkomponowuje się w resztę narracji. Żukow opowiada, że Armia Czerwona rzekomo przygotowywała się do odparcia agresji. Tymczasem w wojnie obronnej niemożliwe jest przeprowadzenie dużych operacji powietrznodesantowych.

Korpusy powietrznodesantowe nie tylko były utworzone z inicjatywy Żukowa, ale też tylko przez niego były wykorzystywane. W Armii Czerwonej w całej jej historii duże operacje powietrznodesantowe były przeprowadzane wyłącznie z inicjatywy Żukowa i jedynie pod jego dowództwem. Oczywiście, wszystkie kończyły się całkowitą klęską i śmiercią tysięcy spadochroniarzy.

Pierwsza duża operacja powietrznodesantowa została przeprowadzona przez Żukowa w czasie kontrofensywy pod Moskwą. Żukow posłał swoje armie w rejon, gdzie został zrzucony IV KPD.

„O ile wcześniej hitlerowcy okrążali broniące się wojska, to teraz radzieckie armie same kierowały się na tyły wroga, aby go okrążyć. Te próby niestety nie zawsze były uwieńczone sukcesem. Na przykład w styczniu 1942 roku wojska 29. i 39. Armii przedostały się głęboko na tyły wroga. Rozwijając natarcie w stronę Rżewa, nie mogły zapewnić należytej obrony swoich skrzydeł i zostały okrążone"[17].

W ślad za wrogiem, który nigdzie nie uciekał, Żukow odważnie skierował 33. Armię generała porucznika Jefremowa i I Korpus Kawalerii Gwardii, nie zabezpieczając ich tyłów i skrzydeł. Obie jednostki dostały się w okrążenie i przez kilka miesięcy bohatersko walczyły na tyłach wroga, bez ewakuacji rannych, bez zaopatrzenia w paliwo, amunicję i żywność. 33.

---

[16] Żukow, *op. cit.*, s. 190.
[17] „Wojenno-istoriczeskij żurnał", nr 2/1995, s. 17.

Armia i jej dowódca generał porucznik Jefremow zginęli pod Wiaźmą.

Kremlowscy ideolodzy, opowiadając o Żukowie, ostrożnie omijają śliskie tematy. Wojska Frontu Zachodniego i Kalinińskiego w trakcie zwycięskiego kontrataku zostały prawie w stu procentach wybite. Żukow posłał w okrążenie trzy armie i dwa wydzielone korpusy – i wszystkie zostały zniszczone.

Rozdział 15

Na Syczewkę!

Zaklęciami „Ech, gdyby Żukow żył" autorzy listów wyrażają
bezgraniczną, niemal fanatyczną wiarę w swojego idola,
który przecież nie zrodził się w ich wyobraźni,
lecz w twardej służbie Ojczyźnie, w postępkach
ku jej chwale, bez czynienia ujmy.[1]

I

Gdy rozmawiamy o wojnie, zaraz wspominamy Stalingrad,
a wspomniawszy Stalingrad, wspominamy Żukowa. To właśnie
on, najwybitniejszy dowódca XX wieku, był autorem jednej
z najbardziej błyskotliwych operacji II wojny światowej, a być
może nawet w całej historii wojen. Stalingrad jest potwierdze-
niem aksjomatu: gdzie Żukow, tam zwycięstwo! Rzucił okiem
na mapę – i w mig znalazł rozwiązanie!

Zakrzyknijmy więc trzykrotne „Hura!" ku chwale naszego
geniusza, ale potem mimo wszystko spytajmy o wiarygodność
tych informacji. Spróbujmy dotrzeć do źródeł.

Skąd wiadomo, że to Żukow zaproponował plan stalingradzkiej strategicznej operacji zaczepnej? Bardzo łatwo znaleźć
źródło: jest nim sam Żukow. To on ogłosił się autorem planu
operacji, przyznając, co prawda, że istniał współautor – generał
Wasilewski. Żukow tak opisuje te wydarzenia:

„Dnia 12 września udałem się do Moskwy i po czterech go-

---

[1] „Krasnaja zwiezda", 4 lutego 1997.

dzinach lotu znalazłem się na Kremlu, dokąd został wezwany również szef Sztabu Generalnego, Wasilewski. [...] Naczelny Wódz wydobył swoją mapę z wyrysowanym rozmieszczeniem Odwodów Naczelnego Dowództwa. Długo i wnikliwie jej się przyglądał. Odszedłem z Aleksandrem Michajłowiczem [Wasilewskim – W.S.] jak najdalej od stołu i szeptem mówiliśmy o tym, że najwidoczniej trzeba powziąć jakąś inną decyzję.

– A jaką «inną» decyzję? – zapytał Stalin, podnosząc znienacka głowę. Nigdy nie przypuszczałem, że Stalin ma tak doskonały słuch. Podeszliśmy do stołu. [...] Cały następny dzień pracowałem wraz z Wasilewskim w Sztabie Generalnym. [...] Po rozpatrzeniu wszystkich możliwych wariantów zdecydowaliśmy przedstawić Stalinowi następujący plan działań"[2].

Wynika z tego, że do sukcesu stalingradzkiego przeciwuderzenia przyczyniły się trzy osoby: Stalin, Żukow i Wasilewski. Zasługą Stalina było to, że miał dobry słuch. Podsłuchał, o czym szepczą między sobą Żukow i Wasilewski, to go zainteresowało, a wtedy Żukow wraz z towarzyszem broni podsunęli naczelnemu dowódcy genialne rozwiązanie.

Żukow opowiadał, że Stalin nie wierzył w sukces, bał się ryzyka, proponował przeprowadzić operację na mniejszą skalę. Ale Żukow przekonał Stalina i wszystko się udało...

II

O Stalingradzie Żukow opowiada dużo i szczegółowo, głównie piórami służebnych dziejopisarzy: „12 lipca Kwatera Główna Naczelnego Dowództwa utworzyła nowy Front Stalingradzki [...] pod koniec lipca w skład Frontu Stalingradzkiego wchodziły [...] obwodowy i miejski komitety partii wykonały ogromną pracę organizacyjną w fazie formowania i przygotowania pospolitego ruszenia".

Wszystko pięknie i ładnie, ale zwróćmy uwagę na pewien szczegół: w lipcu 1942 roku Żukowa nie było w Stalingra-

---

[2] Żukow, *op. cit.*, s. 418–419.

dzie i nie mogło go tam być. Każdy, kto interesuje się wojną, może zrekonstruować chronologicznie poczynania Żukowa na froncie, dzień po dniu, od pierwszego do ostatniego dnia wojny. Niekiedy wręcz z dokładnością do godzin i minut. Od 11 października 1941 do 26 sierpnia 1942 roku Żukow dowodził wojskami Frontu Zachodniego, który walczył na zupełnie innym kierunku, odległym o tysiąc kilometrów. Do 26 sierpnia 1942 roku Żukow nie miał możliwości zajmować się sprawami Stalingradu.

A oto, co się wydarzyło pod Stalingradem.

Wiosną 1942 roku padł radziecki Front Południowo-Zachodni. Winowajcami katastrofy byli Timoszenko, Chruszczow i Bagramian. Ale głównym winowajcą był Żukow. Przez jego kłamstwa, przez chełpliwe meldunki o wielkich triumfach na głównym kierunku strategicznym Stalin zmarnował rezerwy strategiczne i w krytycznym momencie nie miał jak bronić powstałego wyłomu. Wojska niemieckie przerwały linię frontu. Na tyłach Armii Czerwonej wybuchło powstanie ludowe. Przeciwko komunistom zbuntowała się ludność znad Donu, z Kubania, Północnego Kaukazu, stepowi Kałmucy. Armia Czerwona znalazła się w roli okupanta na swoim własnym terytorium, ziemia paliła się jej pod nogami. Powstańcy wieszali czekistów, komunistów i komisarzy, rozwalali im głowy, topili w rzekach i bagnach. Radzieckie pułki i dywizje poszły w rozsypkę.

Tymczasem potok niemieckiego natarcia rozdzielił się na dwa kierunki uderzenia. Pierwszy zaatakował na kierunku Grozny–Baku. Celem było dotarcie do złóż ropy naftowej. Drugim kierunkiem ataku był Stalingrad. Jego celem było osłonięcie flanki własnych wojsk zmierzających w stronę Kaukazu i przecięcie Wołgi – naftowej aorty Związku Radzieckiego. W lipcu 1942 roku pod Stalingradem powstała krytyczna sytuacja. Dojście wojsk niemieckich do Wołgi oznaczało nieuchronny krach całego południowego skrzydła frontu radziecko-niemieckiego, co miałoby katastrofalne skutki dla gospodarki kraju.

Na osobisty rozkaz Stalina utworzony został nowy Front Stalingradzki, w którego skład weszły cztery armie ogólnowojskowe i jedna armia powietrzna, które wcześniej wchodziły w skład rozbitego Frontu Południowo-Zachodniego. Oprócz tego ze swoich rezerw strategicznych Stalin posłał w okolice Stalingradu 62., 23. i 24. Armię. 28 lipca 1942 Stalin podpisał swój drakoński rozkaz nr 227: „Ani kroku wstecz!" Stalin wziął na siebie pełną odpowiedzialność za sytuację pod Stalingradem i za użycie wszelkich środków, które mogłyby powstrzymać wojska radzieckie przed ucieczką. 30 lipca z rozkazu Stalina w skład Frontu Stalingradzkiego została włączona 51. Armia. 9 sierpnia Stalin skierował pod Stalingrad 1. Armię Gwardii. Na czele tej armii Stalin postawił byłego szefa wywiadu wojskowego, swojego przyszłego zastępcę, generała porucznika Golikowa. 1. Armia Gwardii składała się z najlepszych żołnierzy. Do jej stworzenia użyto pięciu korpusów powietrznodesantowych, które przekształcono w gwardyjskie dywizje piechoty. W połowie sierpnia Stalin skierował w rejon Stalingradu 24. i 66. Armię. Pod Stalingrad nieprzerwanie napływały wciąż nowe wojska. Wysłano tam dziesiątki karnych kompanii i batalionów.

Stalin rzucił pod Stalingrad dziewiętnaście szkół wojskowych, m.in. Żytomierską, Winnicką, Groźnieńską, 1. i 2. Akademię Piechoty z Ordżonikidze, Krasnodarską Karabinów Maszynowych i Moździerzy, Czelabińską, Omską, Kazańską Pancerną. W każdej z tych szkół było „od 3,5 do 5 tysięcy najlepszych żołnierzy i podoficerów w wieku 18–22 lat, wytypowanych z linii frontu, mających doświadczenie w boju"[3].

Do budowania umocnień obronnych Stalin skierował 5., 7., 8. i 10. Armię Saperską. Wiem, co to jest kompania albo batalion saperów. Widziałem na własne oczy pułk saperski w całej jego okazałości. Nie było mi dane widzieć brygady saperów w pełnym składzie, ale mogę ją sobie wyobrazić. Jakoś nie mogę sobie wyobrazić dywizji saperów. Zwyczajnie nie jestem w stanie. No, bo ilu saperów naraz może być w jednym miejscu? A tym bardziej nie mogę wyobrazić sobie korpusu, który składałby się z samych saperów. W przypadku Stalina zaś mowa jest nie o brygadach, dywizjach i korpusach saperów.

---

[3] A. Samsonow, *Znat' i pomnit'*, Moskwa 1989, s. 136.

Związek Radziecki to jedyny kraj na świecie, który miał całe armie wojsk inżynieryjnych. Stalin wysłał do budowy pozycji obronnych pod Stalingradem cztery takie armie naraz.

Oprócz armii saperskich do utworzenia strategicznego pasa obrony Stalin ze swoich osobistych rezerw oddelegował pod Stalingrad kilka zarządów budownictwa obronnego z Odwodów Naczelnego Dowództwa (OND). Na podstawie jednego przykładu można zrozumieć, co one sobą reprezentowały. Personel samego 24. Zarządu Budownictwa Obronnego OND wykopał w okolicach Stalingradu 1448 kilometrów okopów i transzei, 57 kilometrów rowów przeciwczołgowych, usypał 51 kilometrów skarp, postawił 8 kilometrów zapór przeciwczołgowych i 24 400 punktów ogniowych. Punkty ogniowe były nie tylko ziemno- -drewniane, ale także żelbetowe i stalowe. Ponadto ustawił 1112 ton konstrukcji metalowych i 2317 metrów sześciennych budowli żelbetowych.[4] Do pracy 24. Zarządu Budownictwa Obronnego OND dodajmy pracę innych zarządów budownictwa obronnego oraz pracę czterech armii saperskich. Wyobraziwszy sobie rozmach prac przy wznoszeniu umocnień, pozostaje jedynie dziwić się uporowi Hitlera i jego generałów, którzy posyłali swoje dywizje do samobójczych ataków przeciwko takiej obronie.

Oprócz artylerii w składzie dziesięciu armii ogólnowojskowych i jednej gwardyjskiej Stalin ze swoich osobistych rezerw wysłał pod Stalingrad 129 pułków artylerii OND i 115 samodzielnych dywizjonów artylerii rakietowej. Można w nieskończoność wyliczać pułki, dywizje i korpusy lotnictwa myśliwskiego, szturmowego i bombowego, dywizjony i pułki moździerzy, pododdziały i oddziały łączności, służby techniczne, medyczne oraz inne, które Stalin rzucił do bitwy nad Wołgą. W lipcu i w sierpniu 1942 roku wszystkie te pułki, brygady, dywizje, korpusy i armie albo znajdowały się już w okolicach Stalingradu, albo były tam właśnie przerzucane, albo przygotowywały się do przerzutu. Nie mówię tu o 2. Armii Kawalerii i o 5. Armii Pancernej, o czterech korpusach pancernych i dwóch zmechanizowanych, które latem 1942 roku były formo-

---

[4] „Krasnaja zwiezda", 10 stycznia 1985.

wane daleko na tyłach i przygotowywały się do walk w zimie. W każdym razie musimy przyznać, że pod Stalingrad wysłano ogromną ilość wojsk. Wszystko to odbywało się w czasie, gdy Żukow przebywał na Froncie Zachodnim. W lipcu i sierpniu 1942 roku bez jego udziału dokonano najważniejszego – za pomocą drastycznych środków powstrzymano panikę, która ogarnęła armię, powstrzymano uciekające wojska, utworzono nowy radziecki front w rejonie strategicznej wyrwy uczynionej przez wojska niemieckie, zorganizowano solidną obronę, przerzucono nowe dywizje, korpusy i armie.

Latem 1942 roku działania nieprzyjaciela z gwałtownych starć manewrowych przekształciły się w skrajnie niekorzystne dla niego walki pozycyjne o każdą rubież, każdy okop i każdy punkt ogniowy. Do tego wkrótce miała nadejść zima. Słowem, latem 1942 roku w okolicach Stalingradu zaistniały warunki, które nieuchronnie prowadziły do klęski armii niemieckiej. Zgromadzono tam takie siły, że do zwycięstwa nie potrzeba było dowódczego geniuszu.

III

Otwieramy więc książkę Żukowa i czytamy o tym, jak latem 1942 roku wróg szedł na Stalingrad, o tym, jak Armia Czerwona bohatersko walczyła z wrogiem, o tym, jak powstrzymała atak nieprzyjaciela. Żukow żywo i barwnie opisuje zdarzenia, z którymi nie miał nic wspólnego. Jeżeli interesuje nas sytuacja pod Stalingradem w lipcu 1942 roku, to znajdziemy wystarczająco dużo źródeł na ten temat. Książkę *Wspomnienia i refleksje* napisano w pierwszej osobie jakby w imieniu Żukowa, dlatego też właściwiej byłoby opowiadać w niej nie o Froncie Stalingradzkim, gdzie Żukowa nie było, lecz o Froncie Zachodnim, którym wtedy dowodził. Lecz wszystko to, co działo się wiosną i latem 1942 roku na Froncie Zachodnim, w pamiętnikach znalazło się w jednym akapicie. Autorzy pamiętników zapędzili się na strategiczne wyżyny: „37. i 12. Armia Frontu Północnokaukaskiego otrzymały zadanie...”[5] Po

---

[5] Żukow, *op. cit.*, s. 409.

cóż opowiadają nam o Kaukazie, skoro Żukowa tam nie było? A ci dalej swoje: „Na wezwanie komitetów centralnych komunistycznej partii Gruzji, Armenii i Azerbejdżanu formowano oddziały zbrojne...”[6] W pamiętnikach Żukowa jest szczegółowo opisana klęska 1942 roku w okolicach Charkowa. I są wymienieni winowajcy. Ale Żukowa tam też nie było. Żukow nie odpowiadał za ten kierunek. Opisana jest klęska Frontu Krymskiego. I znów padają nazwiska winowajców. Jednak Żukow nie walczył na Krymie, Krym to nie jego ból głowy. W pamiętnikach opisane są porażki pod Woroneżem, autorzy wspomnieli upadek Sewastopola i nieudaną próbę rozbicia Niemców okrążonych w okolicy Demiańska, podjętą przez wojska Frontu Północno-Zachodniego. W tych wszystkich wydarzeniach Żukow nie uczestniczył. Dlaczego to wszystko znajduje się w jego memuarach?

Dlatego, że autorzy wspomnień Żukowa upiekli trzy pieczenie na jednym ogniu.

Po pierwsze, przedstawili nieograniczone strategiczne horyzonty Żukowa.

Po drugie, pokazali gorzką prawdę: popatrzcie na klęski sąsiadów Żukowa, zobaczcie, jak przeliczył się głupi Stalin i dowódcy wszystkich frontów, na których nie ma Żukowa.

Po trzecie, wypełnili postronną narracją rozdział o 1942 roku w taki sposób, by nie zostało w nim miejsca na opowieść o Żukowie i jego poczynaniach.

Należy wspomnieć, że dla Frontu Zachodniego, którym wtedy dowodził Żukow, rok 1942 był rokiem sromotnych klęsk i ogromnych strat. Na Froncie Zachodnim prowadził on kolejne absurdalne operacje zaczepne, z których każda kończyła się niepowodzeniem. Najbardziej krwawą z nich była operacja rżewsko-syczewska – 30 lipca–23 sierpnia 1942 roku.

Ciekawe, że „Radziecka encyklopedia wojskowa” bardzo dokładnie podaje daty tej operacji, wylicza armie i korpusy, których użyto do jej przeprowadzenia, zamieszcza nawet mapę.[7] Jeśli

---

[6] *Ibid.*

[7] *Sowietskaja wojennaja encykłopiedija*, op. cit., t. 7, s. 119––120.

encyklopedia opisuje operację, to znaczy, że jest ona tego warta. A Żukow, który za nią odpowiadał, nie informuje o datach, nie ujawnia sił, które brały w niej udział, i też nie umieszcza mapy. Zamiast tego dowiadujemy się z pamiętników Żukowa:
- o podstępnej polityce USA i Wielkiej Brytanii;
- o planach Stalina na 1942 rok;
- o zamierzeniach Hitlera na 1942 rok;
- o pracy partyjno-politycznej w Armii Czerwonej;
- o czynach szeregowych żołnierzy i podoficerów;
- o oporze narodu radzieckiego na tyłach wroga;
- o bohaterskiej pracy robotników i chłopów;
- o przewodniej i kierowniczej roli Partii i jej mądrego Komitetu Centralnego;
- o operacjach na wszystkich frontach oprócz Zachodniego.

W pamiętnikach Żukowa nie ma mapy operacji rżewsko--syczewskiej, którą przeprowadził Żukow. Jest natomiast mapa, jak Niemcy szli na Stalingrad, gdzie Żukowa wówczas nie było i za którego obronę Żukow nie był odpowiedzialny.

A nas interesuje nie Stalingrad, tylko operacja rżewsko--syczewska, którą pamiętniki skrupulatnie przemilczają.

Aby przeprowadzić tę operację, Żukow ześrodkował 20. i 31. Armię, 1. Armię Powietrzną, VI i VIII Korpus Pancerny, II Korpus Kawalerii Gwardii. Ile w tych armiach i korpusach było żołnierzy, czołgów, broni, samolotów – tego nie podaje ani Żukow, ani „Radziecka encyklopedia wojskowa". Ale sami widzimy, że siły te były niebagatelne. W pamiętnikach Żukowa jest napisane, że Niemcy ponieśli „duże straty". O radzieckich stratach źródła milczą. Widocznie obyło się bez strat.

Aby wesprzeć wojska Żukowa, w kierunku tejże Syczewki nacierały wojska lewego skrzydła Frontu Kalinińskiego: 29. i 30. Armia, wspierane przez 3. Armię Powietrzną.

Cztery armie ogólnowojskowe, korpus kawalerii, dwa korpusy pancerne, wspierane przez dwie armie powietrzne? Do szturmu Syczewki?!

Czy to aby nie przesada?

Bynajmniej. Okazało się, że dla Żukowa było za mało.

Czy Żukow, dysponując takimi siłami, zajął Syczewkę? Niestety, nie.

Gdzie leży przyczyna porażki? Kto ponosi winę? Powód był banalnie prosty: do Syczewki skierowano za mało sił. Żukow miał w tym czasie na froncie zaledwie dziesięć armii. Zabrakło mu „jeszcze jednej–dwóch armii". Winien temu jest oczywiście Stalin – to on nie dał Żukowowi tych armii. „Jeślibyśmy dysponowali jeszcze jedną, dwiema armiami, to można byłoby. [...] Niestety, ta realna możliwość została zaprzepaszczona przez Naczelne Dowództwo"[8].

A przecież to nie był pierwszy szturm Syczewki. Od stycznia do sierpnia 1942 roku na Rżew i Syczewkę ruszyło pięć armii Koniewa i dziesięć armii Żukowa. Dla przypomnienia: Żukow nie tylko był dowódcą Frontu Zachodniego, ale również głównodowodzącym Kierunku Zachodniego, w którego składzie walczyły Front Zachodni (Żukow) i Front Kaliniński (Koniew). Innymi słowy, pięć armii Koniewa też podlegało Żukowowi. Przed operacją rżewsko-syczewską, 5 kwietnia 1942 roku, Kwatera Główna Naczelnego Dowództwa jeszcze raz potwierdziła pełnomocnictwa Żukowa: kierował on nie tylko operacjami Frontu Zachodniego, ale również sąsiedniego Frontu Kalinińskiego.[9]

W okolicy Rżewa i Syczewki trupy żołnierzy radzieckich zabitych w poprzednich szturmach leżały już warstwami. Stały całe złomowiska spalonych czołgów radzieckich. Wszyscy frontowcy na zawsze zapamiętali wielomiesięczną rzeź pod Rżewem i Syczewką, która dokonała się pod dowództwem genialnego Żukowa. Aleksander Twardowski napisał jeden z najbardziej przejmujących wierszy o wojnie. Nieprzypadkowo jest on zatytułowany *Zginąłem pod Rżewem*:

> *Płonął front wiecznym ogniem*
> *Ranił ojczyzny zew.*
> *Ja zginąłem, i nie wiem*
> *Czy już wzięliśmy Rżew?*

Szturm. Szturm. Szturm frontalny. Tak jak wczoraj. I przed-

---

[8] Żukow, *op. cit.*, s. 412.
[9] „Wojenno-istoriczeskij żurnał", nr 10/1991, s. 24.

wczoraj. Według tego samego scenariusza. Po pięć ataków dziennie. Po siedem. Po dziesięć. Wciąż na te same wzgórza. Miesiąc po miesiącu. Od stycznia do sierpnia. Naprzód! Żukow jest z nami!

IV

Radzieccy historycy wynaleźli specjalny język i cały szereg forteli, za pomocą których ukrywają porażki na wojnie, a przede wszystkim – porażki Żukowa. Jednak istnieją niezawodne wykrywacze kłamstw. Oto jeden z nich. Załóżmy, że natknęliście się na opis operacji zaczepnej, ale nie jest podany jej kryptonim. Wiedzcie, że macie przed sobą kłamstwo.

Sprawa polega na tym, że operacje obronne w większości nie mają kryptonimów. Wróg chce zrobić coś, czego się nie spodziewamy, czego nie przewidujemy. Stara się uderzyć tam, gdzie planowaliśmy mało znaczące operacje obronne albo w ogóle nie planowaliśmy. Dlatego operacja obronna najczęściej jest improwizacją. Dodatkowo w operacji obronnej nie ukrywamy własnych zamiarów. Jeśli bronimy Stalingradu, to jest zrozumiałe, że zamierzamy go utrzymać.

Inaczej rzecz się ma w wypadku operacji zaczepnej. To do nas należy inicjatywa. To my musimy ukryć przed nieprzyjacielem czas, miejsce, cel, zamiary, strukturę własnych sił i wiele innych rzeczy. Dlatego właśnie przygotowanie operacji zaczepnej zaczyna się od nadania jej kryptonimu. Robi się tak, aby zachować tajemnicę. Jeśli w Sztabie Generalnym rozprawiają o „Małym Saturnie", wszyscy powołani wiedzą, o co chodzi. Jeśli nie jesteście wtajemniczeni – nic nie zrozumiecie. „Uran", „Anadyr", „S.3-20", „Burza", „Bagration". Co to jest? O czym mówią generałowie? Jeżeli wiesz, wszystko jest jasne. Jeśli nie wiesz – to możesz gubić się w domysłach. Nawet szyfranci, którzy są wprowadzeni w największe tajemnice, nie mają pojęcia, czego dotyczy przekazywana informacja. Piszą: „Iskra", ale nie wiedzą, co się kryje pod tą nazwą.

Od czasów wojny minęło już pół wieku, a w pewnej grubej encyklopedii czytamy opis operacji zaczepnych o dziwnych nazwach: rżewsko-syczewska, rżewsko-wiaziemska, syczewsko-wiaziemska. Nie są podane kryptonimy tych operacji. Ale pomyślmy: czy Żukow mógł planować operację zaczepną w sztabie Frontu Zachodniego i nazwać ją rżewsko-syczewską? Nie, nie mógł. Gdyby tak nazwał operację, to już samą nazwą zdradziłby swoje plany i zamiary wszystkim sztabowym maszynistkom i telefonistkom, wszystkim kreślarzom, pisarzom i wartownikom. Jeśli Żukow nie był kompletnym idiotą, to znaczy, że podczas planowania tych operacji używał kryptonimów. Dlaczego więc nam ich nie podają, choć upłynęło już pół wieku?

Dlatego, że te operacje nawet dziś, po 50–60 latach, pozostają tajne. Przyczyna tego jest następująca. Przyjmijmy, że planowano rozgromienie niemieckiej Grupy Armii „Środek", z przełamaniem linii obrony, przedarciem się 600 kilometrów w głąb i wyjściem wojsk radzieckich na wybrzeże Bałtyku. Ale nie rozgromiono grupy wojsk niemieckich, nie przełamano linii obrony, zamiast 600 kilometrów posunięto się o 23 km. Planowano dojść do Witebska, Mińska i Rygi, ale armia dotarła do Syczewki i nawet tej nie potrafiła zająć.

Jak ukryć kompromitację? Za pomocą tajemnicy państwowej. Nasi oligarchowie wojskowo-historyczni w podobnych przypadkach zastrzegają tajność całej operacji. Do kategorii tajemnic państwowych trafiają kryptonimy, cele, zadania i zamierzenia operacji, opis wykorzystanych sił i środków, a co najważniejsze – straty. Zamiast tego uczeni piszą w encyklopedii: tak, były walki w tych okolicach, ale niczego poważnego tam nie planowano. Po prostu chciano zdobyć Rżew, oddalony o 6 kilometrów od linii frontu, oraz Syczewkę, oddaloną aż o 50 kilometrów. Co prawda za pierwszym razem ani Rżewa, ani Syczewki nie zdobyto. Ani za trzecim. Ani za trzynastym. Ani za czterdziestym pierwszym.

Pomyślmy: czy Stalin mógł zlecić Żukowowi bojowe zadanie odbicia jakiejś tam Syczewki? Czy to nie zbyt miałkie, jak na Stalina? I jak na Żukowa? I dla Frontu Zachodniego, z którym współdziałał Front Kaliniński?

23 sierpnia 1942 roku ugrzązł kolejny atak na Syczewkę, a 26 sierpnia Stalin mianował Żukowa swoim zastępcą. Odnotujmy, że dowódca Frontu Zachodniego Żukow awan-

sował na zastępcę Naczelnego Wodza nie po wielkich triumfach, ale po ośmiu miesiącach krwawej, beznadziejnej rzezi. To nie była nagroda za sukces. Inna cecha Żukowa przypadła Stalinowi do gustu: od miesięcy śle setki tysięcy ludzi na śmierć – i nawet mu powieka nie drgnie!

Stalin potrzebował dwóch pomocników o zupełnie różnych cechach charakteru. Tak jak w pułku, od myślenia jest szef sztabu, to on jest autorem planów, natomiast zastępca dowódcy pułku to poganiacz. Tam, gdzie w danej chwili rozstrzyga się najważniejsze zadanie, tam dowódca posyła swojego zastępcę, żeby wrzeszczał i klął. A dowódca pułku odpowiada za całość.

Na wszystkich szczeblach działa ten sam system: każdy dowódca musi mieć jednego pomocnika od myślenia i drugiego od dyscypliny. Na samym szczycie Stalin zrobił dokładnie tak samo. U Stalina od myślenia był Wasilewski. To on układał plany. Ale potrzebny był jeszcze drugi, który posyłałby ludzi na śmierć. I to była rola Żukowa: ma przecież doświadczenie, da sobie radę.

Zastępca Naczelnego Wodza ds. Mordobicia i Egzekucji...

V

Po raz pierwszy Żukow przybył do Stalingradu 31 sierpnia 1942 roku. Najpierw próbował przypuścić kontratak na wojska niemieckie, które przerwały linię frontu. Nic z tego nie wyszło. Kontrataki zakończyły się klęską. Nawiasem mówiąc, w „pamiętnikach" Żukowa jest aluzja do klęski. Pisze, że był w Stalingradzie, coś tam robił prawie dwa tygodnie i wrócił do Moskwy 12 września. Wtedy to właśnie w gabinecie Stalina rozegrała się ta scena, którą Żukow niejednokrotnie z przyjemnością opisywał: szeptali na boku z Wasilewskim, że trzeba szukać innego rozwiązania. Stalin usłyszał i zainteresował się: jakiego?

Te słowa Żukow wypowiedział po tym, jak wrócił ze Stalingradu i próbował tam przeprowadzać kontrataki. Żukow proponuje znaleźć inne rozwiązanie, ponieważ dotychczasowe próby, podejmowane przez niego w pierwszych dniach września, okazały się bezowocne.

Żukow w okresie walk obronnych jeszcze kilka razy jeździł pod Stalingrad. Ale nie tylko on się tam pojawiał. W Stalingradzie bywał między innymi członek Politbiura Gieorgij Malenkow, chociaż nikt z tego powodu nie ogłasza go genialnym strategiem i wybawcą. I nie stawiamy mu pomników, nie włączamy go w poczet świętych.

Ostatni raz Żukow opuścił rejon Stalingradu 16 listopada 1942 roku. A kontratak wojsk radzieckich rozpoczął się 19 listopada. Bez Żukowa. W dniu rozpoczęcia stalingradzkiej kontrofensywy Żukow znajdował się dokładnie tysiąc kilometrów od Stalingradu i zajmował się zupełnie czym innym. Stalin znowu skierował go na kierunek zachodni. Znów na Syczewkę!

Rozdział 16

I znów na Syczewkę!

Gdy przyjeżdżałem na front, od razu udawało mi się zorientować w sytuacji, przejąć dowodzenie w swoje ręce
i nadać wydarzeniom właściwy bieg.[1]

MARSZAŁEK ZWIĄZKU RADZIECKIEGO ŻUKOW

I

Kontrofensywa pod Stalingradem miała być drugorzędną
operacją. Kto chce się o tym przekonać, znajdzie masę świadectw na ten temat w relacjach uczestników, m.in. marszałków
Związku Radzieckiego Wasilewskiego, Rokossowskiego, Jeremienki, głównego marszałka artylerii Woronowa. Piszą oni,
że po zakończeniu operacji okrążenia wojsk niemieckich pod
Stalingradem odkryli ze zdziwieniem, że niemieckich dywizji
było w kotle trzy razy więcej, niż się spodziewano. Dowództwo
radzieckie zamierzało okrążyć w okolicy Stalingradu 7–8 dywizji niemieckich, okazało się, że jest ich 22. Innymi słowy, pod
Stalingradem nie planowano operacji na tak wielką skalę, jaka
w rzeczywistości miała miejsce. Główną operację szykowano na
kierunku zachodnim. Znowu planowano przebijać się z Rżewa,
Syczewki i Wiaźmy w kierunku Zatoki Ryskiej. Żukow po raz
kolejny koordynuje operacje Frontu Kalinińskiego i Frontu
Zachodniego. Oprócz tego w ataku współdziałają wojska Frontu
Północno-Zachodniego i Briańskiego.

---

[1] „Krasnaja zwiezda", 18 lutego 1998.

Aby przeprowadzić tę ogromną operację, zgromadzono więcej sił, niż podczas kontrofensywy pod Stalingradem. Pod dowództwem Żukowa znalazły się tym razem prawie dwa miliony żołnierzy i oficerów, 3300 czołgów, ponad tysiąc samolotów, 24 tysiące dział i moździerzy. Łączny potencjał uderzeniowy radzieckich czołgów wykorzystanych w tej operacji przewyższał 2,8 raza łączny potencjał uderzeniowy hitlerowskich wojsk pancernych, których 22 czerwca 1941 roku użyto przeciw ZSRR. No i tę właśnie operację w listopadzie i grudniu 1942 roku Żukow znów zaprzepaścił. Haniebna klęska, rzeki krwi, piramidy żołnierskich kości i prawie dwa tysiące spalonych czołgów radzieckich – oto bilans operacji, na dokładkę do tych, którzy spoczęli w tej ziemi między styczniem i sierpniem.

A pod Stalingradem, gdzie nie było Żukowa – tam było zwycięstwo.

II

Kolejna porażka Żukowa pod Syczewką, Rżewem i Wiaźmą wyparowała ze stron naszej historii. Zapomniano o niej. A jeśli któryś ze skrupulatnych badaczy zainteresuje się dokładniej, gdzie był wielki strateg Żukow w chwili rozpoczęcia stalingradzkiej kontrofensywy, usłyszy zawczasu przygotowaną odpowiedź: Żukow znajdował się wtedy na drugorzędnym kierunku, wykonywał tam operację dywersyjną, aby odciągnąć od Stalingradu możliwie największe siły nieprzyjaciela.

Za czasów Breżniewa cała machina ideologiczna Związku Radzieckiego była nastawiona na rozdmuchiwanie kultu Żukowa. W tamtych dobrych czasach zmuszono marszałka Wasilewskiego – wówczas 82-letniego, miał przed sobą rok życia – żeby zaświadczył: „13 listopada 1942 roku [...] Żukow otrzymał rozkaz rozpoczęcia przygotowań do operacji dywersyjnej na Froncie Zachodnim i Kalinińskim; ja miałem za zadanie koordynować akcje trzech frontów na kierunku stalingradzkim podczas kontrofensywy"[2].

Ciekawe, prawda? 19 listopada 1942 roku rozpoczyna się

---

[2] „Wojenno-istoriczeskij żurnał", nr 11/1977, s. 63.

olbrzymia operacja pod Stalingradem, która ma zmienić przebieg wojny na korzyść ZSRR, a tydzień wcześniej, 13 listopada, najgenialniejszemu dowódcy XX wieku, zastępcy Naczelnego Wodza, generałowi armii Żukowowi powierzają zadanie przeprowadzenia operacji dywersyjnej w zupełnie innym miejscu!

Czy Stalin nie mógł powierzyć dowodzenia nią Koniewowi, Goworowowi, Rokossowskiemu, Golikowowi, Tołbuchinowi, Bagramianowi, Biriuzowowi, Woronowowi, Malinowskiemu albo jeszcze komuś innemu? Dlaczego we wszystkich operacjach Stalin posyłał Żukowa na główny kierunek, a podczas stalingradzkiej ofensywy skierował go na drugorzędny kierunek, by przeprowadzał tam operację dywersyjną?

Odpowiedź jest prosta: operacja pod Syczewką, Rżewem i Wiaźmą w listopadzie–grudniu 1942 roku nie była dywersją. Tu właśnie miało pójść główne uderzenie Armii Czerwonej. Jednak Żukow zawalił sprawę, dlatego po fakcie operację tę uznano za drugorzędną.

III

Operacja na strategicznym kierunku zachodnim w listopadzie–grudniu 1942 roku nie była dywersją, ponieważ operacja dywersyjna z założenia poprzedza operację zasadniczą. Sztukmistrz wpierw usypia naszą czujność, a dopiero potem wyciąga z kapelusza białego królika. Kumple doliniarza najpierw pokazują nam jakiś portfel – To nie pański? – a w tej samej chwili kieszonkowiec zręcznie wyjmuje nam portfel z kieszeni. Odeski bandzior Benia Krzyk wpierw podpala dom naprzeciw cyrkułu, a potem, gdy stójkowi biegną pomóc sąsiadom, wywołuje pożar w samym cyrkule. W walce najpierw wykonuje się zmyłkę, a dopiero potem uderza. Tak też jest na wojnie: najpierw atak dywersyjny na kierunku drugoplanowym, a potem – atak właściwy na głównym kierunku strategicznym.

Kontrofensywa pod Stalingradem rozpoczęła się 19 listopada 1942 roku, a atak „dywersyjny" Frontu Kalinińskiego i Zachodniego – 25 listopada 1942 roku. Nasuwa się pytanie: która operacja miała odciągnąć uwagę i siły nieprzyjaciela? Operacja Frontu Kalinińskiego i Zachodniego nie była drugorzędną ani dywersyjną. Brała w niej udział większa liczba wojsk niż w kontrofensywie pod Stalingradem. Żukow miał w składzie Frontu Kalinińskiego i Zachodniego 15 armii ogólnowojskowych, po dwie uderzeniowe i powietrzne oraz jedną armię pancerną. Oprócz tego operację wspierały wojska Frontu Północno-Zachodniego i Briańskiego: 7 armii ogólnowojskowych, jedna uderzeniowa i dwie powietrzne. Na tyłach tego zgrupowania znajdowały się ogólnowojskowa 68. Armia, a także 2. i 3. Armia Odwodowa. W sumie Żukow miał 23 armie ogólnowojskowe, trzy uderzeniowe, jedną pancerną, cztery powietrzne i dwie odwodowe.

A Wasilewski miał pod Staliningradem 10 armii ogólnowojskowych, jedną pancerną i trzy powietrzne.

Która z tych operacji jest główną, a która manewrem dywersyjnym?

Atak Frontu Kalinińskiego i Zachodniego przy współudziale Frontu Północno-Zachodniego i Briańskiego w listopadzie–grudniu 1942 roku nie był żadną dywersją. Wiemy o tym choćby z książki samego Żukowa. Oto dyrektywa dla Frontu Kalinińskiego i Zachodniego, wydana 8 grudnia 1942 roku. Najbliższe wytyczne dla Frontu Zachodniego: „10–11 XII przełamać obronę nieprzyjacielską na odcinku Bolsze Kropotowo–Jarygino i nie później niż 15 XII opanować Syczewkę. 20 XII wprowadzić do rejonu Andriejewskie co najmniej dwie dywizje piechoty w celu zamknięcia, wspólnie z 41. Armią Frontu Kalinińskiego, pierścienia okrążenia wokół wojsk nieprzyjaciela"[3].

Ponadto Front Kaliniński miał przełamać front „z zadaniem zamknięcia od południa zgrupowania nieprzyjaciela, okrążonego w wyniku współdziałania z Frontem Zachodnim"[4].

A więc Front Kaliniński i Zachodni, którymi kierował Żukow, miały takie same zadania, jak i fronty pod Stalingradem: przełamać obronę wroga na dwóch odcinkach, mobilnymi związkami przedostać się głęboko na jego tyły i zamknąć pierścień wokół okrążonego zgrupowania nieprzyjaciela.

---

[3] Żukow, *op. cit.*, s. 446.
[4] *Ibid.*

Uwierzmy na chwilę propagandzie komunistycznej. Przyznajmy, że Front Południowo-Zachodni i Front Stalingradzki pod dowództwem Wasilewskiego w listopadzie 1942 roku przełamywały obronę nieprzyjaciela i zamykały pierścień okrążenia, aby w efekcie przechylić szalę swoją korzyść. Również zgódźmy się, że w listopadzie Fronty Kaliniński i Zachodni pod dowództwem Żukowa miały przełamać obronę nieprzyjaciela i zamknąć pierścień okrążenia tylko po to, aby odwrócić uwagę Hitlera.

A oto, jak poradziły sobie ze swoim zadaniem fronty, którymi dowodził Żukow. Głos oddajemy samemu marszałkowi (albo autorom jego wspomnień): „Dowództwo Frontu Kalinińskiego w osobie generała porucznika Maksyma Purkajewa podołało zadaniu. Grupa wojsk Frontu, która nacierała na południe od miasta Bieły, pomyślnie przełamała front, ruszyła w kierunku Syczewki. Grupa wojsk Frontu Zachodniego miała za zadanie przełamać obronę nieprzyjacielską ze swojej strony i wyjść na spotkanie wojsk Frontu Kalinińskiego, ażeby zamknąć pierścień okrążenia wokół rżewskiego zgrupowania wojsk niemieckich. Ale Frontowi Zachodniemu nie udało się przełamać obrony nieprzyjaciela. [...] W tym czasie skomplikowała się również sytuacja na Froncie Kalinińskim w rejonie naszego przełamania. Nieprzyjaciel silnym uderzeniem na skrzydło wojsk Frontu odciął nasz korpus zmechanizowany, którym dowodził generał major Sołomatin"[5].

Uwierzmy, że wszystko to służyło odwróceniu uwagi nieprzyjaciela. Z jakim skutkiem? Skutek mamy jak na dłoni. Wojska dowodzone przez Żukowa nie przełamały frontu niemieckiego, nie okrążyły nieprzyjaciela, wręcz przeciwnie, same dostały się w okrążenie. Jeśli damy wiarę, że była to tylko operacja dywersyjna na drugorzędnym kierunku, to musimy stwierdzić, że w czasie, gdy cała uwaga Hitlera i jego feldmarszałków skupiona była na Stalingradzie, wojska pod kierownictwem Żukowa nawet na drugorzędnym kierunku nie potrafiły wypełnić wyznaczonego im zadania.

O gigantycznej ofensywie Żukowa z przełomu listopada

---

[5] *Ibid.*, s. 446–447.

i grudnia 1942 roku napisano już niemało artykułów i książek. Żeby nie być posądzonym o złośliwość, nie opiszę tej operacji własnymi słowami. Niedawno w „Niezależnym Przeglądzie Wojskowym" ukazał się artykuł „Nie w bój, lecz na ubój"[6]. Opowiada o działaniach 20. Armii Frontu Zachodniego w kolejnej operacji rżewsko-syczewskiej na przełomie listopada i grudnia 1942 roku.

W tej operacji 20. Armia otrzymała wsparcie – dwa korpusy pancerne, osiem samodzielnych brygad pancernych i odpowiednią ilość artylerii.

Artykuł ma następujące śródtytuły: „Nieudany początek", „Walka o ogrody we wsi Żerebcowo", „Upór graniczący z szaleństwem". To wszystko powiedziano o największym strategu XX wieku.

A oto fragmenty artykułu:

„25 listopada wojska, praktycznie rzecz biorąc, posyłane były nie w bój, lecz na ubój, wprost pod doskonale zorganizowany ogień wroga".

„148. i 150. brygada piechoty z VIII Korpusu Piechoty Gwardii przez cztery dni szturmowały wioskę Chlepień, położoną na wysokim brzegu Wazuzy. [...] Na podejściach do wioski praktycznie w pełnym składzie wyginęły 148. i 150. brygada piechoty, z których oprócz sztabów i pododdziałów zaopatrzenia nie ostał się nikt".

„Nieubłagana Kwatera Główna i jej przedstawiciel Gieorgij Żukow domagali się tylko jednego – ataku za wszelką cenę. 20. Armia została dodatkowo wzmocniona V Korpusem Pancernym i czterema dywizjami piechoty".

„Pole bitwy było usłane naszymi spalonymi czołgami. Między innymi już 6 grudnia sześć z ośmiu brygad pancernych 20. Armii, straciwszy prawie całe uzbrojenie, zostało odesłanych na tyły w celu przywrócenia zdolności bojowej".

„Już 13 grudnia VI Korpus Pancerny miał na stanie 26 czołgów, a wprowadzony do walki dwa dni wcześniej V KPanc – jedynie 30. Jeden korpus pancerny walczył o wieś

---

[6] M. Chodarionok, Władimirow, „Niezawisimoje wojennoje obozrienije", 8 czerwca 2001.

Małoje Kropotowo, drugi zaś próbował wziąć szturmem wioskę Podosinowka".

„Po tygodniu (11–18 grudnia) krwawych, zaciętych i w zasadzie bezskutecznych walk możliwości ofensywne 20. Armii ostatecznie wyczerpały się. Skończyła się amunicja, materiały pędne i smary. Prawie w całości utracone zostało uzbrojenie wszystkich ośmiu brygad pancernych i obu korpusów pancernych. Ci, którzy zostali przy życiu, od kilku dni pozbawieni snu i żywności, byli krańcowo wyczerpani i śmiertelnie zmęczeni".

„W ciągu 23 dni i nocy nieprzerwanych walk wojska 20. Armii na 8-kilometrowym odcinku wgryzły się w obronę nieprzyjaciela na głębokość 10 kilometrów. Średnie tempo ofensywy – nieco ponad 400 metrów na dobę. Za każdy kilometr trzeba było zapłacić sześcioma tysiącami zabitych i rannych żołnierzy".

„Mniej więcej według tego samego scenariusza przebiegały wydarzenia w strefach natarcia pozostałych armii Frontu Zachodniego i Kalinińskiego".

„Ogólne straty w ludziach Frontu Kalinińskiego i Zachodniego wyniosły ponad 215 tysięcy zabitych i rannych".

IV

Nie tylko 20. Armia „odciągała uwagę wroga". Dokładnie w ten sam sposób pod genialnym przewodem Żukowa operowało piętnaście armii ogólnowojskowych, dwie uderzeniowe i jedna armia pancerna Frontu Zachodniego i Kalinińskiego, a ponadto na odcinkach innych frontów jeszcze siedem armii ogólnowojskowych i jedna armia uderzeniowa.

Opublikowano już wystarczająco dużo dokumentów o działaniach każdej armii w tej gigantycznej operacji „dywersyjnej". Lecz nie przypadkiem wybrałem 20. Armię. 20. Armia została zmasakrowana w październiku 1941 roku pod Jelnią. Nie będę mówić, z czyjej winy. Pamiętamy, kto szturmował Jelnię przez dwa miesiące, wykrwawił wojska, zmarnował całą amunicję i paliwo, po czym wyjechał na inny front, porzucając wycieńczone wojska na pewną śmierć.

W listopadzie 1941 roku sformowano nową 20. Armię.

Po starej 20. Armii odziedziczyła tylko numer. Ta nowa, pośpiesznie formowana i niedoświadczona w walce armia, już w styczniu 1942 roku pod dowództwem generała majora Andrieja Własowa dokonywała cudów nad rzeką Lamą. A nad Własowem stał wtedy Żukow. Minął rok. Znów jest zima. Ta sama 20. Armia tegoż Frontu Zachodniego teraz ma za sobą roczne doświadczenie bojowe. I znów ogólne kierownictwo sprawuje Żukow. Ale tym razem wszystko idzie wspak: wywiad jest nieskuteczny, artyleria strzela niecelnie, cała operacja przygotowana jest nieudolnie. Nieprzyjaciel już dawno wie, gdzie nastąpią uderzenia i solidnie przygotował się do ich odparcia.

Czegóż, a raczej kogóż więc brakuje? Brakuje generała Własowa. Bez niego wielki strateg Żukow stał się zwykłym kapralem z czasów I wojny światowej. Popełnia elementarne błędy. Żywiołem czołgów jest niepowstrzymane parcie do przodu. Nigdy nie szturmuje się czołgami obszarów zabudowanych ani gniazd oporu. Należy je omijać szerokim łukiem. Ale tego Żukow nie zrozumiał nie tylko do końca wojny, ale do końca swego życia.

V

Kto więc ponosi winę za kolejną krwawą porażkę pod Syczewką? Odpowiedź Żukowa (albo autorów jego pamiętnika) jest rozbrajająca: „Jeśli obrona nieprzyjaciela rozmieszczona jest w terenie uniemożliwiającym obserwację, w którym istnieją dobre ukrycia za przeciwległymi stokami wzgór, w jarach równoległych do linii frontu, to trudno jest przełamać taką obronę, zwłaszcza przy ograniczonym użyciu czołgów, W tym konkretnym wypadku nie uwzględniono znaczenia terenu, na którym rozbudowana została niemiecka obrona"[7].

Sytuacja zaiste groteskowa. Na papierze plan był znakomity, ale zapomniano o jarach. Więc kto ponosi za to winę? Według Żukowa winę ponosi jakiś abstrakcyjny „ktoś", który zapomniał o parowach. Chwileczkę, ale przecież tę operację

---

[7] Żukow, *op. cit.*, s. 447.

„dywersyjną" planował osobiście Żukow, ten sam, który od stycznia do końca sierpnia 1942 roku nieudolnie szturmował rzeczone jary i parowy pod Syczewką. Czyżby więc przez osiem miesięcy bezskutecznych szturmów wielki dowódca nie zorientował się, że ich zdobywanie nic nie da?

Gdyby się zorientował, to powinien był powiedzieć Stalinowi, że operację dywersyjną trzeba przeprowadzić w jakimkolwiek innym miejscu frontu, tylko nie pod Syczewką. Ale kapral Żukow, gdy otrzymał rozkaz ponownego szturmu Syczewki, żwawo ryknął: „Tak jest!" – i pobiegł go wypełniać. Sam przygotował operację, sam ją zaprzepaścił, a potem nagle przypomniał sobie, że już wcześniej na te same grabie nadepnął kilkadziesiąt razy.

Wychodzi na to, że od stycznia do grudnia 1942, przez okrągły rok, Żukow zalewał krwią cały obwód smoleński. Stalingrad był tylko drobnym przerywnikiem w tym procederze.

Stalingradzką ofensywę przeprowadzono bez udziału Żukowa. Tyle że po wojnie Żukow zapomniał, iż w listopadzie i grudniu 1942 roku w okolicach Rżewa i Syczewki zmarnował bez sensu miliony pocisków, skazał na śmierć masy żołnierzy, pogrzebał najlepsze jednostki gwardyjskie.

VI

Prawda jest taka, że Żukow spod Stalingradu odciągał nie wojska niemieckie, ale radzieckie. „Po imponującym, lecz najprawdopodobniej nieoczekiwanym dla dowództwa radzieckiego sukcesie stalingradzkim, całkiem realna stała się szansa decydującego zwycięstwa na całym południowym skrzydle frontu radziecko-niemieckiego. Los dał stronie radzieckiej niepowtarzalną szansę okrążenia i całkowitego zniszczenia niemieckich wojsk na południe od Woroneża, co doprowadziłoby do klęski Rzeszy już zimą 1943 roku. Wydawało się, że Kwatera Główna w Moskwie ma do dyspozycji wszelkie środki potrzebne do zrealizowania tego planu – druzgocącą przewagę sił nad nieprzyjacielem i nadzwyczaj korzystną operacyjnie sytuację strategiczną na tym odcinku frontu. Owa niezwykle rzadka szansa na południowym skrzydle frontu została zmarnowana"[8].

Oto, jak do tego doszło.

Latem 1942 roku wojska niemieckie na południowej flance frontu przedarły się daleko na wschód, sforsowały Don i skierowały na południe, dochodząc do samych podnóży Kaukazu. W listopadzie Armia Czerwona okrążyła Niemców pod Stalingradem, co samo w sobie było spektakularnym dokonaniem. Jednak ta kontrofensywa zwiastowała jeszcze większy sukces: wojska radzieckie zagroziły trasom zaopatrzenia silnego zgrupowania niemieckiego na Kaukazie. Nad Niemcami zawisła groźba okrążenia na niespotykaną skalę. Przed nimi było wielkie pasmo gór Kaukazu, po prawej Morze Czarne, a po lewej – Morze Kaspijskie, Wołga i niemożliwy do rozerwania front radziecki. Wojskom radzieckim pozostawało jedynie zatkać tę butelkę korkiem.

Feldmarszałek Erich von Manstein po latach przyznawał: „Przez Rostów przechodziły dostawy zaopatrzenia nie tylko dla całej Grupy Armii «A», ale także 4. Armii Pancernej i rumuńskiej 4. Armii"[9].

W kotle pod Stalingradem znalazła się niemiecka 6. Armia. Gdyby Rosjanie ruszyli na Rostów, w pułapce znalazłyby się kolejne cztery armie, jak również dowództwo i zaplecze Grupy Armii „A". Przebicie się z kotła nie było możliwe, wojska hitlerowskie zapuściły się bowiem za daleko na wschód i na południe. Żeby rozpocząć operację przełamania radzieckiego pierścienia, niemieckie oddziały czołowe musiałyby wpierw cofnąć się o 500–600 kilometrów. A na to po prostu nie miały paliwa. W przypadku uderzenia na Rostów okrążenie pod Stalingradem byłoby prologiem, pierwszym etapem pogromu na skalę niewyobrażalną.

Radzieccy dowódcy zdawali sobie sprawę, że sytuacja jest dla nich nadzwyczaj korzystna. Marszałek Związku Radzieckiego Jeremienko w tym czasie był generałem pułkownikiem

---

[8] Chodarionok, Władimirow, *op. cit.*

[9] Von Manstein E., *Verlorene Siege*, Bonn 1995. Cytat za wyd. ros.: *Utieriannyje pobiedy*, Moskwa 1999, s. 433.

i dowodził Frontem Stalingradzkim. W swoim dzienniku bojowym jeszcze 18 stycznia 1943 roku zapisał: „Należało, tak jak zaproponował sztab Frontu Stalingradzkiego, nie atakować okrążonych, lecz zadusić ich blokadą, wytrzymaliby nie więcej niż miesiąc, a Front Doński wysłać prawym brzegiem rzeki w kierunku Szacht, Rostowa. W konsekwencji byłoby to natarcie trzech frontów: Woroneskiego, Południowo-Zachodniego i Dońskiego. Takie uderzenie byłoby wyjątkowo silne i zamknęłoby jak w pułapce całe zgrupowanie nieprzyjaciela na Północnym Kaukazie"[10].

Główny marszałek artylerii Woronow: „Mieliśmy możliwość zgotowania wojskom hitlerowskim nowego niespodziewanego kotła pod Rostowem oraz rozgromienia południowego skrzydła frontu wschodniego"[11].

Niemieccy dowódcy także widzieli ogromne niebezpieczeństwo okrążenia.

Szef Sztabu Generalnego Wojsk Lądowych generał pułkownik Zeitzler: „Mniej więcej od połowy grudnia zaczęła nadciągać inna katastrofa, podobna do stalingradzkiej. Ponieważ wiąże się ona bezpośrednio ze Stalingradem, powiem o niej kilka słów. Chodzi o los naszych wojsk na Kaukazie. [...] W okresie zimowym w wyniku pomyślnego ataku wojsk rosyjskich na zachód i na południe od Stalingradu pojawiło się zagrożenie dla całego frontu kaukaskiego. [...] Nietrudno było zrozumieć, że jeżeli Rosjanie będą kontynuować natarcie, to w krótkim czasie dotrą do Rostowa, a jeśli uda im się przejąć Rostów, to całej Grupie Armii «A» grozi niechybnie okrążenie"[12].

Feldmarszałek von Manstein uważał, że w przypadku uderzenia wojsk radzieckich na Rostów cały front wschodni runie w styczniu 1943 roku – jeśli nie nastąpi to już w grudniu 1942 roku. „Chodziło o to, czy już tej zimy zostanie zrobiony decydujący krok zmierzający do zadania klęski Niemcom na Wschodzie. Katastrofa 6. Armii, choć sama w sobie druzgo-

---

[10] „Wojenno-istoriczeskij żurnał", nr 4/1994.
[11] „Krasnaja zwiezda", 28 października 1992.
[12] *The Battle of Stalingrad* [w:] *The Fatal Decisions*, Londyn 1956. Cytat za wyd. ros.: *Rokowyje rieszenija*, Moskwa 1958, s. 197.

cąca i bardzo smutna, w skali całej II wojny światowej takim wydarzeniem nie była. Lecz rozgromienie całego południowego skrzydła frontu wschodniego otwierałoby drogę do szybkiego zwycięstwa nad Niemcami. Radzieckie dowództwo mogło liczyć na osiągnięcie tego celu na południowym skrzydle z dwóch przyczyn. Pierwsza z nich – to ogromna przewaga liczebna armii rosyjskiej, a druga – to lepsza sytuacja operacyjna, w której znalazło się dowództwo radzieckie dzięki błędom dowództwa niemieckiego pod Stalingradem"[13].

Rozumiejąc straszne zagrożenie, dowództwo niemieckie podjęło wszelkie środki, by uniknąć rozbicia frontu wschodniego na samym początku 1943 roku. Grupa Armii „A" porzuciła wszystko i w pośpiechu, unikając walki, opuściła Północny Kaukaz.

Gdyby Żukow zrozumiał, jak wspaniała sytuacja była pod Stalingradem, powinien był krzyczeć do Stalina:

– Przerwijmy ten idiotyczny atak na Syczewkę! Nie marnujmy brygad i korpusów pancernych dla jakichś posiółków, które już dawno znikły z powierzchni ziemi! Cała naprzód na Rostów! Tam skierujmy nasze rezerwy amunicji! I korpusy gwardyjskie! I lotnictwo! I armie uderzeniowe! Zwycięstwo nad Niemcami jest w zasięgu ręki!

Ale Żukow nie potrafił właściwie ocenić zaistniałej sytuacji. Żukow wykonywał idiotyczny rozkaz, i to w najbardziej idiotyczny sposób, mianowicie odciągał najlepsze jednostki Armii Czerwonej od najważniejszego odcinka frontu i bezmyślnie je wyniszczał, szturmując nikomu niepotrzebne wioski.

VII

W czasie wojny i zaraz po niej Żukow dziarsko szerzył kult własnej osoby. „Oto ja, Wielki Żukow, autor radzieckich zwycięstw, również wiktorii pod Stalingradem". Po kraju zaczęły krążyć pogłoski, które dotarły również do Stalina. Można wyobrazić sobie jego wściekłość, gdy usłyszał, że Żukow ogłasza się bohaterem stalingradzkim. I wtedy właśnie

---

[13] Von Manstein, *op. cit.*, s. 432.

marszałkowie Bułganin i Wasilewski napisali projekt rozkazu o tym, że Żukow, straciwszy resztki skromności, przypisuje sobie opracowanie i przeprowadzenie operacji, z którymi nie miał nic wspólnego. Stalin ten projekt podpisał. W rozkazie stwierdzono między innymi: „Żukow nie miał nic wspólnego z planem likwidacji grupy wojsk niemieckich pod Stalingradem ani z jego przeprowadzeniem. Jak wiadomo, plan likwidacji wojsk niemieckich został opracowany, a sama likwidacja rozpoczęła się zimą 1942 roku, w czasie, gdy marszałek Żukow znajdował się na innym froncie, daleko od Stalingradu".

Rozumiemy, jakie powody zmusiły Stalina do podpisania rozkazu o niegodnym zachowaniu Żukowa: marszałek-pyszałek zapomniał o swoich porażkach pod Syczewką, lecz dobrze pamięta o cudzych zwycięstwach pod Stalingradem – a na dodatek przypisuje je sobie.

Ale Żukow niezbyt przejął się rozkazem Stalina o swych kłamstwach. Minęły dwie dekady i w pamiętnikach wielkiego dowódcy znów zabrzmiała fałszywa piosnka o tym, jak to zwyciężył pod Stalingradem. „Zasługa Kwatery Głównej Naczelnego Dowództwa i Sztabu Generalnego polega na tym, że potrafiły z naukową ścisłością przeanalizować wszystkie czynniki tej gigantycznej operacji, zdołały przewidzieć tok jej rozwoju i zakończenie. Tak więc nie o pojedynczych pretendentach do «autorstwa» idei kontrofensywy należy mówić"[14].

Widzicie, jaki Żukow jest skromny? Nawet nie próbuje podkreślać swojej wybitnej roli w przeprowadzeniu kontrofensywy pod Stalingradem. Mówi, że pracowali wszyscy: i Naczelne Dowództwo, i Sztab Generalny. Po co szukać jednej osoby, która zaproponowała pomysł kontrofensywy?

Najpierw Żukow opowiedział o tym, jak on sam i Wasilewski wymyślili cały plan, o tym, jak Stalin podsłuchał, o czym mówili, i zainteresował się tym. A później Żukow wspaniałomyślnie zgadza się, żeby nie szukać autorów owego genialnego planu.

Nieco później Żukow wzmocnił swoją wypowiedź: „Ogromna zasługa Naczelnego Dowództwa polegała na tym, że potrafili

---

[14] Żukow, *op. cit.*, s. 421.

oni z matematyczną precyzją przeanalizować wszystkie czynniki tej ogromnej operacji, potrafili przewidzieć jej przebieg i zakończenie"[15].

„Zasługa Naczelnego Dowództwa i Sztabu Generalnego" przemieniła się w „ogromną zasługę" samego Naczelnego Dowództwa. A Sztab Generalny wypadł z kręgu zwycięzców. Ale jest to całkiem zrozumiałe. Stalin wyrzucił Żukowa ze Sztabu Generalnego już w lipcu 1941 roku i zdegradował go. A skoro Żukowa nie ma już w gensztabie, to znaczy, że o roli Sztabu Generalnego w kontrofensywie pod Stalingradem nie należy wspominać. Żukow pamięta jedynie o zasługach Naczelnego Dowództwa, ponieważ wchodził w jego skład. Żukow w swojej książce powtarza to na okrągło. Dlatego wypowiedzi na temat ogromnych zasług Naczelnego Dowództwa w bitwie pod Stalingradem odnoszą się także do samego autora. To Żukow sam siebie chwali. Opowiada o matematycznej dokładności swojej własnej analizy.

Ale o jakiej dokładności może być mowa, skoro okrążono trzy razy więcej wojsk, niż zamierzano? Poza tym, jeśli dopuszczano błąd w jedną stronę, to taki sam błąd mógł wystąpić w drugą stronę. Zdecydowano okrążyć 7–8 dywizji, a co by było, gdyby się okazało, że jest tam ich trzykrotnie mniej?

O jakiej matematycznej precyzji mowa, skoro Naczelne Dowództwo rozkazało atakować Niemców okrążonych pod Stalingradem? Okrążone jednostki były właściwie obozem uzbrojonych jeńców, bez żywności, opału i odzieży zimowej. Niebezpieczeństwo, że wyrwą się z okrążenia, zostało zlikwidowane. Po tym należało zostawić je w spokoju do wiosny. Ile czasu mogą wytrzymać żołnierze na trzaskającym mrozie, bez mundurów zimowych, bez opału, amunicji i żywności? Ale wydano rozkaz, więc radzieckie dywizje, korpusy i armie przystąpiły do szturmu.

Latem 1942 roku wojska inżynieryjne budowały umocnione rubieże obronne wokół Stalingradu, potem wojska niemieckie je pokonały, teraz zaś Armia Czerwona szturmowała niedo-

---

[15] *Marszał Żukow. Kakim my jewo pomnim*, Moskwa 1988, s. 239.

stępny pas umocnień, które sama niedawno wznosiła. Atak na ufortyfikowane miasto był niewybaczalnym błędem Hitlera. Teraz Armia Czerwona powtarzała błąd Hitlera. „Dlaczego Rosjanie zdecydowali przejść do ataku, nie czekając, aż kocioł sam się rozpadnie, bez jakichkolwiek strat z ich strony – to wiedzą tylko generałowie rosyjscy"[16].

O jakiej dokładności matematycznej mowa, skoro zaprzepaszczono szansę rozgromienia Niemców już na początku 1943 roku? Skoro była możliwość odniesienia zwycięstwa bez bitwy kurskiej, bez Prochorowki, bez forsowania Dniepru, Dniestru, Niemna, Wisły i Odry, bez bitwy nad Balatonem, bez szturmu wzgórz seelowskich, Królewca i Berlina?

Ale zamiast ataku na Rostów nasi stratedzy szturmowali własne umocnienia pod Stalingradem i ogrody na obrzeżach wioski Żerebcowo.

W całej epopei stalingradzkiej najbardziej zdumiewa bezczelność Żukowa.

Każdy, kto interesuje się historią i wykaże dość wytrwałości, może zrekonstruować jego kolejne miejsca postoju podczas całej wojny. A potem każdy badacz może wykazać Żukowowi to samo, co wykazali mu już po wojnie Stalin, Bułganin i Wasilewski: nadmierne i bezpodstawne wywyższanie się oraz kradzież cudzej sławy.

Ale realne zagrożenie zdemaskowaniem nie wywarło większego wrażenia na autorach pamiętników Żukowa.

VIII

Czas na krótkie podsumowanie.

Pod Stalingradem zostały wykonane dwa zadania.

Pierwszym z nich było powstrzymanie odwrotu wojsk radzieckich i utworzenie nowego frontu. To zadanie zostało zrealizowane w lipcu i sierpniu 1942 roku bez udziału Żukowa.

Drugim zadaniem było przełamanie linii frontu nieprzyjaciela i okrążenie jego wojsk w okolicach Stalingradu. To zadanie zostało zrealizowane w dniach 19–23 listopada 1942

---

[16] *Rokowyje rieszenija, op. cit.*, s. 199.

roku. I też bez udziału Żukowa. Zarówno w czasie wykonywania pierwszego, jak i drugiego zadania Żukow szturmował Syczewkę.

Słyszę głosy sprzeciwu. Dobrze, przyjmijmy na moment, że stalingradzka strategiczna operacja zaczepna została przeprowadzona bez udziału Żukowa. Ale przecież nie jest ważne, kto ją realizował, tylko kto ją wymyślił!

Przypomnijmy więc człowieka, który ją wymyślił. Jego stanowisko latem 1942 roku to starszy oficer Głównego Zarządu Operacyjnego Sztabu Generalnego. Stopień – pułkownik, później – generał porucznik. Nazwisko – Potapow. O tym, że plan ofensywy stalingradzkiej zrodził się w Głównym Zarządzie Operacyjnym Sztabu Generalnego i że autorem planu był pułkownik Potapow, wszyscy od dawna już wiedzą. Nikt nie robił z tego tajemnicy. Po upadku władzy komunistycznej w Głównym Zarządzie Operacyjnym Sztabu Generalnego odnaleziono mapę z planem operacji. Na mapie były podpisy Potapowa i Wasilewskiego. I data: 30 lipca 1942 roku. Jest to data zakończenia planowania operacji. W tym czasie Żukow po raz n-ty szturmował Syczewkę i jeszcze nawet nie myślał o Stalingradzie.

Plan pułkownika Potapowa został przedstawiony szefowi Sztabu Generalnego Wasilewskiemu. Wasilewski przekazał go Stalinowi. Potem Stalin wezwał Żukowa do Moskwy, mianował swoim zastępcą i skierował w okolice Stalingradu. Żukow wrócił 12 września i rzekomo zaproponował „inne" rozwiązanie. Ale Sztab Generalny to właśnie rozwiązanie opracował półtora miesiąca przed cudownym olśnieniem Żukowa. Następnie zostało ono przedłożone Stalinowi i Stalin wraz z Wasilewskim już dawno rozpoczęli intensywne prace przygotowawcze w celu jego zrealizowania. Natomiast w dniu 12 grudnia 1942 roku Wasilewski z rozkazu Stalina jedynie wtajemniczył Żukowa w szczegóły gotowej już operacji.

IX

Uwierzmy przez chwilę, że to on, wielki Żukow, we wrześniu 1942 roku zaproponował plan ofensywy stalingradzkiej.

Uwierzmy, że Stalin wątpił w sukces, a Żukow nie wątpił ani przez chwilę. Niech tam!

Z pewnością zdarzało wam się bywać w takich sytuacjach: przychodzisz do przełożonego i proponujesz jakieś niezwykłe i ryzykowne posunięcie. Kierownik ma wątpliwości, czy to się uda. Co odpowie? Są tylko dwie możliwości. Wariant pierwszy. Szef zabroni się tym zajmować, dlatego że w końcowym rozrachunku to on za wszystko odpowiada. Wariant drugi. Szef powie: sam to wymyśliłeś, to sam to rób. Bierzesz na siebie odpowiedzialność. Jak zawalisz, to miej pretensje do siebie.

Żukow proponuje trzeci wariant. Stalin wątpi w sukces, ale z jakiegoś powodu całą odpowiedzialność bierze na siebie, a potem przerzuca na Wasilewskiego. Żukowa natomiast odsyła gdzie indziej, zwalniając go z odpowiedzialności za realizację ryzykownego planu. Przecież takie cuda się nie zdarzają! Gdyby Stalin wątpił w powodzenie, to posłałby Żukowa, aby sam kierował operacją pod Stalingradem: ty to zaproponowałeś, wierzysz w sukces, masz tu karty do ręki. Działaj! Jak zawalisz – odpowiesz głową. Jeśli Stalin bał się konsekwencji, to powinien był trzymać Żukowa w okolicach Stalingradu i w przypadku niepowodzenia zwalić winę na niego.

Ale Stalin nie uchylał się od odpowiedzialności. Przed ryzykowną operacją odpowiedzialnością za nią nie obarczał odważnego, mądrego Żukowa. A świadczy to o tym, że Stalin nie uważał Żukowa za autora pomysłu, nie zakładał, że w razie porażki można będzie zwalić na niego całą winę. Dlatego tuż przed rozpoczęciem tak ryzykownej operacji Stalin wysyła Żukowa tysiąc kilometrów od Stalingradu, na zachodni kierunek, żeby tam poprowadził inną operację, którą Żukow rzeczywiście zaproponował, którą długo planował i – jak zwykle – zawalił.

Stalin wiedział, że plan ofensywy stalingradzkiej powstał w gabinetach Sztabu Generalnego, został opracowany przez pewnego pułkownika i zatwierdzony przez szefa Sztabu Generalnego generała pułkownika Wasilewskiego. Dlatego właśnie 15 października 1942 roku Stalin mianuje Wasilewskiego (zaledwie generała pułkownika!) swoim zastępcą, a w listopadzie posyła pod Stalingrad, aby tam koordynował działania wszystkich wojsk, które brały udział w kontrofensywie.

Logika Stalina jest prosta i nie budzi wątpliwości: plan operacji powstał w Sztabie Generalnym, został zatwierdzony przez jego szefa, więc jedź, szefie Sztabu Generalnego, generale pułkowniku Wasilewski, pod Stalingrad i przeprowadzaj swoją operację. Jak zawalisz – będzie po tobie!

Wiadomo, jaki był rezultat. 18 stycznia 1943 roku Stalin nadaje swojemu zastępcy Wasilewskiemu stopień generała armii. Nie mija miesiąc i 16 lutego Stalin nadaje Wasilewskiemu stopień marszałka Związku Radzieckiego.

Z faktu, że to Wasilewski, a nie Żukow koordynował działania frontów pod Stalingradem, nasuwa się prosty wniosek: opowieści z książki Żukowa o jego decydującej roli w bitwie stalingradzkiej należą do kategorii legendarnych wyczynów panfiłowców i stachanowców, Sindbada Żeglarza i... barona Münchausena.

Wzmianka o pułkowniku Potapowie w radzieckiej prasie pojawiła się tylko raz. „Krasnaja zwiezda" 1 września 1992 roku przyznała, że to właśnie on opracował i zaproponował plan ofensywy stalingradzkiej.

Zaraz po upadku komunizmu był krótki okres, kiedy zaczęto otwierać archiwa, gdy upadły mity i spadły z piedestałów nadęte sławy. Ale był to okres bardzo krótki. Władze opamiętały się. Z braku lepszego kandydata zaczęto od nowa wywyższać Żukowa. Kampania wznoszenia go do rangi bogów w okamgnieniu osiągnęła wymiary ogólnonarodowej histerii. A pułkownika Potapowa znów puszczono w niepamięć. Jego plan znów trafił do osobliwej kategorii niepotwierdzonych informacji.

Osoba pułkownika Potapowa komplikowała konfabulacje na temat wyczynów kandydata na nowego Świętego Jerzego[17].

---

[17] *Gieorgij Pobiedonosiec*, dosł. Gieorgij Zwycięzca: Święty Jerzy [przyp. tłum.].

Rozdział 17

O wybitnej roli

Zwracają się do mnie towarzysze – uczestnicy bitwy kurskiej – z pytaniami: dlaczego Żukow w swoich pamiętnikach zniekształca prawdę, przypisując sobie coś, czego nie było? Kto jak kto, ale on nie powinien robić czegoś takiego![1]

I

No dobrze, pod Stalingradem Żukow nie miał możliwości, żeby się wykazać. Ale Łuk Kurski? Tam dopiero pokazał, co potrafi!

Sytuacja była następująca: po sukcesie operacji stalingradzkiej wojska Frontu Centralnego i Woroneskiego wysforowały się naprzód, lecz poniosły duże straty i dlatego otrzymały rozkaz przejścia do obrony. Został utworzony mocny występ skierowany w stronę nieprzyjaciela – tak zwany Łuk Kurski. Plan Niemców na lato 1943 roku był następujący: z okolic Orła i Biełgorodu wyprowadzić dwa zbieżne uderzenia na Kursk, ściąć Łuk Kurski, a następnie okrążyć i zniszczyć wojska dwóch frontów radzieckich.

Radziecki wywiad wojskowy odkrył zamiary dowództwa niemieckiego, zdobył plany ataku i ustalił przybliżoną datę jego rozpoczęcia.

Wszystko to działo się bez udziału Żukowa. Zarząd Wywiadowczy podlegał Żukowowi tylko od lutego do lipca 1941 roku,

---

[1] „Wojenno-istoriczeskij żurnał", nr 3/1992, s. 32.

kiedy pełnił on funkcję szefa Sztabu Generalnego. W 1943 roku GRU[2] podlegał nie Żukowowi, lecz Wasilewskiemu i Stalinowi.

Dowodzący Frontem Centralnym i Woroneskim generałowie armii Rokossowski i Watutin otrzymali od Stalina trzy ostrzeżenia o przygotowywanym natarciu niemieckim. 2 maja, 20 maja i 2 lipca Stalin ostrzegł ich, że dowództwo niemieckie przygotowuje uderzenia oskrzydlające. Zarówno Front Centralny, jak i Woroneski były gotowe do odparcia ataku.

W nocy z 4 na 5 lipca 1943 roku ze sztabu 13. Armii do dowództwa Frontu Centralnego została przekazana informacja o schwytaniu niemieckich saperów, którzy oczyszczali przejścia w radzieckich polach minowych i ściągali zasieki. Jeńcy zeznali, że niemieckie natarcie ma się rozpocząć o 3 nad ranem i że zgrupowania szturmowe zajęły pozycje wyjściowe. Do rozpoczęcia ataku pozostała niecała godzina.

Artyleria Frontu Centralnego wyczekiwała w pełnej gotowości do wykonania kontrprzygotowania artyleryjskiego. Tuż przed rozpoczęciem niemieckiego natarcia planowano wykonać uderzenie ogniowe na pozycje wyjściowe wojsk niemieckich, na przygotowane do szturmu dywizje. Na rozkaz otwarcia ognia czekało 506 dział, 468 moździerzy i 117 wyrzutni rakietowych Katiusza. Ta nawała miała potrwać zaledwie 30 minut. Ale planowane natężenie ognia było wyjątkowo silne.

Artyleria sąsiedniego Frontu Woroneskiego też znajdowała się w gotowości do przeprowadzenia artyleryjskiego uderzenia w tym samym czasie i równej mocy.

Ale informacje o dokładnym czasie rozpoczęcia ataku niemieckiego były niepewne. To oczywiste, że wzięci do niewoli saperzy od razu zaczęli mówić i że powiedzieli prawdę. Nasi zwiadowcy potrafili tak rozmawiać z jeńcami, że ci od razu do wszystkiego się przyznawali. Jednak pojmani saperzy mogli nie znać dokładnego czasu lub mogli się mylić.

---

[2] W 1942 roku Zarząd Wywiadowczy Sztabu Generalnego RKKA (Razwiedupr) został podniesiony do rangi Głównego Zarządu – od tego czasu radziecki (a następnie rosyjski) wywiad wojskowy znany jest pod nazwą GRU [przyp. red.].

Jeśli artyleria rozpocznie przygotowanie do odparcia ataku za wcześnie, to straci tysiące ton pocisków na ostrzeliwanie pustych pól i łąk. Może się okazać, że niemieckie zgrupowania szturmowe jeszcze nie stanęły na pozycjach wyjściowych. Jeśli przygotowanie przeprowadzimy za późno, rezultat będzie dokładnie taki sam: atak trafi w pustkę, ponieważ siły główne nieprzyjaciela będą już na przedpolu naszych pozycji. A zatem, czy siły główne Niemców są już na rubieżach wyjściowych do ataku czy jeszcze nie? A może już je opuściły? Jest noc, ciemno, nawet jeśli zostaną wysłane samoloty zwiadowcze, z góry i tak nic nie widać. Co zatem robić? W razie omyłki nasza artyleria zmarnotrawi połowę amunicji, i to już na samym początku wielkiej bitwy.

W filmie *Wyzwolenie* aktor Uljanow grał Żukowa na Łuku Kurskim. Zastępca Naczelnego Wodza zjawia się w sztabie Frontu Centralnego, którym dowodzi generał armii Rokossowski. Żukow ocenia sytuację, z zatroskaną twarzą analizuje, wreszcie, zważywszy wszystkie argumenty, zdecydowanie wydaje rozkaz.

II

Ten sam historyczny moment opisuje marszałek Związku Radzieckiego Rokossowski. Żukow rzeczywiście przybył do sztabu Frontu Centralnego w przededniu bitwy, ale nie wykazał nawet śladu przypisywanej mu determinacji. Ryzyko wydania rozkazu o rozpoczęciu kontrprzygotowania artyleryjskiego wziął na siebie sam Rokossowski. Ryzyko praktycznie śmiertelne. Jeśli Rokossowski mylił się w oszacowaniu czasu, to bitwa na Łuku Kurskim może zostać przegrana. Konsekwencje takiej klęski mogą być katastrofalne dla Związku Radzieckiego. Dlatego Rokossowski, zanim podjął decyzję, poprosił Żukowa, jako starszego stopniem, aby ją zatwierdził. Ale Żukow nie chciał wziąć na siebie ryzyka. Zawsze konsekwentnie i umiejętnie uchylał się od odpowiedzialności: jesteś, Rokossowski, dowódcą Frontu Centralnego, więc decyduj sam.

„Teraz o samodzielnej pracy Żukowa jako przedstawiciela Naczelnego Dowództwa na Froncie Centralnym. W swoich wspomnieniach obszernie opisuje on podejmowane, rzekomo przez siebie, działania na naszym froncie w okresie przygotowań oraz w trakcie samej operacji obronnej. Zmuszony jestem poinformować z pełną odpowiedzialnością, i jeżeli okaże się to potrzebne, przywołam świadków, którzy potwierdzą, że to, co Żukow napisał w tym artykule, nie odpowiada rzeczywistości i zostało przez niego zmyślone. Będąc w sztabie w nocy przed rozpoczęciem ataku wroga, gdy otrzymano doniesienie dowódcy 13. Armii generała Puchowa o pojmaniu niemieckich saperów, którzy poinformowali o przewidywanym początku ataku niemieckiego, Żukow odmówił nawet zatwierdzenia mojej propozycji dotyczącej rozpoczęcia artyleryjskiego przygotowania do odparcia ataku, pozostawiwszy tę decyzję mnie, jako dowodzącemu frontem. Decyzję trzeba było podjąć natychmiast, nie było czasu na konsultację z Naczelnym Dowództwem"[3].

Rokossowski podjął decyzję. Zgodnie z jego rozkazem artyleryjskie kontrprzygotowanie na Froncie Centralnym rozpoczęło się w nocy 5 czerwca 1943 roku o godzinie 2.20. To właściwie był początek bitwy kurskiej.

O godzinie 4.30 nieprzyjaciel rozpoczął przygotowanie artyleryjskie, a o 5.30 orłowskie zgrupowanie wojsk niemieckich ruszyło do natarcia.

Rokossowski kontynuuje opowieść:

„5 czerwca około godziny 10 rano Żukow zadzwonił do Naczelnego Dowództwa. W mojej obecności zameldował Stalinowi, że (cytuję dosłownie) Kostin (mój pseudonim) dowodzi wojskami pewnie i zdecydowanie i że atak nieprzyjaciela jest odpierany. I od razu poprosił o pozwolenie na wyjazd do Sokołowskiego. Po tej rozmowie natychmiast wyjechał. Tak naprawdę wyglądał pobyt Żukowa na Froncie Centralnym. W okresie przygotowań do operacji Żukow nie był na Froncie Centralnym ani razu"[4].

---

[3] „Wojenno-istoriczeskij żurnał", nr 3/1992, s. 31.
[4] Ibid.

III

Oto osobisty wkład Żukowa w rozgromienie nieprzyjaciela na Łuku Kurskim. W okresie przygotowań Żukow w ogóle nie pojawił się na odcinku ani Frontu Centralnego, ani Woroneskiego. Przyjechał dopiero w przeddzień bitwy. Nie podjął żadnych decyzji. Nie wziął na siebie odpowiedzialności za decyzję Rokossowskiego. Kontrprzygotowanie artyleryjskie przeprowadził nie tylko Front Centralny, ale również Woroneski. Tam decydował dowodzący frontem generał Watutin. Jego rozkaz został zatwierdzony przez marszałka Związku Radzieckiego Wasilewskiego. Żukow nie miał z tym nic wspólnego, nawet go tam nie było. Nasz bohater nie przemęczał się zbytnio na Froncie Centralnym. Cztery i pół godziny po rozpoczęciu bitwy Żukow wyjechał na inny front. Nie mógł polecieć samolotem: w powietrzu toczyła się bitwa. Od stanowiska dowodzenia Rokossowskiego do stanowiska dowodzenia Sokołowskiego było 740 kilometrów, a jechać trzeba było zniszczonymi drogami frontowymi, pełnymi wojsk. Dlatego wielki strateg Żukow nie mógł dowodzić bitwą kurską w jej najtrudniejszym, pierwszym dniu. Podróżował. Być może w drugim dniu także.

IV

W czasach Breżniewa kult Żukowa szerzono z całą mocą propagandy komunistycznej. Szczególne wysiłki czynili w tym kierunku główny ideolog KPZR Susłow, minister obrony marszałek Greczko oraz szef Głównego Zarządu Politycznego Armii Radzieckiej generał armii Jepiszew. Wszystko, co opowiedział Rokossowski o roli Żukowa w bitwie kurskiej, wszystko, co mogło rzucić cień na osobę wielkiego stratega – bezlitośnie usunięto z książki Rokossowskiego. Fragmenty, które cytowałem, opublikowano dopiero ćwierć wieku po tym, jak ocenzurowana książka Rokossowskiego pierwszy raz ujrzała światło dzienne. Jednak nawet breżniewowsko-susłowscy cenzorzy nie mieli odwagi spierać się z Rokossowskim. Prawdzie nie da się zaprzeczyć. W ocenzurowanej książce Rokossowskiego i tak zachował się główny sens wypowiedzi: „Nie mieliśmy czasu na skontaktowanie się z Kwaterą Główną Naczelnego Dowództwa, ponieważ sytuacja przedstawiała się tak, że każda zwłoka mogła doprowadzić do poważnych następstw. Przedstawiciel Kwatery Głównej ND Żukow, który przybył do nas poprzedniego wieczoru, pozostawił mi swobodę decyzji"[5].

Powiedziane jest to nieco delikatniej, ale sens jest ten sam: Żukow nie podejmował decyzji o przeprowadzeniu artyleryjskiego przygotowania do odparcia ataku. Temu oświadczeniu Rokossowskiego nikt nigdy nie zaprzeczył. Opowiadanie Rokossowskiego to nie fikcja i nie czcze wymysły. Szef sztabu Frontu Centralnego generał porucznik Malinin zobowiązany był prowadzić dziennik działań wojennych frontu. I będąc sumiennym sztabowcem, taki dziennik prowadził. Obecnie dziennik ten udostępniono badaczom. Są w nim zanotowane wszystkie rozkazy i polecenia, które wydawano w ośrodku dowodzenia frontem. Wszystko było tak, jak opowiedział Rokossowski, a nie tak, jak opisywali autorzy pamiętników Żukowa. I nie tak, jak przedstawił to aktor Uljanow.

Tymczasem już po opublikowaniu książki Rokossowskiego z rozkazu Breżniewa i Susłowa zaczęto zdjęcia do filmu *Wyzwolenie*. To nie jest film, lecz raczej epopeja filmowa. Główny jej koncept to wychwalanie pod niebiosa największego dowódcy wszech czasów i wszech narodów – towarzysza Żukowa.

Rokossowski zapoznał się ze scenariuszem. Napisał list do reżysera Ozierowa i do aktora Uljanowa, który grał Żukowa. Rokossowski, powołując się na dokumenty, dowiódł niezbicie, że Żukow nie podejmował decyzji o artyleryjskim kontrprzygotowaniu. Jednak ani Ozierow, ani Uljanow nie okazali się ludźmi honoru. Wbrew prawdzie historycznej, wbrew dokumentom i relacjom naocznych świadków przedstawili w filmie mądrego, nieco znużonego Żukowa, który na własne ryzyko, bez konsultacji ze Stalinem, podejmuje najbardziej dramatyczną decyzję w historii całej bitwy.

---

[5] K. Rokossowski, *Żołnierski obowiązek*, Warszawa 1973, s. 313.

V

Najciekawsze w tej historii jest to, że 5 czerwca 1943 roku, w chwili rozpoczęcia wielkiej bitwy na Łuku Kurskim, Żukow pojechał do Sokołowskiego. W jakim celu? W tym momencie na Łuku Kurskim decydowały się dalsze losy wojny. Front Centralny i Woroneski były już oskrzydlone przez nieprzyjaciela od północy, zachodu i południa. Nieprzyjaciel wziął te fronty w gigantyczne kleszcze, zaatakował prawe skrzydło Frontu Centralnego i lewe skrzydło Frontu Woroneskiego. Jeśli wróg przełamie radziecką obronę, to oba fronty zostaną skazane na zagładę.

Zarówno front Rokossowskiego, jak i front Watutina oparły się nieprzyjacielowi, powstrzymały go i same przeszły do ataku. Ale 5 lipca 1943 roku, w chwili rozpoczęcia niemieckiego natarcia, nikt nie mógł przewidzieć wyniku bitwy. Mogła ona równie dobrze zakończyć się wielką porażką wojsk radzieckich. I dlatego wielki Żukow chyżo czmychnął z Łuku Kurskiego, który mógł się okazać pułapką bez wyjścia.

A kimże był Sokołowski, do którego tak śpieszył niepokonany Żukow?

Generał pułkownik, z czasem marszałek Związku Radzieckiego, Wasilij Sokołowski dowodził Frontem Zachodnim. Jak pamiętamy, 26 sierpnia 1942 roku Żukow otrzymał awans i zdał dowodzenie Frontem Zachodnim. Po Żukowie Front Zachodni przejął Koniew, a po nim właśnie Sokołowski. W marcu 1943 roku Front Zachodni dowodzony przez Sokołowskiego (ale już bez Żukowa) wreszcie zajął Rżew, Wiaźmę i Syczewkę. Po tym nastąpiła przerwa w działaniach na odcinku tego frontu. A mówiąc prościej – zastój. Latem 1943 roku nieprzyjaciel nie atakował pozycji Frontu Zachodniego. Nikt temu frontowi nie zagrażał. Losy wojny nie decydowały się wtedy na odcinku Frontu Zachodniego. Losy decydowały się na Łuku Kurskim, na odcinkach Frontu Centralnego i Woroneskiego.

Dlaczego więc w decydującym momencie wojny Żukow ucieka z głównego kierunku na mniej ważny, na Front Zachodni, któremu nic nie zagraża?

Odpowiedź jest prosta: właśnie dlatego tam ucieka, że Frontowi Zachodniemu nic nie zagraża. Żukow śpieszy na odcinek Frontu Zachodniego, bo tam jest spokojnie. Ale może Żukow miał na Froncie Zachodnim do załatwienia jakieś pilne sprawy? Może na jego odcinku trzeba było rozwiązać jakieś ważne problemy, ostrzec Sokołowskiego przed grożącymi niebezpieczeństwami? Być może. W takim razie tak też trzeba pisać historię: opowiedzieć o pilnych sprawach, które Żukow miał do załatwienia z dala od Łuku Kurskiego, a jego wybitną rolę w bitwie kurskiej po prostu przemilczeć.

VI

Gdy tylko stało się jasne, że na Łuku Kurskim wojska Rokossowskiego i Watutina powstrzymały nieprzyjaciela, że ostatni atak armii niemieckiej został ostatecznie odparty, że niemieckie wojska pancerne zostały pokonane – Żukow znów się tam pojawił.

Stalingrad i Kursk to apogeum dowódczego mistrzostwa Żukowa, czołowego stratega i najwybitniejszego myśliciela wojskowego. Prócz tych dwóch były też inne bitwy, boje, wspaniałe operacje strategiczne. Ale, trzeba przyznać, wkład Żukowa w ich organizację, przeprowadzenie i pomyślne zakończenie nie był aż tak wielki, jak w przypadku bitew stalingradzkiej i kurskiej.

VII

Człowiek jest istotą słabą. Sam jestem ofiarą propagandy komunistycznej. Ja też święcie wierzyłem, że Żukow nie przegrał żadnej bitwy. I pisałem o tym. Proszę moich czytelników o wybaczenie. Wycofuję własne słowa. Żukowowi wystarczy się przypatrzeć, i oto nagle widzimy przed sobą karierę krwawego kata, pełną klęsk i niepowodzeń. Żukow praktycznie przez całą wojnę zajmował się koordynacją działań kilku frontów. I po prostu sobie z tym nie radził.

W czerwcu 1941 roku koordynował działania Frontu Południowo-Zachodniego i Południowego. Efektem tych działań była klęska.

Przez cały rok 1942 z niewielkimi przerwami Żukow koordynował działania Frontu Zachodniego i Kalinińskiego. Rezultatem była seria krwawych porażek pod Syczewką. Następnie Żukow koordynuje działania frontów na Łuku Kurskim. Tam genialny strateg wystraszył się odpowiedzialności. W lutym 1944 roku Żukow koordynował działania frontów na Ukrainie. O tym już wspominaliśmy. Skutkiem tego była porażka. Zgrupowanie wroga przerwało pierścień okrążenia, a Stalin zmuszony był odwołać Żukowa do Moskwy. Powód? Żukow nie rozumiał sytuacji i nie był w stanie wypełniać powierzonych mu obowiązków.

Latem 1944 roku Żukow koordynuje działania dwóch frontów operacji lwowsko-sandomierskiej. To też była wielka porażka. I winny jest Żukow. Porażka była na tyle duża, a wina Żukowa na tyle oczywista, że musiał się do niej przyznać. „Mając więcej sił, niż było potrzeba do wykonania zadania, dreptaliśmy w miejscu pod Lwowem; jako koordynator działań dwóch frontów nie wykorzystałem tych sił tam, gdzie było to konieczne, nie manewrowałem nimi tak, aby mieć szybszy i bardziej jednoznaczny sukces, niż ten, który został osiągnięty"[6].

Stalin pięć razy się sparzył przy kolejnych próbach wykorzystania Żukowa jako koordynatora działań kilku frontów. Później Stalin zmuszony był osobiście kierować nimi z Kremla. A Żukowa zdegradował – powierzył mu koordynację nie kilku frontów, lecz jednego, 1. Frontu Białoruskiego.

Na tym stanowisku Żukow do reszty skompromitował się bezsensownym prowadzeniem operacji berlińskiej. Szturm Berlina udowodnił, że przez cztery lata wojny Żukow niczego się nie nauczył. Na początku wojny poniósł klęskę. Pod koniec wojny skompromitował się dokładnie w ten sam sposób, ponosząc klęskę w Berlinie.

2 października 1942 roku dowódca batalionu pancernego kapitan Sztrik pisał w liście: „Nasza piechota wdarła się na obrzeża Syczewki i dalej nie mogła postąpić ani kroku – tak

---

[6] „Wojenno-istoriczeskij żurnał", nr 12/1987, s. 44.

silny był ogień. Poszły w ruch nasze «pudła». [...] Walka w mieście dla czołgów oznacza śmierć"[7].

Żeby to zrozumieć, nie trzeba być dowódcą batalionu pancernego. Każdy żołnierz, który widział czołgi w walce, wiedział, że walka w mieście to dla czołgów śmierć. Czołgi przeznaczone są do innych celów.

Żukow posyłał czołgi na Syczewkę batalionami, pułkami, brygadami i korpusami. Ale nic nie zrozumiał, niczego się nie nauczył.

Teraz ma przed sobą nie Syczewkę, lecz Berlin. I oto największy dowódca, który na wojnie niczego się nie nauczył, posyła do Berlina 1. i 2. Armię Pancerną Gwardii. I obie giną na ulicach Berlina.

Gdyby Żukow był uczciwym człowiekiem, to po zakończeniu operacji berlińskiej powinien był strzelić sobie w łeb. A przynajmniej zerwać z piersi wszystkie błyskotki, pójść do klasztoru i do końca życia modlić się o wybaczenie mu jego zbrodni.

VIII

A teraz trochę statystyki.

Ile korpusów stracił Żukow? Proponuję policzyć tylko te korpusy, które zginęły zupełnie niepotrzebnie.

Sześć zmechanizowanych: IV, VIII, IX, XV, XIX i XXII KZmech, w starciach w okolicach Dubna, Łucka, Równego. Trzy z tych korpusów – każdy z osobna – przewyższały pod względem liczby czołgów każdą armię pancerną, zarówno radziecką, jak i niemiecką. Pozostałe siły zbrojne na świecie nie miały ani armii pancernych, ani korpusów zmechanizowanych o takiej mocy.

Cztery korpusy lotnictwa dalekiego zasięgu, czyli strategicznego, bez osłony myśliwców zostały skierowane do bombardowania celów taktycznych: mostów i kolumn pancernych nieprzyjaciela. Mosty rozminowano na rozkaz Żukowa, dlatego trzeba było je zbombardować. Lotnictwo dalekiego zasięgu

---

[7] „Wojenno-istoriczeskij żurnał", nr 2/1995.

powinno operować w nocy na dużej wysokości, mierząc do rozległych, powierzchniowych celów, daleko na tyłach wroga. Radzieckie lotnictwo dalekiego zasięgu, niczym lotnictwo szturmowe, operowało w dzień na niewielkiej wysokości, mając wyznaczone małe i ruchome cele na wysuniętych pozycjach i na bliskim zapleczu nieprzyjaciela. Tym sposobem Żukow zniszczył całe lotnictwo dalekiego zasięgu.

Długo jeszcze można by ciągnąć tę wyliczankę.

I Korpus Kawalerii Gwardii – pod Wiaźmą.

IV Korpus Powietrznodesantowy – pod Wiaźmą.

Samodzielny Korpus Powietrznodesantowy – w operacji forsowania Dniepru w 1943 roku, w strefie działań 1. Frontu Ukraińskiego.

Ta lista to tylko początek, kto chce, może ją kontynuować.

Ile armii zniszczył Żukow? Znów proponuję policzyć tylko te, które zginęły z głupoty Żukowa, zupełnie idiotycznie i zupełnie niepotrzebnie.

W 1941 roku – 3. i 10. Armia Frontu Zachodniego oraz część 4. Armii z rozkazu Żukowa wysłano na występ białostocki. Wobec ataku nieprzyjaciela ich klęska była gwarantowana. W tej sytuacji obrona była niemożliwa.

6., 12., 18. i 26. Armię Żukow posłał na występ lwowsko-czernihowski, gdzie obrona również była niemożliwa. Co też stało się przyczyną ich rozbicia.

Z grubsza biorąc, Żukow ma na sumieniu trzynaście armii pierwszego rzutu strategicznego. Bez planów bowiem nie można walczyć. Za brak planów winę ponosi Żukow.

No i 29., 33. i 39. Armia w okolicy Wiaźmy.

Jesienią 1943 roku Żukow rzucił do walki 3. Armię Pancerną Gwardii, nie zatroszczywszy się o to, by zaopatrzyć ją w paliwo. Armia wysforowała się do przodu i zginęła.

1. i 2. Armia Pancerna Gwardii w Berlinie. Niech mi będzie wybaczone, jeśli nie wspomniałem wszystkich. A teraz oświećcie mnie i pokażcie mi jakiegoś dowódcę w historii ludzkości, który przewyższył Żukowa.

Światu wmówiono, że Żukow nie poniósł ani jednej klęski. Z tego dumnego stwierdzenia płynie logiczny wniosek: skoro ani jednej porażki, to znaczy, że same zwycięstwa.

Gdy spojrzymy jeszcze raz na ten nieprzerwany łańcuch niepowodzeń i klęsk Żukowa, zapytamy ze zdziwieniem: gdzie są te zwycięstwa?

Rozdział 18

O czym mówią ordery

Łajdaka powinno się nazwać łajdakiem, bez względu na to,
ile ma odznaczeń.[1]

A. Tonow

I

Patrzymy na portrety Żukowa i widzimy przede wszystkim
jego ordery. Dużo wspaniałych orderów. Żukowa nie można
sobie wyobrazić bez orderów. Uwielbiał je. Uważał, że w kwestii odznaczeń skrzywdzono go, nie oceniono jego zasług jak
należy. Podobnie uważają jego czciciele.

Czy tak było naprawdę?

Żeby rozstrzygnąć ten problem, należałoby Żukowa z kimś
porównać, porównanie dajc lepszy obraz rzeczy. A z kim go
można porównać? Tylko ze Stalinem.

Pierwszy order radziecki ustanowiono w 1918 roku: Order
Czerwonego Sztandaru. Był wykonany ze srebra.

Stalin miał trzy takie ordery. I Żukow też miał trzy.

W 1930 roku ustanowiono Order Lenina, który był odznaczeniem państwowym najwyższego stopnia. Ten order był ze
złota, a profil Lenina z platyny.

Stalin miał trzy takie ordery. Żukow miał ich sześć.

W 1942 roku ustanowiono ordery nazwane imieniem legendarnych dowódców: Suworowa, Kutuzowa i Aleksandra New-

---

[1] *Spor o Żukowie,* „Niezawisimaja gazieta", 5 marca 1994.

skiego. W następnym roku – Order Bohdana Chmielnickiego. Najwyższy z nich to Order Suworowa I klasy. Wykonany był z platyny. Pierwszy Order Suworowa I klasy został przyznany Żukowowi. Nieco później Żukow dostaje drugi taki order. Stalin miał jeden Order Suworowa I klasy. Żukow – dwa. W 1943 roku ustanowiono najwyższy order wojskowy „Zwycięstwo". Podstawa orderu była z platyny. W promieniach gwiazdy – pięć dużych rubinów. Po raz pierwszy w światowej praktyce jubilerskiej użyto rubinów o takiej wielkości. Order był usiany diamentami o łącznej masie 16 karatów.

Order „Zwycięstwo" wręczano w sumie dziewiętnaście razy. „Zwycięstwo" z wybitym numerem „1" przyznano Żukowowi. Nr „2" – Wasilewskiemu. Nr „3" – Stalinowi. Nr „4" – Koniewowi. Nr „5" – znów Żukowowi. Nr „6" – Rokossowskiemu. Nr „7" – ponownie Wasilewskiemu. Pięć orderów przyznano najwyższym dowódcom Sprzymierzonych. Pozostałe ordery rozdano marszałkom, którzy byli przedstawicielami Kwatery Głównej Naczelnego Dowództwa lub dowodzili frontami w końcowym etapie wojny: Goworowowi, Malinowskiemu, Miereckowowi, Timoszence i Tołbuchinowi. Jeszcze jeden order przyznano szefowi Sztabu Generalnego generałowi armii Antonowowi. Był on jedynym radzieckim generałem, który został kawalerem „Zwycięstwa".

Tuż po wojnie decyzją rządu i najwyższego dowództwa Armii Czerwonej powtórnie orderem „Zwycięstwo" odznaczono Stalina. On jednak odmówił przyjęcia orderu.

W 1978 roku wykonano dwudziesty order „Zwycięstwo". Odznaczono nim marszałka Związku Radzieckiego Leonida Breżniewa. Po jego śmierci ten dekret anulowano, jako nie odpowiadający statutowi orderu. Jeszcze do tego wrócimy.

Czas na krótkie podsumowanie. Stalin najpierw nagradzał Żukowa i Wasilewskiego, potem siebie. Nie tylko orderami, lecz również stopniem marszałka Związku Radzieckiego. Stalin nadał Żukowowi ten stopień 18 stycznia 1943 roku, Wasilewskiemu – 16 lutego, sobie zaś – 6 marca 1943 roku.

W kategorii „Czerwonego Sztandaru" Stalin i Żukow idą łeb w łeb. Order ten w czasie wojny rozdawano na prawo i lewo, więc na szczeblu, na jakim byli Stalin i Żukow, nie przedstawiał zbyt dużej wartości.

Co do innych orderów, Żukow ma dwukrotną przewagę. Dwa lata przed śmiercią Stalin zdecydował się jednak przyjąć drugi order „Zwycięstwo" i tym samym zrównał się w tej kategorii z Żukowem. Co się tyczy Orderów Lenina i Suworowa, Żukow zachował dwukrotną przewagę.

II

Oprócz orderów był też tytuł Bohatera Związku Radzieckiego. Wraz z nim przyznawano Złotą Gwiazdę. Od razu po wprowadzeniu tego tytułu wyniknęła sprzeczność. Order Lenina był odznaczeniem państwowym najwyższego stopnia. A Bohater Związku Radzieckiego to nie order, lecz tytuł. Jak połączyć Złotą Gwiazdę Bohatera i Order Lenina? Co jest ważniejsze? Stalin znalazł proste rozwiązanie – do Złotej Gwiazdy dołączano też Order Lenina. W uchwałach pisano: „Nadać tytuł Bohatera Związku Radzieckiego wraz z wręczeniem Orderu Lenina i medalu Złota Gwiazda". Kawaler najwyższego odznaczenia państwowego nosił Order Lenina. Natomiast Bohater Związku Radzieckiego – Złotą Gwiazdę i Order Lenina. Tak Stalin rozwiązał problem sprzeczności.

Zarządzono, że Order Lenina wręcza się tylko przy pierwszej Złotej Gwieździe, a przy następnych już nie.

Stalin nadał Żukowowi pierwszą Złotą Gwiazdę jeszcze w 1939 roku za Chałchyn-goł. W czasie wojny dodał jeszcze dwie. Żukow był trzykrotnym Bohaterem Związku Radzieckiego.

W zasadzie popełniono kardynalny błąd. Tytuł Bohatera Związku Radzieckiego powinien być nadawany jeden raz, niezależnie od tego, jakich by człowiek dokonał heroicznych czynów. Dwukrotny i trzykrotny Bohater – to tak jak dwukrotny chirurg albo trzykrotny tancerz, po dwakroć wielki, po trzykroć potężny i po czterokroć wspaniały. Więc jeśli bohaterem można być dwukrotnie i trzykrotnie, to gdzie jest granica? Dlatego też postanowiono nie nadawać więcej niż trzech gwiazd. Trzykrotny Bohater był górną granicą.

Dopóki żył Stalin, trzykrotnych Bohaterów Związku Radzieckiego było trzech – Żukow i dwaj pułkownicy lotnictwa, piloci myśliwscy Kożedub i Pokryszkin. Wśród generałów i marszałków Żukow jako jedyny miał trzy Złote Gwiazdy. Rokossowski miał dwie. Wasilewski – jedną. Drugą otrzymał później, za wojnę z Japonią we wrześniu 1945 roku. Stalin nie miał ani jednej. Wtedy generałowie i marszałkowie zdecydowali uczynić Stalina Bohaterem Związku Radzieckiego. Nadano mu ten tytuł, lecz odmówił przyjęcia Złotej Gwiazdy.

Po pięciu latach, w 1950 roku, Stalin po długich namowach zgodził się przyjąć Złotą Gwiazdę i drugi order „Zwycięstwo", ale nigdy ich nie nosił.

Od chwili, gdy Stalin zgodził się przyjąć Złotą Gwiazdę, Żukow stał się trzykrotnie większym Bohaterem, niż Stalin. A w czasie, gdy Stalin odmawiał przyjęcia tytułu Bohatera Związku Radzieckiego, wynik w Złotych Gwiazdach brzmiał: 3:0 na korzyść Żukowa.

Ale nawet tego było mu mało.

III

Żukow nie mógł pogodzić się z tym, że ma tylko trzykrotnie więcej Złotych Gwiazd niż Stalin. Nie mógł spokojnie żyć, mając świadomość, że oprócz niego są jeszcze dwaj trzykrotni Bohaterowie Związku Radzieckiego.

Ale prawo nie pozwalało na otrzymanie czwartej Gwiazdy. Co więc mógł zrobić? Pozostawało złamać prawo. I Żukow złamał prawo. 1 grudnia 1956 roku nadał sam sobie tytuł czterokrotnego Bohatera Związku Radzieckiego. I zawiesił sobie na potężnej piersi czwartą Złotą Gwiazdę. Pozostali marszałkowie Związku Radzieckiego mieli po jednej lub po dwie Gwiazdy. Niektórzy nie mieli ani jednej. A Żukow miał cztery!

A za co czwarta?

Za nic. Prezent na urodziny. Przyznał ją sobie „w uznaniu wielkich zasług, a także na sześćdziesiąte urodziny". Nigdy dotąd tytułu Bohatera Związku Radzieckiego nie przyznawano z okazji jubileuszu. To odznaczenie Żukowa to potrójne złamanie prawa.

Po pierwsze, nie wolno było przyznawać czwartej Gwiazdy. Po drugie, nie wolno było jej przyznawać z okazji jubileuszu. Tytuł Bohatera nadawano za czyn bohaterski.

Po trzecie, Żukow zawiesił sobie na piersi obok Złotej Gwiazdy także Order Lenina.[2] A to, jak pamiętamy, było niezgodne z prawem. Order Lenina był nadawany tylko przy pierwszej Gwieździe, a przy następnych już nie.

Do tego czasu obchodzono i pięćdziesiąte, i sześćdziesiąte, i siedemdziesiąte urodziny Stalina. I nikomu nie przyszło do głowy, żeby przyznać Stalinowi tytuł Bohatera Związku Radzieckiego, ot tak, po prostu, z okazji jubileuszu.

W 1939 roku na sześćdziesiąte urodziny Stalinowi nadano tytuł Bohatera Pracy Socjalistycznej. Ale to nie było odznaczenie wojskowe.

Na siedemdziesiąte urodziny nie dano Stalinowi żadnych Złotych Gwiazd, chociaż uważał się już za geniusza wszech czasów i wszech narodów.

A Żukow na swoje sześćdziesiąte urodziny zawiesił sobie na piersi odznaczenie wojskowe. Żeby na nie zasłużyć, trzeba dokonać jakiegoś bohaterskiego czynu. A gdzie ten bohaterski czyn?

I wtedy służalcy Żukowa wymyślili uzasadnienie: Żukow otrzymał czwartą Gwiazdę, bo całe jego życie było jednym wielkim czynem bohaterskim.

Żukow zdeprecjonował tytuł Bohatera Związku Radzieckiego. W Rosji, której już nie ma, istniał Order Świętego Jerzego – po rosyjsku Świętego Gieorgija. Szczególny prestiż temu orderowi nadawał jego statut. Kawalerem orderu mógł zostać tylko człowiek, który dokonał niezwykłego czynu, wykazał męstwo w walce, poprowadził wybitną operację wojskową. „Gieorgija" nie można było kupić, dostać po znajomości ani z okazji urodzin, choćby to była okrągła rocznica. Tylko wybitne osiągnięcia na polu bitewnym otwierały drogę do „Gieorgija". Tytuł Bohatera Związku Radzieckiego miał swą wartość z tego samego powodu: można go było otrzymać, tylko dokonując czynu bohaterskiego.

---

[2] *Marszały Sowietskowo Sojuza, op. cit.*, s. 36.

Ale oto mamy pierwszy wyjątek: Żukow sam sobie na urodziny przypina Złotą Gwiazdę.

Od tej chwili bohaterski tytuł zaczęto rozdawać na prawo i lewo. Weźmy na przykład marszałka Związku Radzieckiego Nikołaja Ogarkowa. Tytuł Bohatera Związku Radzieckiego otrzymał w czasie pokoju – 28 października 1977 roku. Za co? Za to, że skończył 60 lat. Marszałek Związku Radzieckiego Dmitrij Ustinow też był Bohaterem. Tytuł otrzymał 27 października 1978 roku. Dociągnął do siedemdziesiątki! Czyż to nie bohaterstwo? Urodziny miał 30 października, więc trzy dni przed jubileuszem... Spodobało się to cywilnym towarzyszom w Politbiurze. Siedzą sobie na Kremlu, któremuś zbliża się okrągła rocznica. Wtedy współtowarzysze ogłaszają: całe życie tkwisz w kremlowskich komnatach, w nomenklaturowych sanatoriach – wszak to jeden wielki czyn bohaterski. Przyjmij, drogi towarzyszu, tytuł Bohatera Związku Radzieckiego!

Wkrótce wszyscy towarzysze na stanowiskach kierowniczych na Kremlu zostali Bohaterami.

Podejście Żukowa strasznie spodobało się towarzyszowi Breżniewowi.

Leonid Iljicz urodził się 19 grudnia 1906 roku. A oto daty nadania mu tytułów Bohatera Związku Radzieckiego. Z okazji 60 urodzin – 18 grudnia 1966. Z okazji 70 urodzin – 18 grudnia 1976. Z okazji 72 urodzin – 19 grudnia 1978. Z okazji 75 – ponownie 18 grudnia 1981 roku.

Najpierw dawano na okrągłe rocznice urodzin. Potem – na półokrągłe. Ale nie wytrzymali i raz dali na zwykłe urodziny. Jako dodatek do urodzinowego tortu.

I Breżniew nawieszał sobie tyle orderów, ile Żukow: cztery gwiazdy Bohatera. I miał jeszcze jedną cieniutką gwiazdkę Bohatera Pracy Socjalistycznej. Więc zrobiło się pięć, a zatem dogonił Żukowa – a nawet przegonił.

Ale to wszystko zaczęło się nie od Breżniewa, lecz od Żukowa. To Żukow jako pierwszy uhonorował się tytułem Bohatera na swoje urodziny.

IV

Lecz czy to prawda, że Żukow sam sobie przyznał czwartą gwiazdę? Prawda. Po XX zjeździe partii Żukow czuł się prawie bogiem. Robił, co chciał. Chruszczowa nazwał publicznie „Nikitką". Okazywał Chruszczowowi swoją pogardę nie tylko w wąskim kręgu, ale również publicznie.

„Krasnaja zwiezda" opisuje jeden z wielu takich wyskoków wielkiego dowódcy: „Żukow jako minister obrony był zaproszony na «imprezę rządową» – premierę spektaklu, na której miał być Chruszczow. Ranga ministra zobowiązywała go do obecności. Żukow przyjechał z żoną i zajął miejsce w loży rządowej, w drugim rzędzie. Gdy pojawił się Chruszczow, sala zaczęła na stojąco bić brawa. Klaskali wszyscy, z wyjątkiem marszałka, który z zamyśleniem studiował program. Żona cicho powiedziała: Mógłbyś przynajmniej udawać..."[3]

„Krasnaja zwiezda" jest zachwycona takim zachowaniem: żona prosi, żeby chociaż udawał, a on nic. Proszę, jaki odważny był nasz wielki strateg towarzysz Żukow!

Nawiasem mówiąc, wykazał tu chamstwo najwyższego stopnia. Mógł uważać Nikitkę za durnia, ale po co okazywać publicznie swój brak szacunku? W tym przypadku Żukow wykazuje chamstwo nie tylko w stosunku do pierwszej osoby w państwie, ale również wobec wszystkich obecnych. Skoro wszyscy klaszczą, a on jeden ostentacyjnie lekceważy powszechną euforię, to jakby wysyłał im komunikat: mam was wszystkich w głębokim poważaniu! A przecież na sali obecni byli nie tylko robotnicy i kołchoźnicy. Obecna tam była cała elita rządząca. I każdy – jestem o tym przekonany – myślał: co będzie, jak ten cham dorwie się do władzy?

Żukow swoim zachowaniem znieważał nie tylko głowę państwa, ale też w jego osobie całe mocarstwo. W obecności całego korpusu dyplomatycznego, zgromadzonego na premierze.

Takimi ekscesami – a zdarzały mu się dość często – Żukow demonstrował nie tylko najwyższą pogardę wszystkim wokół,

---

[3] „Krasnaja zwiezda", 30 maja 1997.

ale też zadziwiającą, niewiarygodną wprost głupotę. Żukow przygotowywał się do tego, by zostać dyktatorem. Neronem albo Kaligulą. Już wczuwał się w tę rolę, przyzwyczajał się do niej. Władza w kraju już prawie całkowicie należała do Żukowa. I trzeba było wykazać odrobinę przebiegłości. Trzeba było uczyć się od Stalina. Stalin doszedł do władzy, przymilając się do wszystkich jak mały kotek. Nie przypinał sobie gwiazd. Nikogo nie znieważał. Do wszystkich się uśmiechał. Borys Bażanow opisuje początek zwykłego dnia pracy w Politbiurze w połowie lat 20: „Zinowiew nie patrzy w stronę Trockiego, a Trocki też udaje, że go nie widzi i przegląda papiery. Jako trzeci wszedł Stalin. Kieruje się wprost do Trockiego i zamaszystym, szerokim gestem po przyjacielsku ściska mu dłoń"[4]. Trocki uważał Stalina za szaraczka. Miał rację: taki szary mruczący kotek Jośka.

A Żukowowi jeszcze przed zagarnięciem pełnej władzy zaczęło się zdawać, że jest lwem. I stosownie do tego się zachowywał. Jak będziesz dyktatorem, to obrażaj innych do woli. Ale póki nim nie jesteś, dopóki musisz jeszcze dzielić władzę z Chruszczowem, to pohamuj swoje dyktatorskie zapędy. Uważają cię za stratega, a główna siła strategii leży w zaskoczeniu. Umiej maskować swoje zamiary.

W chamskim zachowaniu tego stratega z bożej łaski wciąż przejawia się niepoprawna wada miernego dowódcy: Żukow nigdy nie doceniał przeciwników. W tym również głupiutkiego na pozór Nikitki.

Stosunek Żukowa do przywódców państwa, jego wielkie plany zagarnięcia władzy opiszę w następnej książce. Teraz wróćmy do orderów. Przypominam główną tezę. Żukow czuł się już niemal pełnoprawnym gospodarzem w wielkim kraju. Mógł sobie pozwolić nie tylko na typowanie siebie na czterokrotnego Bohatera, ale też na dużo poważniejsze rzeczy.

---

[4] B. Bażanow, *Byłem sekretarzem Stalina*, „Krytyka", Warszawa 1985, s. 40.

V

Żukow nie miał szacunku dla prawa. Naruszając ustalony porządek, przyznawał odznaczenia sobie i swoim faworytom. Oni z kolei też łamali prawo. Bezprawne przyznawanie orderów to tylko jeden z wielu przykładów stosunku Żukowa do reguł i zasad.

„Krasnaja zwiezda", znowu zachłystując się z zachwytu, opowiada, jak dowódca XXIX Korpusu Piechoty Gwardii generał major Chetagurow otrzymuje z rąk Żukowa Order Suworowa I klasy: „Tym odznaczeniem, zgodnie z jego statutem, honorowano od stopnia dowódcy armii wzwyż. Ale to przecież Żukow ją dawał"[5].

Dowódca korpusu, niezależnie od tego, jakich cudów dokonał na wojnie jego korpus, nie mógł dostać orderu wyższego stopnia, niż Suworow II klasy. Jeśli trzeba było odznaczyć dowódcę korpusu za wspaniale przeprowadzoną operację – dawano mu Order Bohdana Chmielnickiego II klasy. Jeśli korpus dokonał czegoś wielkiego – wtedy dostawał Kutuzowa II klasy. A jeśli było to coś nieprawdopodobnego – wtenczas przyznawano mu Suworowa, ale tylko II klasy. Z tego prostego powodu, że korpus nie jest jednostką strategiczną. Nie jest nawet jednostką operacyjną, lecz operacyjno-taktyczną. Korpus nie może dokonać niczego, co kardynalnie wpłynęłoby na przebieg wojny. Stalin ustanowił bardzo dokładny system, kogo, za co i czym odznaczać. Decyzję Stalina zatwierdziło Prezydium Rady Najwyższej ZSRR i system ten był prawomocny. Oprócz tego statut każdego orderu też musiał być zatwierdzony dekretem i dlatego stawał się normą prawną.

A Żukow nic sobie nie robił z prawa, z Rady Najwyższej, z ustalonego systemu odznaczeń i z samego Stalina, który ów system wprowadził.

Żukow rozstrzeliwał za najmniejszą niesubordynację. Ale sam wprowadzał anarchię w kraju i w armii. O jakim porządku mowa, jeśli zastępca Naczelnego Wodza demonstracyjnie i publicznie łamie nie tylko dyscyplinę wojskową, ale również

---

[5] „Krasnaja zwiezda", 30 listopada 1996.

prawa wprowadzone przez swojego przełożonego i zatwierdzone przez najwyższy organ ustawodawczy?

Breżniewowi przyznano w swoim czasie order „Zwycięstwo". A potem, po jego śmierci, dekret anulowano. Dlaczego? Dlatego, że w statucie jest powiedziane, za jakie zasługi można odznaczyć tym orderem: „Za skuteczne przeprowadzenie operacji w skali jednego lub kilku frontów, w wyniku których sytuacja gruntownie zmienia się na korzyść Armii Czerwonej". Breżniew nie przeprowadzał takich operacji. W ogóle nie przeprowadzał żadnych operacji. W swoim życiu nie dowodził żadną operacją, ani też żadną bitwą: czy to pułku, czy batalionu, czy plutonu, czy choćby drużyny. Jest oczywiste, że Breżniew został odznaczony orderem „Zwycięstwo" bezprawnie.

Następny rangą po orderze „Zwycięstwo" jest Order Suworowa. Paragraf piąty statutu wyraźnie stwierdza: „Orderem Suworowa II klasy odznaczani są dowódcy korpusów, dywizji i brygad, ich zastępcy oraz szefowie sztabów". A order I klasy należał się tylko tym, którzy pełnili funkcję wyższą niż dowódca korpusu. O tym mówi paragraf czwarty.

Żukow odznacza dowódcę korpusu Chetagurowa orderem Suworowa I klasy, który Chetagurowowi się nie należy. Żukow łamie dekret Prezydium Rady Najwyższej ZSRR oraz statut orderu.

Opinia „Krasnej zwiezdy" jest zaskakująca. Kiedy Breżniewa odznaczano orderem, łamiąc statut, był to wstyd i hańba. Nie wolno było do tego dopuścić! A jeśli już dopuszczono, to trzeba to było naprawić, dekret anulować, a order zwrócić.

A teraz Żukow robi dokładnie to samo. Odznacza Chetagurowa, łamiąc statut. Gazeta powinna zaprotestować: wstyd i hańba! Odebrać order Chetagurowowi! Został przyznany bezprawnie! Ale centralny organ Ministerstwa Obrony rozrzewnia się: tak, jest to złamanie prawa, ale to przecież Żukow je łamie! Ach, jakże odważnie depcze prawo!

VI

I jeszcze jeden ulubieniec Żukowa. Generał porucznik Kriukow. Przyłapano go na kradzieży na wyjątkowo dużą skalę.

Pochodzenie swojego niesamowitego majątku wyjaśnił na przesłuchaniu w prosty sposób: leżało, nikomu niepotrzebne, to pomyślałem, że sobie wezmę...

Aleksander Buszkow opisuje to indywiduum: „Już dobrali się do skóry generałowi porucznikowi Kriukowowi. I już zdążył się przyznać, że w swoim szpitalu wojskowym miał najprawdziwszy burdel, którego pracownice za wzorową pracę nagradzał orderami wojskowymi, że starannie zbierał na obrzeżach dróg niemieckich brylanty i szafiry, futra i cenne obrazy, że Złotą Gwiazdę też dostał bezprawnie, z osobistego polecenia Żukowa; że sam Żukow w rozmowach prywatnych oświadcza, że samodzielnie pokonał Hitlera, a Stalin nie miał z tym nic wspólnego"[6].

Żukow bezprawnie czyni generała Kriukowa Bohaterem Związku Radzieckiego, ten z kolei bezprawnie rozdaje ordery wojskowe pracownicom burdelu.

Całkiem na miejscu byłoby pytanie o klientów. Dla kogo Bohater Związku Radzieckiego, gwardyjski generał porucznik Kriukow utrzymywał tę instytucję? Jeśli dla potrzeb własnych, to nie byłby to burdel, tylko harem. A więc? Dla podwładnych? Tak się nie robi. W stosunku do podwładnych należy przejawiać surowość. Strzec komunistycznej moralności. Takie instytucje zakłada się dla zwierzchników. Żeby uśmierzać złość gremiów kierowniczych. A kto stał nad Kriukowem? Właśnie ten, który zrobił z niego Bohatera.

Po raz pierwszy los zetknął ich w 1933 roku. Kriukow dowodził 20. pułkiem kawalerii 4. Dońskiej Kozackiej Dywizji Kawalerii. A dywizją dowodził Żukow. Potem Żukow ciągnął za sobą Kriukowa po szczeblach krętej drabiny służbowej. Na wojnie Kriukow dowodził 198. DZmot. Dywizja została rozgromiona, a Kriukow otrzymał awans. Dostał II Korpus Kawalerii Gwardii. W 1941 roku korpusem tym dowodził generał major Lew Dowator. Pod dowództwem Dowatora korpus otrzymał tytuł gwardyjski. Po śmierci Dowatora korpus niczym się już nie wsławił. „Radziecka encyklopedia wojskowa" ze wszystkich korpusów kawalerii opisuje tylko trzy: IV Kubański Kozacki

---

[6] *Rossija, kotoroj nie było*, str. 561.

Gwardii, V Budapeszteński Doński Kozacki Gwardii oraz VII Brandenburski Gwardii. O II Korpusie Gwardii nie wspomina. Nie było powodu, żeby o nim wspominać. Za to dowódca tego korpusu – wspomniany już menedżer burdelu, generał porucznik Kriukow – chodzi obwieszony orderami aż do pępka. Oprócz Złotej Gwiazdy Bohatera Związku Radzieckiego ma trzy Ordery Lenina, Order Czerwonego Sztandaru, Suworowa I klasy, Kutuzowa I klasy i dwa Suworowa II klasy.

Z kim go porównać? Chociażby ze Stalinem. Stalin miał jedną Złotą Gwiazdę, Kriukow też miał jedną. Stalin miał trzy ordery Lenina, Kriukow też miał trzy. Stalin miał jednego Suworowa I klasy. Kriukow też. Stalin miał trzy ordery Czerwonego Sztandaru. Kriukow miał jeden. Ale pamiętajmy, że ten srebrny order stracił swoją wartość i na szczeblu generała i marszałka nie był zbyt ceniony. Natomiast Kriukow miał złotego Kutuzowa I klasy i dwa złote Suworowy II klasy, których nie miał Stalin.

Możecie powiedzieć, że przecież Stalin miał dwa „Zwycięstwa", a Kriukow nie. Trzeba przyznać, że pod tym względem Kriukow nieco został w tyle. Żukow nie posiadał na wojnie takiej władzy, żeby odznaczyć swojego faworyta orderem „Zwycięstwo".

Drugiego takiego dowódcy można by szukać w całej Armii Czerwonej! I tak nie znalazłby się żaden z podobnym kompletem orderów. A nie znalazłby się dlatego, że wszystkich odznaczano zgodnie z prawem, a tego chłystka – wbrew prawu. Można by się sprzeczać, że tytuł Bohatera Związku Radzieckiego przyznano mu za autentyczne bohaterstwo, a tylko towarzysze z Bezpieczeństwa zmusili biednego generała na przesłuchaniu, żeby oczernił siebie i Żukowa, który nieprawnie rozdawał odznaczenia sobie i swoim faworytom. Dobrze, nie warto kruszyć kopii. Ale co z Suworowem I klasy? Powtarzam jeszcze raz: taki order nie należał się dowódcy korpusu, nawet jeśli byłby czterokrotnym bohaterem. Kutuzow I klasy też się nie należał.

VII

Mało tego, że Żukow przypinał Kriukowowi ordery za nic, ale też żonę Kriukowa, Lidię Rusłanową, odznaczył Orderem Wojny Ojczyźnianej I klasy. Order był ze złota. Stalin mógłby użyć jakiegokolwiek złota na ordery. Czy to duża różnica dla żołnierza, czy ma order z próbą 375 czy 585? Na orderach próba i tak nie jest wybita. Ale Stalin i na żołnierskie, na oficerskie, na generalskie i marszałkowskie ordery używał wyłącznie złota z próbą 916. Zarówno „Wojna Ojczyźniana" I klasy, jak i „Chwała" I klasy i inne wyrabiano ze złota najwyższej próby.

Lidia Rusłanowa nie potrzebowała złota. Miała własnego pod dostatkiem. Ale chciała poczuć się bohaterką.

Statut tego orderu Stalin pisał osobiście. W dniu 20 maja 1942 roku statut ten został zatwierdzony Dekretem Prezydium Rady Najwyższej ZSRR. W statucie bardzo wyraźnie są określone zasługi kandydata do Orderu Wojny Ojczyźnianej I klasy:

„...osobiście zniszczył 2 ciężkie lub średnie, lub też 3 lekkie czołgi (samochody pancerne) nieprzyjaciela

lub

– zniszczył ogniem artyleryjskim co najmniej 5 baterii nieprzyjaciela

lub

– w walce zdobył jedną baterię nieprzyjaciela

lub

– zdobył i doprowadził do własnej bazy nieprzyjacielski okręt wojenny..."

I tak dalej, dwie bite strony. Bardzo wyraźnie i konkretnie wyliczono, kogo odznaczać i za co. Pilota myśliwskiego – za trzy zestrzelone samoloty. Pilota samolotu szturmowego – za samo wykonanie 25 lotów bojowych. W 1942 roku pilot w jednostkach lotnictwa szturmowego statystycznie ginął przy 7 wylocie. A więc ten order przyznawano nie bez przyczyny.

Dokładnie tak samo określone jest, kto mógł dostać order Wojny Ojczyźnianej II klasy. Order ten należał się między innymi temu, kto:

„...ogniem broni osobistej zestrzelił samolot nieprzyjaciela
lub
– potrafił naprawić, opanować i wykorzystać zdobyczny
samolot nieprzyjaciela w warunkach bojowych
lub
– pod ogniem nieprzyjaciela ewakuował z pola bitwy dwa
czołgi, uszkodzone przez wroga..."

Lidia Rusłanowa, żona właściciela rozrywkowego przybytku, nie zlikwidowała ani jednej baterii nieprzyjaciela, nie niszczyła czołgów, ani ciężkich, ani średnich, ani lekkich, nie zdobywała okrętów wroga i nie doprowadzała ich do swojej bazy. Nie należał jej się nawet order II klasy: nie zestrzeliwała samolotów nieprzyjaciela własną bronią, nie opanowywała zdobycznych maszyn i nie ewakuowała trafionych przez wroga czołgów.

I oto wielki Żukow przypina do jej mężnej piersi Złoty Order. Postępował dokładnie w ten sam sposób, w jaki po wielu latach rosyjscy świeżo upieczeni „demokraci" dzielili bogactwa kraju: wszystko dla swoich, reszta – dla narodu.

Rozdział 19

Jakże on kochał frontowców!

Zacznijcie lepiej kopać sobie groby
Na przełom idą karne bataliony.

Włodzimierz Wysocki

I

Widzieliśmy, jak Żukow bezprawnie frymarczył orderami – tymi najdroższymi, z platyny i złota. Dla odmiany warto przyjrzeć się kwestii zgodnego z prawem przyznawania odznaczeń wojskowych.

Tu odsłania się obraz, który zapiera dech w piersi. W 1991 roku, kiedy rozpadał się Związek Radziecki, w Moskwie przechowywano 3,2 mln odznaczeń wojskowych, które z różnych powodów nie zostały wręczone frontowcom. Kto powinien był zajmować się poszukiwaniem odznaczonych? Kto powinien był wręczać odznaczenia? Odpowiedź jest prosta: państwo. To państwo wezwało miliony ludzi pod sztandary. Państwo posyłało ich w bój i na śmierć. Państwo ich odznaczyło. A więc niech państwo wręczy swoim obywatelom ordery i medale, na które sobie zasłużyli!

Kto konkretnie powinien się tą kwestią zajmować?

Ministerstwo Obrony: minister, wszyscy jego zastępcy, szef Sztabu Generalnego.

A kto się tym przez pół wieku zajmował?

Nikt.

O Żukowie komuniści stworzyli wiele legend. Oto dwie

267

z nich. Pierwsza: żołnierze-frontowcy uwielbiali Żukowa do szaleństwa. Druga: Żukow uwielbiał do szaleństwa żołnierzy--frontowców.

Miłość ze wzajemnością. Nic dodać, nic ująć.

Jedna rzecz wymaga tu uściślenia: kochający żołnierzy Żukow kochał samego siebie bardziej niż wszystkich frontowców razem wziętych. O siebie się zatroszczył – po wojnie bezprawnie przyznał sobie kolejną Złotą Gwiazdę, której i tak nie miał już gdzie zawiesić. Ale nie pamiętał o milionach żołnierzy odznaczonych zgodnie z prawem, ale którzy przez jego niedbalstwo nigdy nie otrzymali tych wyróżnień.

W ZSRR na dobrą sprawę nikt nigdy nie zajmował się frontowcami. Nikogo nie obchodzili. Na szczeblu państwowym nikt nie podnosił kwestii poszukiwania odznaczonych. Ordery i medale leżą stertami, skrzynkami, stosami – i niech sobie leżą! Jeść nie wołają. I tak sobie leżały, dopóki wszyscy kombatanci nie wymarli. Ordery leżą do tej pory. Według moich ocen, na początku nowego tysiąclecia jest to około osiemdziesięciu ton orderów i medali. Ponad jedna trzecia z nich jest z brązu: medale za Leningrad, Stalingrad, Warszawę, Budapeszt, Królewiec. Ponad połowa masy całkowitej to srebro: medale „Za odwagę" i „Za zasługi w boju", Ordery Czerwonego Sztandaru i Czerwonej Gwiazdy, Wojny Ojczyźnianej II klasy, Chwały II i III klasy, Aleksandra Newskiego i inne. Są też wyższe odznaczenia. Według mnie około siedmiu ton.

I nikogo w państwie te siedem ton nie obchodzi. A może wszystko już dawno zostało rozkradzione?

II

Po wielkim zwycięstwie żołnierz wraca do domu. Dostaje skromny żołnierski medal „Za odwagę" albo Order Czerwonej Gwiazdy. Jednak nigdy się o tym nie dowie. Nikt go o tym nie zawiadomi.

Takich jak on są miliony.

A co mógł zrobić Żukow?

Przede wszystkim mógł przedstawić ten problem rządzącym. Był to jego obowiązek. Powinien był poszukać rozwiązania. Powinien był zobowiązać dowódców okręgów wojskowych, wojskowych komisarzy republik, okręgów, obwodów, miast, rejonów, dowódców jednostek, by wytrwale szukali odznaczonych i wręczali im owe ordery. Żukow powinien był żądać sprawozdań z tej pracy, chwalić gorliwych i karać opieszałych. Jednak z jakiegoś powodu Żukow uchylał się od wypełnienia swoich obowiązków.

Jeśli nie miał chęci lub czasu, żeby wykonać swoją pracę, to mógł ją powierzyć podwładnym. Ale tego też nie zrobił.

Po wojnie Żukow był komendantem głównym radzieckiej Administracji Wojskowej w Niemczech, równocześnie Naczelnym Dowódcą Grupy Radzieckich Wojsk Okupacyjnych w Niemczech. Podlegał mu sztab w Wünsdorfie, sztaby sześciu armii. We wszystkich tych sztabach zalegały stosy akt personalnych potwierdzających przyznanie medalu. Co z nimi zrobił tak kochający frontowców Żukow?

Nic.

Następnie Żukow był Naczelnym Dowódcą Wojsk Lądowych. Większość żołnierzy podczas wojny służyła właśnie w wojskach lądowych. Żukow miał w ręku ogromną władzę i wszystkie papiery. Co zrobił, żeby rozwiązać ten problem?

Nic.

Żukow traktował naród w taki sam sposób, jak wszyscy przywódcy radzieccy i rosyjscy aż po dzień dzisiejszy. Ludzie wykonują pracę, a ci wypłacają im wynagrodzenie po roku albo po dwóch latach. Frontowcy wykonali najtrudniejsze zadanie pod słońcem, przelewali własną krew, oddawali życie. Nadszedł czas, by się rozliczyć. Jednak Żukow nie ma zamiaru dać im tego, na co sobie zasłużyli, co im się należało.

Potem Żukow dowodził okręgami wojskowymi. Mógł przynajmniej na tym szczeblu zająć się regulowaniem długów. Był dowódcą Uralskiego Okręgu Wojskowego. Z Uralu poszły na wojnę dywizje, korpusy i całe armie. Tu je formowano i stąd posyłano do boju. Tutaj nie toczyły się działania wojenne, zachowały się wszystkie dokumenty. A więc – do dzieła!

Ale Żukow do dzieła nie przystępował.

Później Żukow był pierwszym zastępcą ministra obrony, dalej ministrem obrony i nieomal dyktatorem Związku Radzieckiego. W ręku Żukowa były wszystkie dokumenty, wszystkie ordery i prawie nieograniczona władza.

Co wtedy robił Żukow?

Odznaczał sam siebie.

III

I nagle Żukowa strącono w niesławie. Siedzi w domu. Nie ma nic do roboty. Niechże wspomni frontowca-kalekę, któremu przyznanym, ale nigdy nie wręczonym medalem „Za obronę Stalingradu" sprawiłby ostatnią radość. Żukowowi na wojnie nie żal było żołnierskiej krwi, niech więc choć po wojnie odda żołnierzom należne.

Ale Żukow nie pamiętał o żołnierzach-frontowcach.

Tymczasem do Żukowa tłumami przychodzą frontowcy koncesjonowani, nomenklatura. Przyszedł pisarz Konstanty Simonow, Bohater Pracy Socjalistycznej, laureat Nagrody Leninowskiej i sześciu Stalinowskich. Też udaje, że zna się na wojnie i że kocha żołnierzy, snuje z Żukowem wysublimowane dialogi. I ani jeden, ani drugi nie pamięta o swoim długu wobec żołnierzy.

Żukow mógł wystąpić z apelem. Mógł napisać w swoich „pamiętnikach": zbierzmy się, bracia, i wspólnie znajdźmy rozwiązanie tego problemu! Konstanty Simonow też mógł wspomnieć o frontowcach. Ale wojna go nie interesowała. Robił karierę, służył władzy, zgarniał swoje nagrody i miliony, pisał to, czego żądała władza.

A rozwiązanie problemu było całkiem proste. Należało opublikować coś w rodzaju książki telefonicznej:

Iwanow Piotr, szeregowy, zmobilizowany przez Zubiłowską Rejonową Komisję Poborową w 1941 roku – Order Chwały III klasy.

Pietrow Nikołaj, sierżant, zmobilizowany przez...

I tak dalej.

I tyle. Przecież wydawnictwo Ministerstwa Obrony Wojenizdat i tak publikowało sterty nikomu niepotrzebnej makulatury – utwory Simonowa, Czakowskiego, Bondariewa, Stadniuka, Pikula i wielu innych. Zamiast tych wszystkich heroicznych dzieł, zamiast gniotów o fikcyjnych gierojach, trzeba było wydrukować książki z nazwiskami prawdziwych bohaterów. Niech każdy odszuka się na liście. Niech matka, żona, brat i syn znajdą na liście ukochanego człowieka i odbiorą za poległego jego order żołnierski. A tymczasem pseudoliteraci ryczeli na całe gardła: O NIKIM NIE ZAPOMNIANO! O NICZYM NIE ZAPOMNIANO! – i z tymi sloganami na ustach wysługiwali się reżimowi, który nie uznawał własnych długów wobec narodu.

Ktoś mógłby zapytać: co się tak przyczepiłeś do Żukowa? Nie tylko on był leniem w Ministerstwie Obrony. Po Żukowie ludzie na stanowiskach kierowniczych cały czas się zmieniali, i w Ministerstwie Obrony, i w Sztabie Generalnym. I wszyscy byli próżniakami: Ogarkow, Kulikow, Łosik, Achromiejew, Greczko i Graczow nie raczyli przypomnieć sobie o spłaceniu długów. Dlaczego ich się nie czepiasz?

Odpowiadam: dlatego, że żaden z nich nie kreował się na największego przyjaciela frontowców. Dlatego, że żaden z nich nie stawiał się na piedestale i nie zaliczał w poczet świętych. A Żukowa ogłoszono kandydatem na świętego – świętego Gieorgija.

O Żukowie powiadają, że był dobry dla żołnierzy. Odpowiadam: nie, Żukow był dokładnie takim samym spasionym biurokratą wojskowym, jak wszyscy jego poprzednicy i następcy. A raczej jeszcze gorszym.

IV

Może nie starczyło czasu, żeby wręczyć ordery frontowcom? Wszak minęło dopiero 60 lat. A może budżet był napięty? No dobrze, a kto gospodaruje budżetem? Jak nazwać wszystkich szefów Ministerstwa Obrony, wszystkich tych Wasilewskich i Bułganinów, Żukowów i Malinowskich, Ustinowów i Graczowów? Podpowiecie mi: przestępcami! A ja się nie zgodzę. W Rosji przestępcy zwracają długi. I to natychmiast. To niepodważalna tradycja świata przestępczego w Rosji. Jeśli ktoś zwraca dług, ale spóźnił się choć o minutę, związują go i kładą w przejściu między pryczami. A potem skaczą po kolei z górnej pryczy.

Taki stosunek do rzeczy jest prawzorem sprawiedliwości i ścisłego egzekwowania ustalonych praw. Gdyby cały naród postępował podobnie, gdyby raz zmiażdżyli klatkę piersiową komuś, kto nie zwrócił długów narodowi, wtedy następnym przywódcom odechciałoby się wodzić go za nos. Żukow nie zwrócił długu frontowcom. Ale nie mamy prawa nazywać go przestępcą. Jeśli nazwiemy go przestępcą, będzie to niezasłużona obelga dla wszystkich naszych knajaków, doliniarzy, włamywaczy, kasiarzy, kilerów.

V

Ale co tam ordery. Po wojnie wracają do domu żołnierze-wyzwoliciele. W owym czasie większość ludności kraju stanowią wieśniacy. Przychodzą do kołchozu, a tam zabierają im wszystkie dokumenty. Nie wolno im mieć dowodu osobistego. Skoro są chłopami, to znaczy, że są obywatelami drugiej kategorii: nie wydają im dowodów, żeby nie uciekli z kołchozu. Skoro są żołnierzami-zwycięzcami, skoro karmią kraj, to znaczy, że są pozbawieni wszelkich praw. Nie wolno im na przykład podróżować samolotem: kto ich bez dowodu wpuści na pokład? Samolotem można było przewozić psy. A żołnierz-wyzwoliciel ze swoimi prawami stał niżej od psa. Dla rasowego psa trzeba było mieć dowód, a rasowy chłop nie mógł mieć dowodu. Pieniędzy w kołchozach też nie wypłacano. Powtarzam po raz setny: o wielkości kraju stanowią nie rakiety i satelity, nie zapora na Jeniseju, ani *Jezioro łabędzie*, lecz stosunek państwa do zwykłych obywateli.

No dobrze, Stalin był despotą. Ale trzy lata po zabójstwie Stalina do władzy doszli Chruszczow i Żukow. W czym byli lepsi od Stalina? Chruszczow powinien był powiedzieć do Żukowa, a Żukow do Chruszczowa: to była wielka wojna, nawet nasza propaganda nazywa ją „Ojczyźnianą", zróbmy więc dobry uczynek: zrównajmy w prawach żołnierzy-wyzwolicieli z psami!

Nie wiemy, czy taki dialog miał miejsce. Ale rezultat jest widoczny: większość żołnierzy-wyzwolicieli mogła jedynie pomarzyć o świetlanej przyszłości, gdy ich dzieci będą miały takie same prawa co psy.

I kiedy propaganda komunistyczna powiada nam, że Związek Radziecki wygrał wojnę, podamy to w wątpliwość. W rezultacie tego zwycięstwa narody naszego państwa znalazły się w socjalistycznej niewoli. Nie uwierzymy w opowieści o tym, że wojna była w jakimkolwiek stopniu Ojczyźniana. Większość ludności kraju nie miała dowodów osobistych, dlatego z punktu widzenia prawa ponad sto milionów ludzi nie było obywatelami swojego kraju. Nie mogli walczyć o swoją ojczyznę, ponieważ jej nie mieli. Owa ojczyzna nie uznawała ich za swoich obywateli i stosownie ich traktowała.

Nie uwierzymy też w opowieści o tak zwanej „misji wyzwoleńczej" Armii Czerwonej. Jeśli chce się nieść wolność ludziom, trzeba najpierw samemu się wyzwolić. Ale nasi żołnierze szli na wojnę jako niewolnicy. I wrócili z niej jako niewolnicy. Uzbrojeni niewolnicy pod eskortą NKWD i pod przewodem właścicieli niewolników mogli nieść sąsiednim narodom jedynie niewolę.

I to właśnie czynili.

Żukow nie kiwnął palcem, żeby wyzwolić swój naród. Nawet się nad tym nie zastanawiał. Nomenklatura była zbiorowym właścicielem niewolników. Żukow był takim samym członkiem Stowarzyszenia Właścicieli Niewolników jak Chruszczow i Breżniew, jak Rusłanowa i Andropow, jak Beria, Jeżow i Szołochow.

VI

No dobrze, żołnierz-wyzwoliciel był pozbawiony praw.

No dobrze, zasłużył sobie na ordery i medale, a Ojczyzna nie pokwapiła się, by mu je wręczyć. Ale niech go choć martwego uszanują!

„Dwie trzecie frontowców, którzy zginęli w latach 1941––1945, pochowano jako nieznanych żołnierzy"[1].

W grobach żołnierzy i oficerów Armii Czerwonej, którzy zginęli w wojnie z Niemcami, „pochowanych jest ponad 6,5

---

[1] „Krasnaja zwiezda", 6 października 1999.

miliona ludzi, z których zaledwie 2,3 miliona zostało zidentyfikowanych"[2].

Porównanie strat Armii Czerwonej i Wehrmachtu jest szokujące. Gdzie leży przyczyna takiego stanu rzeczy? Dlaczego, aby zabić jednego hitlerowca, trzeba było poświęcić życie pięciu albo nawet i dziesięciu radzieckich żołnierzy? Przyczyn jest dużo. Jedna, dość istotna: radzieckiego żołnierza po wojnie wysławiano w pieśniach i legendach, ale na froncie jego życie nie miało żadnej wartości, nie szanowano go żywego, a tym bardziej – martwego.

W Niemczech było inaczej. Każdy Niemiec po pracy był zobowiązany posprzątać swoje stanowisko. Każdy niemiecki oficer po walce zobowiązany był ewakuować z pola bitwy uszkodzony sprzęt wojskowy, wynieść rannych i zabitych. Rannych przewieźć do szpitala wojskowego. Zabitych pochować. Z honorami wojskowymi.

W Armii Czerwonej ewakuacja sprzętu wojskowego i broni z pól bitewnych była przeprowadzana wzorcowo. Mam na myśli tylko drugą połowę wojny. Wszystko to, co zostało porzucone w 1941 roku, stało się hańbą narodową. To, co zostało porzucone w 1941 roku, naród radziecki produkował przez dwa dziesięciolecia! Zapasów porzuconych na polu walki wystarczyłoby na wiele lat wojny – aż do zwycięstwa.

Ale nie mówimy teraz o porzuconym wyposażeniu. Mówimy o tym, że w drugiej połowie wojny ewakuację radzieckiego sprzętu z pola bitwy wykonywano bardzo sprawnie. Organizowano zbiórkę broni, amunicji, wystrzelonych łusek artyleryjskich. Oczywiście, że nie w stu procentach, ale w dużej części. Jeżeli ktoś nie oddał łusek artyleryjskich z ostatniego tygodnia walk, nie dostawał nowej amunicji. A dowódcy zaopatrzenia artyleryjskiego wszystkich stopni mieli rozkaz, by wydawać amunicję pododdziałom tylko w zamian za wystrzelone łuski. Jeśli ktoś wydał amunicję, a nie odebrał wystrzelonych łusek – stawał przed trybunałem. I od razu zrobił się wzorowy porządek. Były oczywiście wyjątki. Zdarzały się sytuacje, kiedy nikt nie przejmował się zbieraniem wystrzelonych łusek. Ale

[2] *Ibid.*

problem wtórnego ich wykorzystania został w dużym stopniu rozwiązany. Podobnie jak wiele innych kwestii, na przykład za ewakuację czołgów z pola bitwy dawano ordery. Za ewakuację rannych – też. A za wynoszenie trupów orderów nie dawano. Grzebano żołnierzy radzieckich z honorami wojskowymi, ale tylko niektórych. Jeśli był na to czas. Niemcy grzebali w trumnach i każdego w osobnym grobie. Każdy musiał mieć własny krzyż. A u nas nie było mowy o trumnach. Nikt się takimi drobiazgami nie przejmował. I nie każdy miał swój grób, chowano zbiorowo. To mniej roboty: zwalić wszystkich do leja po bombie albo do rowu przeciwczołgowego i byle jak zasypać ziemią. I nawet wymyślono ładnie brzmiącą nazwę: bratnia mogiła. Nie myśleliśmy o trumnach, nie myśleliśmy o osobnych grobach. Trzeba było wyzwalać Ojczyznę! Pędzić wroga z ojczystej ziemi! I nieść wolność i szczęście narodom Europy!

Twierdzę jednak, że wojna skończyłaby się znacznie wcześniej, ze znacznie lepszym wynikiem i mniejszymi stratami, gdyby wydano rozkaz wynoszenia martwych z pola bitwy i chowania w trumnach.

Wyobraźmy sobie dowódcę pułku: wysłał batalion, żeby szturmował wzgórze, stracił ludzi, ale się tym nie martwi. Zginęli – trudno. To jest wojna. Nie zdobyliśmy wzgórza, ale jutro je zdobędziemy. Jutro przyślą nam do pułku nowych ludzi, znów będziemy szturmować. A tymczasem dowódca idzie do ziemianki, pić wódkę.

W ten sposób nakręcała się spirala absurdu. Z jednej strony dowódca nie troszczy się o swoich ludzi, z drugiej strony nazajutrz przyślą mu nowych, niedoświadczonych, którzy sami o siebie nie potrafią się zatroszczyć. Dlatego samozniszczenie armii dokonywało się z dwóch stron równocześnie – od dołu i od góry.

Nazajutrz żółtodzioby polegną w pierwszym starciu, u stóp tego samego wzgórza. A potem przyślą nowych...

Armia Czerwona w latach II wojny światowej była nieduża, lecz wciąż nienasycona. Na froncie jednorazowo walczyło około pięciu milionów ludzi. Niekiedy dochodziło do ośmiu, a nawet do dziesięciu milionów żołnierzy i oficerów. Nigdy więcej. Ale wczorajsze miliony dzisiaj gniją w jarach i lasach, a na ich miejscu walczą inne miliony. Oni też polegną, a po ich chrzęszczących kościach przejdą następni, niosąc wolność narodom.

Gdyby na dowódcę nałożono obowiązek wynoszenia z pola bitwy wszystkich zabitych i chowania ich w trumnach, w dodatku z honorami – wtedy byłoby zupełnie inaczej. Wtedy dowódca miałby problem. Jak pod ostrzałem nieprzyjaciela wynieść wszystkie trupy z pola? Ilu jeszcze przy tym zginie ludzi? I jak tych następnych wynieść z pola bitwy? Kto ma się tym zajmować? Jeśli polegną wszyscy żołnierze pułku, to sam będzie musiał ich potem wynosić! I skąd wziąć tyle trumien? A ile dołów trzeba wykopać! I zidentyfikować każde zwłoki. I każdemu umocować gwiazdę z dykty nad mogiłą! Ile z tym kłopotu! Dlatego następnym razem dowódca lepiej by się zastanowił, zanimby posłał żołnierzy na kolejny, niepotrzebny szturm wzgórza.

A za tym płynęłyby dalsze konsekwencje. Gdyby każdy dowódca pułku strzegł swoich ludzi, to armia mogłaby liczyć nie pięć i nie dziesięć, ale piętnaście lub dwadzieścia milionów żołnierzy. I nie ginęliby oni w pierwszym starciu. Co innego pięć milionów nowicjuszy, których wprost z poboru posłano w bój, a inna rzecz – dwadzieścia milionów starych frontowych wyjadaczy. Wtedy też wojna potoczyłaby się zupełnie inaczej.

A wystarczyło tylko wydać rozkaz, żeby każdego żołnierza pochować w osobnym grobie. Wyobraźmy sobie: Żukow przygotowuje operację rżewsko-syczewską. Dostaje raport: w toku operacji trzeba będzie dostarczyć wojskom 4139 wagonów amunicji, 120 tysięcy ton materiałów pędnych i smarów. Oprócz tego Żukowowi przedkładają listę niezbędnego zaopatrzenia. Na liście są silniki czołgowe, setki ton części zamiennych do czołgów i ciężarówek, naboje, miny, chleb, konserwy, bandaże, cysterny gorzały, zaplecze inżynieryjne... i 78 000 sosnowych trumien. Myślę, że nawet Żukow oburzyłby się. Wyobraźmy sobie, ilu potrzeba wagonów, żeby te trumny zwieźć do magazynów. A teraz wyobraźmy sobie, ile trzeba ciężarówek, żeby dostarczyły trumny z magazynów frontowych do magazynów armijnych – i dalej, do korpusów, dywizji, brygad i pułków. Ilu żołnierzy trzeba by wycofać z walki do rozładowywania i przeładowywania trumien. A z drugiej strony – dekonspiracja. Jeśli rozładowują tyle trumien w okolicy przygotowywanej operacji, to każdy szpieg i dywersant natychmiast zamelduje w sztabie nieprzyjaciela: coś się kroi! A więc, żeby nie dać się zdemaskować, Żukow musiałby tak walczyć, żeby nie potrzeba było tylu trumien.

Albo, załóżmy, że ten sam Żukow przygotowuje szturm Berlina. Zmęczony zasiada w fotelu, a szef sztabu 1. Frontu Białoruskiego melduje, że do szturmu Berlina potrzeba między innymi... pół miliona trumien. Wierzę, że nawet Żukow by się zamyślił. Do jego światłej głowy wkradłyby się wątpliwości: a po co w ogóle szturmować Berlin? Komu ten szturm jest potrzebny? Berlin już jest otoczony przez wojska radzieckie. Pierścień okrążenia zamknął się 30–50 kilometrów na zachód od Berlina. Berlin jest już zamieniony przez lotnictwo USA i Wielkiej Brytanii w ocean gruzów. W Berlinie jest dużo ludności i setki tysięcy uchodźców ze wschodniej części Niemiec. Według naszych danych w mieście są dwa miliony ludzi, głównie cywilów. Według danych niemieckich – trzy miliony. W Berlinie panuje już głód. W Berlinie konina jest delikatesem. Obrońcy Berlina nie mają na co liczyć. Nikt im nie dowiezie żywności, amunicji też. W Berlinie nie ma opału. W Berlinie nie ma światła. W Berlinie został zniszczony system wodociągowy. W Berlinie nie działa kanalizacja. W Berlinie nikt nie sprząta śmieci i trupów. Ile jeszcze może trzymać się to ogromne miasto? To nie Leningrad, który można było zaopatrywać przez jezioro Ładoga, za którym stał ogromny kraj. Berlina nie można było zaopatrywać. I nie miał kto go zaopatrywać.

Dla Berlina nie było już nadziei. Wojna już się kończyła. Trzeba pozwolić obrońcom Berlina jeszcze przez tydzień dojeść resztki zgniłej koniny. Potem Berlin sam wywiesiłby białą flagę. Ale Żukowowi nie była potrzebna biała flaga nad Berlinem, lecz czerwona nad III Rzeszą. I dlatego Żukow przeprowadza nikomu niepotrzebny, zbrodniczo nieudolny szturm ogromnego miasta. Kwestią, ile w trakcie tego szturmu polegnie żołnierzy, Żukow się nie przejmował. Gdyby żołnierzy chowano w trumnach, to szturm byłby niewykonalny. Ze względu na dowóz trumien trzeba by zrezygnować z dowozu amunicji na przyszłą operację. Ale w Armii Czerwonej chowano bez trumien – dlatego ten problem nie istniał.

Można zaprzeczyć: szturm Berlina wykonano z rozkazu Stalina, czy Żukow mógł się przeciwstawić? Załóżmy, że nie mógł. Ale w takim razie nie ma powodu robić z niego bohatera. Należy jasno i uczciwie przyznać: Stalin wydał idiotyczny rozkaz, żeby szturmować Berlin, a Żukow ten idiotyczny rozkaz wykonał, nie sprzeciwiając się i nie zastanawiając nad konsekwencjami.

VII

A jednak tym, którzy zginęli w trakcie bezsensownego szturmu Berlina, poszczęściło się. Chociaż bez trumien, to jednak ich pochowano. W Niemczech mało jest ziemi, dlatego nie zostawia się trupów w polu. U nas, na Rusi, ziemi jest dużo. Dlatego nie każdy, kto poległ na ziemi ojczystej, dostał się do niej.

Żołnierza za życia nie uważano za człowieka, ale niechby chociaż martwego pochowano! Martwego niewolnika w każdych czasach i w każdym państwie chowano w ziemi. Dlaczego nasi właściciele niewolników nie grzebią swoich zmarłych? Dlaczego w polach pół wieku po wojnie bieleją jeszcze kości żołnierzy? „Krasnaja zwiezda" pisze, że w grobach żołnierskich „pogrzebanych jest ponad 6,5 milionów ludzi, z których zaledwie 2,3 miliona zostało zidentyfikowanych". Czytamy i cieszymy się, że mieliśmy takie małe straty na wojnie. Ale zastanówmy się nad tym głębiej. Nie chodzi o żołnierzy i oficerów, którzy zginęli, lecz jedynie o tych, którzy zostali pochowani. A kto liczył tych, którzy nie byli pochowani?

Białe kości żołnierzy na polach dawnych bitew – to wstyd i hańba dla Rosji po wsze czasy. Kto powinien był grzebać żołnierzy na wojnie i po wojnie? Dziennikarze obruszają się, że pół wieku po wojnie poszukiwacze militariów odnajdują żołnierskie nieśmiertelniki, ale ich zawartość[3] dawno już strawił

---

[3] Nieśmiertelnikiem w Armii Czerwonej była bakelitowa rurka z kartką w środku. W innych armiach stosowano różne systemy

czas. „Lenistwo, obojętność, mieszczańskie myślenie «moja chata z kraja». [...] A przecież wtedy żołnierskie nieśmiertelniki w prosty sposób odsłoniłyby swoje tajemnice. Dzisiaj natomiast milczą jak zaklęte. Czas kruszy nawet skałę. Nie oszczędził kruchych bakelitowych identyfikatorów z włożonymi do nich «dowodami śmierci»"[4].

Gazeta jest na właściwym tropie! Tylko dobrze by było, gdyby wymieniła nazwiska tych wielmożów, którzy po wojnie wykazali lenistwo, obojętność i mieszczańskie myślenie o poległych.

Kto więc powinien był grzebać zmarłych? Kto miał się tym zajmować? Według starej tradycji wojnę uważa się za zakończoną z chwilą, gdy pochowany jest ostatni poległy żołnierz. Jeśli tak, to Wielka Wojna Ojczyźniana będzie trwać bez końca. Więc nie świętujmy Dnia Zwycięstwa. Żołnierze nie są jeszcze pochowani, więc czy nie za wcześnie, by świętować wiktorię?

Tak zwana „ojczyzna", która zmobilizowała pod sztandary 34 miliony swoich obywateli, nie zatroszczyła się o pochowanie poległych. Pół wieku po zakończeniu wojny żołnierskie kości nadal leżą na polach, w lasach i na moczarach. Socjalistycznej ojczyzny, Związku Radzieckiego, już nie ma, a my nawet nie możemy pomarzyć, że zostanie pochowany ostatni żołnierz.

Nie było pieniędzy na pochówek? Pieniądze były. Nikt na świecie nie wybudował tylu okropnych monumentów, ile Związek Radziecki. Wznoszono u nas ohydztwa niewiarygodnych rozmiarów, w każdym mieście. Bożyszcza na kurhanach. Dlaczego marnowano setki tysięcy ton betonu i stali, miliardy budżetowych rubli na wznoszenie betonowych straszydeł, ale nie chowano zabitych żołnierzy? Dlatego, że chodzenie po lasach i moczarach, szukanie spróchniałych kości jest rzeczą nieprzyjemną i w dodatku niebezpieczną. Można natknąć się na zardzewiałą minę. A stawianie żelaznych posągów z wzniesionymi mieczami – to dla ich autorów i sponsorów sprawa dochodowa i prestiżowa.

---

blaszanych identyfikatorów z wybitymi danymi osobowymi [przyp. red.].

[4] „Krasnaja zwiezda", 9 grudnia 1999.

A przecież Żukow, będąc jeszcze Naczelnym Dowódcą Wojsk Lądowych albo ministrem obrony, powinien był zająć się chowaniem poległych. Należało posłać armię w okolice, gdzie toczyły się bitwy. Zadanie bojowe: rozminować, zebrać amunicję i porzuconą broń, odszukać i pochować zabitych. Należało zaangażować w to całą armię: sformować oddziały poszukiwawcze, wysyłać je w okolice walk na miesiąc–dwa. Potem wysyłać tam inne oddziały. I tam poznaliby życie w warunkach polowych. Tam otrzymaliby przygotowanie bojowe, w warunkach rzeczywistego zagrożenia życia. Tam nauczyliby się topografii, wypracowywania nawyków orientacji w nieznanym terenie. Tam ukształtowaliby swój charakter i poczucie patriotyzmu. Tam nauczyliby się tworzenia kolektywów. Tam poznaliby historię wojny. A równocześnie zebraliby kości poległych.

Córka wielkiego dowódcy Margarita Żukow czyni wyrzuty Moskwie i Petersburgowi: w Starym Oskole wystawiono pomnik mojemu ojcu, w Uralsku – też, w Niżnim Nowogrodzie – też, we wsi Striełkowka stoi cały kompleks, z pomnikiem i Izbą Pamięci. A w Moskwie i Petersburgu – nie! To hańba! Nie raczyli wystawić pomnika Żukowowi, co za bezczelność!

Towarzysze rządzący usłyszeli i zaraz wystawili w Moskwie pomnik Żukowa. Trzeba by jeszcze w Petersburgu. W Wołgogradzie. Na polach Prochorowki. W Kijowie. W Warszawie. W Berlinie. W Poczdamie. W Wünsdorfie. W Odessie. Wszędzie...

Wszystko to piękne. Tylko, jak mi się zdaje, należałoby najpierw pochować miliony żołnierzy, a potem dopiero stawiać pomniki temu, który swoim genialnym dowodzeniem posłał ich na śmierć, ale nie pokwapił się wydać rozkazu, by ich kości pokryto ziemią.

Rozdział 20

Prawa ręka

Sierow polecił, abym wszystkie złote precjoza przekazywał bezpośrednio jemu. Wypełniając to polecenie, przekazałem zespołowi operacyjnemu Sierowa łącznie około 30 kilogramów wyrobów ze złota. [...] Oprócz mnie inni kierownicy sektorów również dawali Sierowowi wiele złotych przedmiotów.[1]

GENERAŁ MAJOR SIDNIEW

I

22 czerwca 1957 roku Żukow dokonał zamachu stanu. Do tego przewrotu wrócimy przy innej okazji. Teraz chciałbym tylko zwrócić uwagę na pewną okoliczność. Głównym jego inicjatorem był Żukow. Drugim człowiekiem pod względem znaczenia dla owych wydarzeń był Iwan Sierow.

Jeżeli Żukow dokonywał przewrotu państwowego z pomocą tego człowieka, to znaczy, że bezgranicznie mu ufał. Żeby lepiej ocenić Żukowa, przyjrzyjmy się uważnie Sierowowi. Przecież już dawno – zresztą bardzo słusznie – powiedziano: powiedz mi, kim jest twój przyjaciel, a powiem ci... Przyjrzyjmy się najbliższemu współpracownikowi i przyjacielowi największego dowódcy XX wieku.

Sierow jest interesujący jeszcze z jednego powodu. Żukow

---

[1] Protokół przesłuchania w dniu 6 lutego 1948 roku [w:] „Wojennyje archiwy Rossii", nr 1/1993, s. 197.

szybko i zdecydowanie dążył do zdobycia władzy absolutnej w państwie. Gdyby ją uzyskał, to drugim człowiekiem w państwie byłby Sierow. Możemy sobie wyobrazić, co by czekało nas w razie zagarnięcia władzy przez Żukowa. Sierow czyni ten obraz jeszcze bardziej wyraźnym.

II

Iwan Sierow. Rok urodzenia 1905. Rosjanin. Pochodzenie chłopskie, obwód wołogodski. Tak zapisane jest w dokumentach. W rzeczywistości Wania Sierow był synem nadzorcy więzienia wołogodskiego. Nic w tym złego, jednakże w 1917 roku władzę w państwie przejęli kryminaliści. A oni nie lubili strażników więziennych. Nowi przywódcy zamienili cały kraj i przylegające terytoria w jedną wielką zonę, otoczoną drutem kolczastym. Sami stali się strażnikami więziennymi dla swojego narodu. A strażników więziennych dawnego reżimu wyłapywali, wsadzali do więzień i zabijali. Dzieci strażników więziennych poprzedniego reżimu nie miały co liczyć na wspaniałe kariery. Wszystkie drogi były przed nimi zamknięte.

Jest zatem zrozumiałe, dlaczego nadzorca wołogodskiego więzienia Aleksander Sierow zniknął bez śladu, uciekając przed rozprawą.

Jego syn Wania wcześnie zaczął karierę polityczną. Rozpoczął ją od oszustwa, ogłaszając się rolnikiem z dziada pradziada. W wieku 18 lat Iwan Sierow był kierownikiem czytelni przy powiatowym wydziale polityczno-wychowawczym. W tamtych czasach to stanowisko oficjalnie nazywało się "świetlicowy". Chłopi orzą ziemię, a Wania wydaje książki. Żadne państwo na świecie nie może sobie pozwolić na taki luksus: w ogromnym kraju w każdej wsi siedzi młody obibok i wypożycza książki o tym, jak to w świetlanej przyszłości wszyscy będą równi i szczęśliwi. Na coś takiego pozwalali sobie tylko bolszewicy.

Słyszę głosy: przecież likwidowali analfabetyzm, nieśli ludowi kaganek oświaty! Towarzysz Lenin jasno wypowiedział się w tej kwestii: "Analfabetyzm należy zlikwidować jedynie po to, żeby każdy chłop, każdy robotnik mógł samodzielnie, bez niczyjej pomocy czytać nasze dekrety i apele. Cel jest czysto praktyczny. Ot, i wszystko"[2].

Hitler nie czytał Lenina, ale też był leninowcem. Można u niego znaleźć dokładnie taki sam cytat, niemal słowo w słowo. Różnica polega na tym, że Hitler zamierzał wprowadzać taką „alfabetyzację" na terenach okupowanych, a Lenin – na własnym.

Ale wróćmy do Wani Sierowa. Szybko zrozumiał, że lepiej jest szerzyć propagandę pracy przodowniczej, niż harować samemu. Po czterech miesiącach pracy na niwie politycznej oświaty ludu pracującego – dostaje pierwszy i dość wysoki awans. Wania Sierow zostaje przewodniczącym sielsowietu[3] .W sierpniu 1925 roku wstępuje do Akademii Wojskowej, którą kończy w sierpniu 1928 roku. Następnie w ciągu sześciu lat przechodzi przez stanowiska od dowódcy plutonu ogniowego do p.o. szefa sztabu pułku artylerii. W styczniu 1935 roku wstępuje do Akademii Wojskowo-Inżynieryjnej. W 1936 roku przenosi się do Akademii Wojskowej imienia Frunzego. Kończy ją w styczniu 1939 roku. Jest to moment, w którym następuje kres stalinowskiej Wielkiej Czystki. W NKWD ma miejsce transfuzja. Czekistów z zaciągu Jeżowa towarzysz Stalin wtrącił pod koła historii. Na ich miejsce przychodzą młodzi z awansu: oficerowie sił zbrojnych, partyjni watażkowie, pnący się w górę młodzieżowi działacze, przodujący proletariusze.

Wśród zmobilizowanych do służby w NKWD znalazł się również major Wania Sierow. Jego kariera to prawie pionowy wzlot. 9 lutego 1939 roku Sierow zostaje zastępcą szefa Głównego Zarządu Milicji Robotniczo-Chłopskiej NKWD ZSRR. Dziewięć dni później otrzymuje awans: sam zostaje szefem owego Głównego Zarządu. Równocześnie dostaje nowy stopień – majora bezpieczeństwa państwowego. W tym czasie był to jeden romb na wyłogach, co odpowiadało stopniowi wojskowemu kombryg.

---

[2] J. Annienkow, *Dniewniki moich wstriecz. Cykl tragiedii*, Moskwa 1991, t. 2, s. 270.

[3] Sielsowiet – rada wiejska, najniższy organ administracyjny [przyp. tłum.].

Pięć miesięcy później – następny awans. Sierow zostaje zastępcą dowódcy najstraszniejszego organu czekistowskiego – Głównego Zarządu Bezpieczeństwa Państwowego NKWD ZSRR. Pierwszego września rozpoczęła się II wojna światowa. Drugiego września Sierow zostaje szefem NKWD Ukrainy. Czwartego września otrzymuje stopień komisarza bezpieczeństwa państwowego III stopnia. W Kijowie Sierow po raz pierwszy spotyka się z jednym z najstraszniejszych katów XX wieku – Nikitą Chruszczowem. W 1937 roku Chruszczow był pierwszym sekretarzem Moskiewskiego Miejskiego Komitetu Partii. Miał bezpośredni związek z masowymi egzekucjami. Był członkiem tak zwanej moskiewskiej trójki, która bez sądu i śledztwa skazała na śmierć tysiące ludzi. Od stycznia 1938 roku Chruszczow był I sekretarzem KC Komunistycznej Partii Ukrainy. Ukrainę czyścił z taką samą gorliwością, jak i Moskwę. Wszyscy sekretarze partyjni, począwszy od komitetów rejonowych, osobiście wydawali i podpisywali wyroki śmierci. Potem co prawda sami dostawali się pod tenże karzący proletariacki topór. Lecz dwaj sekretarze republikańskich partii komunistycznych pod ten topór nie wpadli, ponieważ starali się bardziej od innych. Nazwiska tych dwóch stachanowców terroru to Beria na Zakaukaziu i Chruszczow w Kijowie.

W chwili, gdy Sierow spotkał się z Chruszczowem, ten ostatni skąpany był w ludzkiej krwi po czubek łysiny.

17 września 1939 roku Związek Radziecki przystępuje do II wojny światowej po stronie Hitlera. W ślad za Armią Czerwoną do wyzwalania ziemi polskiej przystąpili waleczni czekiści o gorących głowach i zimnych sercach. Wszystko to, co zrobili we Lwowie i Stanisławowie, w Równem i Łucku, w Kowlu i Zaleszczykach – działo się na rozkaz i pod kontrolą Nikity Chruszczowa oraz młodego czekisty Wani Sierowa. Wtedy nie miał jeszcze ukończonych 35 lat. Wszystko, co tam zrobiono, mają na swoim komunistycznym sumieniu: deportacje, obozy koncentracyjne, kolektywizację. Rozstrzeliwanie polskich oficerów w Charkowie i Miednoje to też dzieło spracowanych rąk Wani Sierowa.

26 kwietnia 1940 roku Iwan Sierow otrzymuje swój pierwszy

order. I to nie byle jaki, tylko od razu najwyższe odznaczenie państwowe – Order Lenina. Ciekawe, gdy porównamy tę datę z niektórymi tragicznymi kartami polskiej historii: z jednej strony – rozstrzelanie tysięcy wziętych do niewoli polskich oficerów, w tym na podległej Sierowowi Ukrainie, z drugiej strony – najwyższe odznaczenie radzieckie dla tegoż Sierowa. Ciekawa jest jeszcze jedna zbieżność. Dowódca Zarządu ds. Jeńców Wojennych i Internowanych, kapitan bezpieczeństwa państwowego Piotr Soprunienko, który bezpośrednio kierował wywózką z obozów i rozstrzeliwaniem polskich oficerów, w tym właśnie dniu 26 kwietnia 1940 roku również otrzymał swój pierwszy order.[4] Sierow i Soprunienko są na jednej liście odznaczonych. Na tej liście są sami kaci. Różnica polega na tym, że kapitan bezpieczeństwa Soprunienko dostaje najniższe w tej kategorii odznaczenie, najskromniejszy orderek „Odznaka Honoru", natomiast Iwan Sierow – przywódca NKWD Ukrainy, komisarz bezpieczeństwa państwowego III stopnia – najwyższe odznaczenie państwowe. Zasługi Sierowa w kwestii rozstrzelania polskich oficerów uzyskały wyższą ocenę; zasługi Soprunienki – dużo niższą.

III

W czerwcu 1940 roku do Kijowa przybywa Żukow. W stolicy Ukrainy tworzy się zgrany triumwirat: pierwszy sekretarz KC KP Ukrainy towarzysz Chruszczow, szef NKWD towarzysz Sierow oraz dowodzący wojskami Kijowskiego Specjalnego Okręgu Wojskowego towarzysz Żukow. Przypadli sobie do gustu. Żukowa zawsze ciągnęło ku tym, którzy bez litości przelewali krew narodu. Żukow znalazł się wśród swoich. Rozumieli się nawzajem i szanowali: zbryzgany krwią Chruszczow, szybko doganiający go Sierow i nasz drogi Gieorgij Żukow, który do tego czasu w Mongolii zdążył już wydać niemało wyroków śmierci.

Ich drogi życiowe nieraz się rozejdą. Ale nigdy na długo. Gdziekolwiek by się ci muszkieterzy znajdowali, będą pamię-

---

[4] N. Pietrow, Sorokin, *Kto rukowodił NKWD 1934–1941*, Moskwa 1999, s. 381, 389.

tać o sobie i pomagać sobie na wszelkie sposoby. Przewrotu 22 czerwca 1957 roku dokonają we trzech.

IV

Na rok 1941 Stalin planował zniszczenie Europy. W tym celu 3 lutego 1941 roku resort NKWD został podzielony na dwa niezależne ludowe komisariaty: NKWD (Spraw Wewnętrznych – towarzysz Beria) i NKGB (Bezpieczeństwa Państwowego – towarzysz Mierkułow). Sens podziału polegał na tym, że NKWD pełnił mnóstwo funkcji, zarówno na terytorium Związku Radzieckiego, jak i za granicą. Od totalnego śledzenia wszystkich do zabijania milionów swoich obywateli. Od wydobycia złota, do budowy linii kolejowych. Od przechowywania wszystkich archiwów państwowych do ochrony granic państwa. Od rejestracji związków małżeńskich do ochrony żywego Stalina i martwego Lenina. Od spisu noworodków do gaszenia pożarów. Od szpiegostwa zagranicznego do budowy największych na świecie elektrowni wodnych. Od produkcji aluminium do utrzymywania hoteli dla cudzoziemców. Od sadzenia lasów do ich wyrębu. Od konstruowania i testowania bombowców nurkujących do uczenia komunistów z sojuszniczych państw sztuki podkładania bomb. Od kierowania ruchem kołowym do likwidowania wrogów politycznych za granicą. A tu jeszcze szykuje się marsz wyzwoleńczy na Warszawę, Budapeszt, Bukareszt, Berlin, Wiedeń, Paryż, Madryt... Planowano przyłączyć do Związku Radzieckiego miliony kilometrów kwadratowych nowych terytoriów, sowietyzację małych i dużych państw europejskich, oczyszczenie wielomilionowych mas z niepożądanego elementu. Obowiązków było za wiele, dlatego NKWD trzeba było podzielić na dwa ministerstwa.

Nowy NKWD zachował wiele starych struktur, które miały rozwiązywać głównie zadania wewnątrz kraju: milicja, wojska pograniczne, obozy pracy, budowa ważniejszych obiektów przemysłowych i transportowych itp. itd.

Natomiast do NKGB należała kluczowa rola w nadchodzącej wojnie, planowanej „na wrogich terenach". Funkcje NKGB były następujące: prowadzenie działań wywiadowczych za granicą, kontrola wielomilionowych mas ludzi w rejonach działań wojennych i na terenach „wyzwolonych", izolacja i likwidacja osób niepożądanych i całych warstw ludności na terytoriach przyłączanych do Związku Radzieckiego. Na NKGB spoczywało także zadanie ochrony przywódców radzieckich, zarówno cywilnych, jak i wojskowych, a jednocześnie kontrola ich przykładnego zachowania.

Do początku 1941 roku Iwan Sierow zdążył już ukazać swoje krwawe oblicze. Jego doświadczenie w dziedzinie oczyszczania „wrogich terenów" z niepożądanych warstw i klas oraz przemieniania „terenów wyzwolonych" w republiki radzieckie było krótkie, ale bogate. Zdążył wyrobić sobie rękę przy egzekucjach. W opinii służbowej Sierowa są zapisane słowa, których każdy by mu pozazdrościł. Jak pamiętamy, w teczce Żukowa były zapisane słowa: solidny członek partii. Sierow miał lepszą: niezłomny członek partii.

Zasługi Sierowa i jego doświadczenie zostały docenione. 25 lutego 1941 roku zostaje mianowany pierwszym zastępcą ludowego komisarza bezpieczeństwa państwowego – czyli zastępcą szefa NKGB ZSRR.

Jednakże Hitler przetasował wszystkie karty. Napadł pierwszy i pokrzyżował dalekosiężne plany wyzwolenia Europy. Przyłączenie nowych ziem i ich sowietyzację odłożono na lepsze czasy. W wojnie obronnej na własnym terytorium dwa resorty bezpieczeństwa nie były potrzebne. W pierwszych dniach wojny nikt nie myślał o zmianach strukturalnych. Ale już 20 lipca 1941 roku NKWD i NKGB zostały z powrotem połączone w jedno ministerstwo – Ludowy Komisariat Spraw Wewnętrznych, NKWD.

Iwan Sierow obejmuje stanowisko zastępcy ludowego komisarza spraw wewnętrznych, tzn. zastępcy Ławrientija Berii. Na tym stanowisku pozostawał do końca wojny i po jej zakończeniu.

V

Wojna znów doprowadziła do spotkania Żukowa i Sierowa. 11 października 1941 roku Żukow został mianowany dowódcą Frontu Zachodniego. 13 października Sierow zostaje wyznaczony do pomocy Żukowowi. Żukow i Sierow działają ramię w ramię. Dziarscy chłopcy Wani Sierowa zajmowali pozycje na tyłach oddziałów Armii Czerwonej i zachęcali je do walki ogniem z automatów w plecy, zwiększając determinację w obronie i kontratakach.

Żukow i Sierow ponownie spotkali się pod koniec wojny. Żukow jest dowódcą 1. Frontu Białoruskiego. Generał pułkownik Sierow – pełnomocnikiem NKWD na Froncie Białoruskim. Równocześnie Sierow nadal pozostaje zastępcą towarzysza Berii. Oprócz tego Sierow jest doradcą NKWD ZSRR przy Ministerstwie Bezpieczeństwa Publicznego w Polsce. Przekazywał polskim towarzyszom swoje bezcenne doświadczenie w strzelaniu w tył głowy.

Na początku lat 90. w Polsce zaczęto zwracać ludziom nieruchomości odebrane za panowania komunistów. Pewna kobieta w podeszłym wieku odzyskała swoją willę, która została jej skonfiskowana w 1944 roku na potrzeby NKWD. W tej willi mieszkał towarzysz Sierow, a potem inni towarzysze. Willa przedstawiała obraz nędzy i rozpaczy. Wszystko zdemolowane, pomieszczenia zawalone rupieciami. To wszystko właścicielka musiała sprzątać, jak archeolog, który odkopuje szczątki i zdejmuje kolejne warstwy kulturowe. Kiedy posprzątała piwnice, odkryła... malutkie prywatne więzienie z kratami, ryglami, ciężkimi stalowymi drzwiami i innymi atrybutami. Na ścianach, tak jak we wszystkich więzieniach świata, więźniowie ryli napisy. Tymi napisami zajmowała się polska prokuratura, dziennikarze, historycy. Okazało się, że było to osobiste więzienie towarzysza Sierowa. Kiedy już zmęczył się w pracy rozstrzeliwaniem i torturami, wracał do swojego przytulnego domku i tam wypoczywał w celi tortur, już nie służbowej, lecz swojej własnej, domowej.

I jak po tym nie wierzyć w teorie genetyki? Iwan Sierow, syn pracownika więzienia Aleksandra Sierowa, najwyraźniej odziedziczył geny ojca.

Sierow miał pierś całą w orderach. Sam pasjonuję się odznaczeniami, jestem namiętnym kolekcjonerem orderów i informacji o tym, kiedy, kogo, za co i czym odznaczono. W apogeum swej kariery generał armii Sierow oprócz Złotej Gwiazdy Bohatera Związku Radzieckiego miał sześć orderów Lenina, cztery ordery Czerwonego Sztandaru, order Suworowa I klasy, dwa Kutuzowy I klasy i polski order Virtuti Militari IV klasy. Żeby nie opowiadać o każdym orderze na piersi Sierowa, wspomnimy tylko o pierwszym i ostatnim. Pamiętamy, że pierwszy order dostał za rozstrzelanie polskich oficerów. Swój ostatni radziecki order – Kutuzowa I klasy – Sierow otrzymał 18 grudnia 1956 roku za to, że utopił we krwi węgierską rewolucję. Wszystkie pozostałe ordery mieszczą się w pomiędzy tym dwoma.

Sierow łatwo zbierał ordery, ale tak samo lekko one z niego spadały. Orderem Suworowa I klasy odznaczono Sierowa w 1944 roku za wysiedlenie narodów Kaukazu. W 1959 roku akcja ta została uznana za bezprawną, więc order kazano zwrócić. Cztery lata później, w 1963 roku, Chruszczow zdegradował Sierowa z generała armii do generała majora. Z czterech gwiazd generalskich została mu tylko jedna. Oprócz tego Chruszczow odebrał Sierowowi tytuł Bohatera Związku Radzieckiego oraz jeden Order Lenina. W 1995 roku dekretem Prezydenta RP Lecha Wałęsy Sierow został pozbawiony również polskiego orderu.

Ale ciekawiej byłoby spojrzeć, kto i za co dał Sierowowi Złotą Gwiazdę Bohatera Związku Radzieckiego, którą w końcu uznano za bezprawnie przyznaną. Wśród najwyższych stopniem oficerów NKWD Bohaterem Związku Radzieckiego był tylko Sierow. Ławrientij Beria, niezależnie od swoich krwawych zasług, nie został Bohaterem Związku Radzieckiego.

Tytuł Bohatera Związku Radzieckiego ze Złotą Gwiazdą i Orderem Lenina swojemu wiernemu przyjacielowi załatwił Żukow.

System przyznawania odznaczeń wojskowych był dosyć prosty. Właściwy wydział sztabu frontu sporządzał listę wyróżniających się: Iwanow, Pietrow, Sierow zasługują na takie a takie odznaczenia. Listę podpisywał dowódca Frontu i członek Rady Wojskowej. W tym wypadku byli to marszałek Związku Radzieckiego Żukow i generał porucznik Tielegin. Następnie listę wysyłano do Moskwy. Z Moskwy przychodziła uchwała o nadaniu tytułów i przyznaniu orderów. Żukow podpisał wniosek o odznaczenie 28 panfiłowców – i zostali bohaterami. Podpisał wniosek o odznaczenie Sierowa – i strzeliły korki od szampanów! Ty coś dla mnie, a ja dla ciebie.

Tytuł Bohatera Związku Radzieckiego został nadany Sierowowi 29 maja 1945 roku. Było to nieoczekiwane i niezrozumiałe. Czekista na najwyższych stanowiskach kierowniczych mógł wyróżnić się jedynie masowym zabijaniem ludzi, żadnego innego heroizmu nie mógł przejawić. Na Łubiance nie było miejsca na czyny bohaterskie. Ale za masowe zabijanie ludzi tytułu Bohatera Związku Radzieckiego nie otrzymał ani Jagoda, ani Beria, ani Jeżow. Natychmiast w organach NKWD rozeszły się plotki o tym, że „Sierow niezasłużenie dostał Bohatera Związku Radzieckiego, że Żukow zrobił to, by przywiązać do siebie Sierowa". Plotki powtarzano uparcie i niestrudzenie. Generał porucznik Aleksander Wadis, który do 27 czerwca 1945 roku zajmował stanowisko szefa Zarządu Kontrwywiadu SMIERSZ Grupy Radzieckich Wojsk Okupacyjnych w Niemczech, o tych nastrojach meldował do Moskwy. Generał Wadis słono zapłacił za te meldunki. Żukow i Sierow zemścili się na nim strasznie. A przecież meldował tylko to, o czym mówili wszyscy.

VI

Bojownik o lepszą przyszłość i równość wszystkich ludzi, Bohater Związku Radzieckiego generał pułkownik Iwan Sierow był w Niemczech zastępcą Żukowa.

Stanowisko Żukowa oficjalnie nazywało się: Naczelny Dowódca Grupy Radzieckich Wojsk Okupacyjnych w Niemczech i Komendant Główny Radzieckiej Administracji Wojskowej w Niemczech.[5]

Stanowisko Sierowa: zastępca Komendanta Głównego ds. Administracji Cywilnej.

Radziecka strefa okupacyjna w Niemczech była podzielona na sektory operacyjne MWD (Ministerstwa Spraw Wewnętrznych). Berlińskim sektorem MWD kierował generał major Aleksiej Sidniew, urodzony w 1907 roku. W 1947 roku przeniesiono go z Niemiec na stanowisko ministra bezpieczeństwa

---

[5] *Marszały Sowietskowo Sojuza*, op. cit., s. 36.

państwowego Tatarskiej ASSR. W 1948 roku został aresztowany. Protokół przesłuchania z dnia 6 lutego 1948 roku wyjaśnia, co działo się w Niemczech Wschodnich, gdzie dowodzili Żukow i Sierow. Oto jego fragmenty.

„SIDNIEW: Oddziały Armii Radzieckiej, które opanowały Berlin, zdobyły wiele łupów. W różnych częściach miasta co krok odkrywano składy złota, srebra, brylantów i innych kosztowności. Jednocześnie znaleziono kilka ogromnych składów, w których znajdowały się drogie futra, różne rodzaje tekstyliów, bielizna najlepszego gatunku i wiele innych dóbr. O takich rzeczach, jak sztućce i serwisy, już nie mówię, bo było ich bez liku. Te cenne przedmioty i towary były rozkradane przez różne osoby. Muszę przyznać, że sam należałem do tych niewielu dowódców, którzy mieli w ręku wszelkie możliwości, by natychmiast zorganizować ochronę i zrobić spis wszystkich cennych przedmiotów, które zostały przejęte przez wojska radzieckie na terytorium Niemiec. Jednak nie przedsięwziąłem żadnych kroków, by zapobiec grabieży, i z tego powodu czuję się winny. [...] Muszę powiedzieć, że gdy posyłałem do Rosji ten bezprawnie zagarnięty majątek, to oczywiście uszczknąłem sobie co nieco.

ŚLEDCZY: W czasie rewizji waszego mieszkania w Leningradzie znaleziono około stu wyrobów z platyny i złota, tysiące metrów wełny i jedwabiu. Około 50 kosztownych dywanów, dużą ilość kryształów, porcelany i innych dóbr. Czy to jest według was «co nieco»? Przedstawiamy wam fotografie zarekwirowanych wam w czasie rewizji pięciu unikatowych gobelinów flamandzkich i francuskich mistrzów z XVII i XVIII wieku. Skąd wzięliście te gobeliny?

SIDNIEW: Gobeliny znaleziono w piwnicach niemieckiego Reichsbanku, gdzie pozostawili je na przechowanie w czasie wojny jacyś niemieccy bogacze. Gdy je zobaczyłem, kazałem Aksionowowi wysłać je do mojego mieszkania w Leningradzie.

ŚLEDCZY: Ale miejsce tych gobelinów jest tylko w muzeum. Do czego miały się wam przydać?

SIDNIEW: Szczerze mówiąc, nawet się nad tym nie zastanawiałem. Wpadły mi w ręce, to je zabrałem. [...] Brałem najcenniejsze rzeczy, ale co jeszcze sobie przywłaszczyłem, teraz już nie pamiętam.

ŚLEDCZY: To my wam przypomnimy. Skąd wzięliście damską torebkę wykonaną z czystego złota?

SIDNIEW: Nie pamiętam dokładnie, gdzie natknąłem się na tę torebkę. Myślę, że wziąłem ją albo ja, albo moja żona, z piwnicy Reichsbanku.

ŚLEDCZY: A na trzy złote bransolety z brylantami gdzie się «natknęliście»? Skąd ukradliście zarekwirowane wam 15 złotych zegarków, 42 złote wisiorki, brosze, kolczyki, łańcuszki, 15 złotych pierścionków i inne wyroby ze złota?

SIDNIEW: Tak samo jak złote bransolety, wziąłem te rzeczy z niemieckich składów...

ŚLEDCZY: Sześćset srebrnych łyżek, widelców i innych sztućców też ukradliście?

SIDNIEW: Tak, ukradłem.

ŚLEDCZY: Można by pomyśleć, że przyjmowaliście dużo gości. Po co ukradliście tyle sztućców?

SIDNIEW: Nie znajduję odpowiedzi na tak postawione pytanie.

ŚLEDCZY: 32 cenne wyroby z futra, 178 skórek futrzanych, 1500 metrów wełnianych, jedwabnych, aksamitnych i innych materiałów wysokiej jakości, 405 par pończoch damskich, 78 par butów, 296 sztuk odzieży – to tylko część zarekwirowanych wam rzeczy. Jak zostaliście spekulantem?

SIDNIEW: [...] W 1944 roku, będąc zastępcą dowódcy Zarządu SMIERSZ 1. Frontu Ukraińskiego, na terytorium Polski spotkałem się z Sierowem, który w tym czasie był pełnomocnikiem NKWD do spraw wspomnianego Frontu. Pod jego kierownictwem pracowałem w Polsce, a potem, gdy wojska radzieckie zajęły Berlin, Sierow uzyskał dla mnie przeniesienie do pracy w NKWD i mianował mnie dowódcą berlińskiego sektora operacyjnego. W tej pracy Sierow zbliżył się do mnie, zacząłem często u niego bywać, i od tego czasu zaczęło się moje grzeszne życie. [...] Chyba nie znalazłby się nikt, kto był w Niemczech i nie wiedział o tym, że Sierow jest w zasadzie wodzirejem w procederze przywłaszczania zagrabionych rzeczy. Samolot Sierowa cały czas kursował między Berlinem a Moskwą, przewożąc bez kontroli granicznej wszelkie cenne rzeczy, futra, dywany, obrazy dla Sierowa. Z takim samym ładunkiem

Sierow wysyłał do Moskwy wagony i samochody. [...] Po zajęciu Berlina jedna z moich grup operacyjnych w Reichsbanku znalazła ponad 40 milionów niemieckich marek. Mniej więcej tyle samo marek skonfiskowaliśmy w innych składach w dzielnicy Mitte (Berlin). Wszystkie te pieniądze zostały przewiezione do piwnicy budynku, w którym mieścił się berliński sektor operacyjny MWD. [...]

ŚLEDCZY: Ile tam w sumie znajdowało się pieniędzy?

SIDNIEW: W piwnicach znajdowało się około 100 worków, w których było ponad 80 milionów marek... Przechowywanie takiej ilości pieniędzy było oczywiście niezgodne z prawem, ale zrobiliśmy to z polecenia Sierowa. [...] Sierow rozdawał co kwartał każdemu dowódcy sektora operacyjnego tak zwane nieksięgowane sumy. [...] W ten sposób każdy dowódca sektora operacyjnego dostał z mojej piwnicy po kilka milionów marek niemieckich. [...]

ŚLEDCZY: Czy wiecie, gdzie teraz znajdują się zapisy wydatkowania marek niemieckich?

SIDNIEW: Teczki z materiałami sprawozdawczymi o wydanych markach niemieckich, zebrane ze wszystkich sektorów, w tym także zapisy o wydanych przeze mnie pieniądzach, zostały spalone z polecenia Sierowa. [...]

ŚLEDCZY: A gdzie podzialiście sprawozdania o skonfiskowanym złocie i innych kosztownościach, które były u was w mieszkaniu?

SIDNIEW: Te sprawozdania, tak samo jak sprawozdania o markach niemieckich, były przekazane do zespołu operacyjnego Sierowa i tam spalone. [...]

ŚLEDCZY: Nie wykręcajcie się ogólnikami, tylko powiedzcie, co wiecie o rozkradaniu złota przez Sierowa.

SIDNIEW: Gdy chodziłem do Sierowa z meldunkami o skonfiskowanych kosztownościach, przynosiłem mu dla przykładu najdroższe wyroby ze złota i brylantów. Sierow w takich przypadkach długo przyglądał się kosztownościom, cieszył się ich widokiem. A potem część zostawiał sobie. [...] Bieżanow, o ile mi wiadomo, gdy był dowódcą sektora operacyjnego MWD w Turyngii, żył jak panisko. Przywiózł sobie do domu dużą liczbę cennych przedmiotów, które należały do bogaczy w Turyngii, uruchomił browar jakiegoś esesmana i czerpał z niego zyski. Klepow, podobnie jak Bieżanow, urządził sobie w Niemczech wspaniałe życie. [...] Sierow wyszukał gdzieś niemieckiego technika, który specjalnie opracował konstrukcję odbiorników radiowych z adapterem i sporządził rysunki techniczne, a Sierow osobiście nanosił poprawki. Drewno na obudowy odbiorników było zdarte ze ścian gabinetu Hitlera w Kancelarii Rzeszy. [...] Jeden z tych odbiorników Sierow podarował Żukowi. [...] Sierow był moim protektorem. Oprócz tego miałem u niego dobre notowania jako energiczny pracownik. [...] Sierow wiele czasu spędzał w towarzystwie marszałka Żukowa, z którym był w bliskich stosunkach. Obaj byli jednakowo nieuczciwi i kryli się nawzajem..."

VII

Zacytowałem niewielki fragment z ogromnego protokołu. Trzeba powiedzieć jako uzupełnienie, że w tym czasie samochód osobowy średniej klasy kosztował w Niemczech tysiąc marek. Z ukradzionych przez Sierowa 80 milionów marek po roku zostało tylko 3 miliony, ale nawet te pozostałe 3 miliony oddano Sierowowi. Ach, nieskalane ręce czekisty!

I jeszcze jeden szczegół: najlepszy przyjaciel genialnego Żukowa Wania Sierow zamieszkał w rezydencji Goebbelsa.

Informacje o zwyczajach Sierowa i jego podwładnych nigdy przez nikogo nie były zdementowane.

Stalin widział, że w czasie wojny generałowie armii i generałowie NKWD znajdują wspólny język. Dla Stalina te kontakty były śmiertelnym zagrożeniem. Zdawał sobie z tego sprawę, dlatego dzielił i rządził. W 1943 roku Stalin znów podzielił NKWD, tym razem na trzy części. Oprócz odtworzenia NKGB, z Ludowego Komisariatu Spraw Wewnętrznych wyodrębnił też kontrwywiad wojskowy SMIERSZ i podporządkował go sobie. Następnym posunięciem Stalina było utworzenie w 1946 roku Ministerstwa Spraw Wewnętrznych (MWD – dawny NKWD) oraz Ministerstwa Bezpieczeństwa Państwowego (MGB – połączone NKGB i SMIERSZ). Na czele MGB Stalin postawił generała pułkownika Wiktora Abakumowa. Pozostawało tylko skłócić ze sobą MWD (Beria, Sierow) i MGB (Abakumow). I Stalin skłócał ich całkiem skutecznie.

Ludzie Abakumowa wszczynali procesy przeciwko generałom i marszałkom armii oraz przeciwko generałom MWD. Pod ich przenikliwe spojrzenia trafiały poczynania Żukowa, Berii, Sierowa, Tielegina, Sidniewa, Kriukowa i wielu innych. Ale Beria i Sierow potrafili się wykręcić. Przeprowadzili atak wyprzedzający.

Beria i Sierow poinformowali Stalina o czymś takim, że wszystkie dowody zebrane przeciwko nim przez ludzi Abakumowa dalej pozostały w archiwach. Kradzież złota, brylantów, milionów marek – wszystko to pestka. Sierow pozostał na wolności, a 4 lipca 1951 roku szef MGB generał pułkownik Abakumow, który kopał dołki pod Sierowem i Żukowem, został zwolniony ze wszystkich stanowisk. Pochodził tydzień bez pracy, snując domysły, na jakie stanowisko go mianują. Ale 12 lipca został aresztowany. Teraz to już ekipa Berii i Sierowa prowadziła rewizje i przesłuchania. Z kolei sam Abakumow i jego ludzie musieli składać wyczerpujące zeznania. Śledczy i podejrzani zamienili się miejscami, ale treść protokołów i przesłuchań nie uległa zmianie. U Abakumowa też znaleziono złoto, brylanty, obrazy i gobeliny. Były też bransolety, pierścionki, kolczyki, wisiorki...

Oczywiście nie aresztowano go za złoto ani za brylanty. Były ku temu o wiele poważniejsze powody.

Anatolij Kuzniecow w swojej wspaniałej książce *Babij Jar* opowiada o roku 1939. „Była wojna z Polską. Hitler z zachodu, my ze wschodu – i Polski nie ma. Oczywiście dla zmylenia nazwaliśmy to «wyzwoleniem zachodniej Ukrainy i Białorusi», rozwiesiliśmy plakaty, na których jakiś obdarty chłop obejmuje śmiałego czerwonoarmistę-wyzwoliciela. Ale tak to już jest, że ten, kto napada, zawsze od czegoś lub kogoś wyzwala.

Tato Żorcia Gorochowskiego został zmobilizowany, brał udział w wojnie i raz po pijanemu opowiedział, jak ich tam naprawdę witano. Przede wszystkim wszyscy, od największego dowódcy do ostatniego szeregowego, rzucili się na sklepy z tekstyliami, obuwiem i zaczęli napychać sobie worki i kieszenie.

Boże, czego to nie przywieźli nasi dzielni wojacy z Polski! Jeden politruk przywiózł walizkę lakierków, ale po kilku krokach zaczęły się rozłazić. Okazało się, że było to obuwie dla nieboszczyków, zrobione byle jak. A tato Żorcia przywiózł sobie nawet worek dzwonków od rowerów. Chodziliśmy z nimi, dzwoniliśmy i cieszyliśmy się:

– Przyszła kryska na Polaczków!

Przyszła kryska na burżujską Litwę, Łotwę, Estonię. Rumunii odebrano Besarabię. Dobrze jest być silnym"[6].

Nasi wyzwoliciele brali, co który mógł. Jeżeli któryś miał już rower, to zapewne miał też dzwonek na kierownicy. Jeżeli nie miał roweru, to dzwonek nie był mu potrzebny. Jeśli miał – no, cóż, z wyprawy wyzwolicielskiej mógł przywieźć sobie dzwonek zapasowy. Ale po co zaraz cały worek?

Nasi genialni wodzowie i mądrzy przywódcy tajnego frontu mieli takie same zwyczaje, jak szeregowi wyzwoliciele Europy: łap, co ci w ręce wpadnie! U potężnego szefa MGB, generała pułkownika Abakumowa, wśród kryształów i porcelany, wśród błyszczących sztabek złota i kamieni szlachetnych, wśród stosów złotych i srebrnych naczyń znaleziono walizkę niemieckich szelek. Po co mu tyle? Przecież nie będzie nimi handlować! I po cóż miałby handlować, skoro miał nieograniczony dostęp do pieniędzy?

A oto generał porucznik Kriukow, najbliższy przyjaciel Żukowa. U niego prócz brylantów, złota, rubinów i szafirów odkryto podczas rewizji... 78 zasuwek okiennych, 16 zamków do drzwi, 44 pompki rowerowe.

Jeśli obawiasz się, że jedna pompka się zepsuje, weź sobie 10 zapasowych. Po co ci aż 44?

A oto ulubieniec Żukowa, generał porucznik Leonid Miniuk. Stanowisko – adiutant Żukowa, później generał do specjalnych poruczeń przy marszałku Żukowie. Podczas aresztowania skonfiskowano u niego oprócz srebra i złota, garniturów i talerzy, marmurowych posągów i statuetek, dywanów i obrazów, gobelinów i innych rzeczy... 92 pompki rowerowe.

Wszyscy oni – Żukow, Sierow, Beria, Sidniew, Tielegin,

---

[6] Kuzniecow, *op. cit.*

Miniuk, Abakumow, Kriukow – wkroczyli do Europy pod sztandarem wyzwolenia. Wszystko, co robili, określano górnolotnie: wyzwoleńcza misja Armii Czerwonej.

Wszystkie te spekulacje i kradzieże rozkwitały pod osłoną Sztandaru Zwycięstwa, który dumnie powiewał nad zbombardowanym Reichstagiem. Wszyscy oni nazywali się komunistami. W imię powszechnej równości zabijali dziesiątki milionów ludzi, a równocześnie uruchamiali esesmańskie browary i napychali sobie kieszenie milionami. Wyzwalali świat od Hitlera, Goebbelsa i Göringa, a równocześnie wprowadzali się do ich jeszcze ciepłych komnat i rezydencji. Uwalniali świat od brunatnej dżumy, od hitlerowskich obozów koncentracyjnych, ale te obozy nie zostawały puste, natychmiast włączano je do systemu Gułagu. Wszyscy opowiadali, że wkrótce nastąpią czasy, gdy na świecie zwycięży komunizm i każdy będzie pracować według możliwości, a dostawać według potrzeb. Komu ile potrzeba, tyle sobie weźmie!

Wielka idea.

Ale jak zadowolić potrzeby samego Sierowa lub choćby Miniuka?

Mówią nam: ech, gdyby do władzy w 1957 roku zamiast Chruszczowa doszedł Żukow! A my pytamy: co by się stało z tym krajem, gdyby do władzy rzeczywiście doszedł Żukow?

Można łatwo odpowiedzieć na to pytanie. Żukow doprowadziłby do władzy swojego najbliższego przyjaciela Sierowa i jemu podobnych. Owi towarzysze urządziliby w piwnicach swoich pałaców i willi maleńkie przytulne prywatne więzienia i cele tortur. I rozkradliby kraj na długo przed stagnacją i pieriestrojką, a nasi współcześni „demokraci" nie mieliby już czego kraść.

Rozdział 21

Dlaczego Żukow nie mógł zaprowadzić porządku w Niemczech?

Żukow przysłał mi koronę, która należała, wedle wszelkich oznak, do małżonki niemieckiego cesarza. Z korony zdarto złoto, aby wykonać z niego szpicrutę, którą Żukow chciał podarować swojej córce z okazji urodzin.[1]

GENERAŁ MAJOR SIDNIEW

I

Skończyła się wojna, Armię Czerwoną należało szybko i zdecydowanie zredukować. Armia była monstrualna: dziesięć frontów w Europie i trzy fronty na Dalekim Wschodzie. W skład każdego frontu wchodziło od pięciu do dwunastu armii. Latem 1945 Stalin miał sto jeden armii: pięć armii uderzeniowych, sześć gwardyjskich armii pancernych, osiemnaście powietrznych, jedenaście gwardyjskich ogólnowojskowych i sześćdziesiąt jeden ogólnowojskowych. Oprócz frontów i armii miał dwadzieścia okręgów wojskowych, cztery floty, kilka flotylli rzecznych, setki akademii wojskowych, jednostek rezerwy i centrów szkoleniowych, wojska NKWD itd., itp. Była to liczba absurdalnie wysoka, nikomu do niczego niepotrzebna. Poza tym żadne państwo nie byłoby w stanie wyżywić tylu żołnierzy. Dlatego też oficerów zwalniano setkami tysięcy,

---

[1] Protokół przesłuchania w dniu 6 lutego 1948 roku [w:] „Wojennyje archiwy Rossii", nr 1/1993.

a podoficerów i zwykłych żołnierzy – milionami. Równocześnie rozwiązano tysiące pułków, setki brygad i dywizji, dziesiątki korpusów i armii, wszystkie fronty. Przy czym wczorajsi dowódcy armii stawali się dowódcami korpusów, dowódcy korpusów przejmowali dywizje, dowódcy dywizji – brygady, a nawet pułki. Wczorajsi dowódcy pułków stawali się dowódcami batalionów, jednak mimo to wciąż ich zwalniano. Dostać się do akademii było prawie niemożliwe. Akademie wojskowe przyjmowały głównie Bohaterów Związku Radzieckiego, a i to nie wszystkich. Był nawet taki termin – „złoty zaciąg". Oficerów, generałów, admirałów i marszałków po wojnie było tak wielu i byli tak młodzi, że możliwości awansu w armii praktycznie nie istniały. Każdego degradowano i wszyscy wiedzieli, że do emerytury na awans nie ma co liczyć, a o dawnych zaszczytach lepiej nie marzyć.

Zrozumiałe zatem, że wszyscy czuli się pokrzywdzeni.

II

Fala cięć nie ominęła nawet wierchuszki. Latem 1945 roku w Związku Radzieckim był jeden generalissimus i dwunastu marszałków Związku Radzieckiego. W czasie wojny marszałkowie dowodzili frontami. Wojna się skończyła. Fronty rozwiązano. A co z marszałkami?

Marszałek Związku Radzieckiego Ławrientij Beria nie zajmował w armii żadnego stanowiska. Nie ten resort.

Budionny nie zajmował żadnego stanowiska w armii z powodu podeszłego wieku.

Pozostaje jeszcze dziesięciu marszałków, a Stalinowi w Moskwie potrzebny jest tylko jeden. Na dodatek potrzebny jest marszałek myślący. Zrozumiałe, że wybór pada na Wasilewskiego. Wasilewski to najbardziej utalentowany z radzieckich dowódców. Oczywiście zaraz po Stalinie. Wasilewski – to fenomenalna pamięć. Wasilewski – to niepodważalna logika. Wasilewski był głównym wojskowym doradcą Stalina przez całą wojnę. Wasilewski – wieczne źródło genialnych pomysłów.

Żukow nie pasował na głównego doradcę wojskowego Stalina. Jego brak predyspozycji do wysiłku umysłowego zauważono już dawno. Już w listopadzie 1930 roku Rokossowski napisał w opinii o Żukowie mordercze słowa: „Niezdatny do pracy w sztabie i na uczelni. Organicznie jej nie znosi"[2]. Sztab to mózg. Pułk bez sztabu to pułk odmóżdżony. Podobnie dywizja. I korpus, i armia, i front. Do sztabów spływają kompleksowe dane o ruchach oddziałów własnych i sąsiednich, o naczelnym dowództwie, o nieprzyjacielu, o zaopatrzeniu niezbędnym do przeżycia i walki, o terenie, o pogodzie i wiele, wiele innych. W sztabach wszystkie te informacje są analizowane oraz poddawane ocenie i na tej podstawie zapadają decyzje. Jeżeli w opinii dowódcy napisane jest, że nienawidzi pracy w sztabie i na uczelni, oznacza to, że nie potrafi samodzielnie myśleć. Dowódca, który nienawidzi pracy w sztabie, to mniej więcej tyle samo, co szachista, który lubi bezmyślnie przestawiać figury na szachownicy. To śledczy, który nie potrafi zebrać faktów i poszlak oraz łączyć ich w logiczny łańcuch. Za to wybijać zęby i łamać żebra – proszę bardzo. To chirurg, który namiętnie wycina pacjentowi co popadnie, nie zastanawiając się zbytnio, czemu to służy.

O tym, że Żukow nie był i nie mógł być wojskowym doradcą Stalina, świadczy prosty fakt. Nie istnieje tak zwana „teoretyczna spuścizna" po Żukowie. W ciągu 43 lat służby ten genialny strateg nie napisał ani jednej linijki, którą można by zaliczyć do prac teoretycznych.

Podczas służby przepracował w sztabie najwyżej pół roku. Żukow był szefem Sztabu Generalnego od stycznia 1941 roku. Kierował przygotowaniami do wojny. Poczynania Żukowa na tym stanowisku spowodowały, że ZSRR poniósł największą klęskę i największe ofiary w dziejach historii nowożytnej. Zrozumiałe, że myśliciel tej klasy nie był Stalinowi w Moskwie potrzebny.

Stalin na doradcę wybrał Wasilewskiego. Był to wybór właściwy. Pozostawał tylko problem, co zrobić z dziewięcioma pozostałymi marszałkami. A w Moskwie z pracą krucho.

---

[2] K. Rokossowski [w:] „Wojenno-istoriczeskij żurnał", nr 5/1990, s. 22.

III

Stalin miał tylko jedno wyjście: odesłać dziewięciu marszałków byle dalej, żeby dowodzili okręgami wojskowymi w Związku Radzieckim i podbitymi państwami w Europie. Rokossowskiego Stalin wysłał do Polski. Woroszyłowa na Węgry. Tołbuchina do Bułgarii. Później Tołbuchin dowodził Zakaukaskim OW.

Koniewa do Austrii. Później Koniew jeszcze kilkakrotnie zmieniał stanowiska, a następnie dowodził Karpackim OW. Gorodow – Leningradzki OW.

Timoszenko dowodził kolejno Baranowickim, Białoruskim, Południowouralskim i ponownie Białoruskim OW aż do 1960 roku.

Mierieckow kolejno dowodził Nadmorskim, Moskiewskim, Białomorskim i Północnym OW.

Malinowski dowodził Zabajkalskim, a następnie Dalekowschodnim OW.

Żukowowi Stalin powierzył najważniejszy podbity kraj: Niemcy.

– Zaprowadź tam porządek!

Żukow jak zwykle nie wywiązał się ze swoich obowiązków. Miał ukrócić łajdactwa w armii, i nawet tego nie potrafił.

Rzecz w tym, że radziecki żołnierz-wyzwoliciel uważał, że może robić w Niemczech, co mu się żywnie podoba. Ja się mszczę – powiadał radziecki wyzwoliciel, gwałcąc nieletnie dziewuszki.

W 1945 roku żołnierze i oficerowie Armii Czerwonej zachowywali się w Berlinie i innych niemieckich miastach tak samo, jak we Lwowie w trzydziestym dziewiątym, w Rydze, Wilnie, Tallinie albo w Kownie w 1940 roku. Również w Polsce radzieccy wyzwoliciele grabili, mordowali, gwałcili. Pod osłoną Armii Czerwonej radzieckie organa prowadziły konsekwentne operacje, mające na celu wymordowanie najlepszych, najbardziej utalentowanych i najzdolniejszych ludzi w okupowanych krajach. Na kim i za co się mścili w „wyzwolonej" Polsce w trzydziestym dziewiątym roku? W 1940 roku zniszczono i poniżono narody Estonii, Litwy, Łotwy, Bukowiny, Besarabii. W okupowanych krajach Sowieci zachowywali się wcale nie lepiej niż hitlerowcy. Czy nie najwyższy czas zapytać, skąd w ogóle hitlerowcy pojawili się w naszej historii? Czy nie pora już przypomnieć sobie, kto dopuścił Hitlera do władzy? Czy nie pora odpowiedzieć sobie na pytanie: kto i dlaczego szkolił czołgistów Wehrmachtu w Kazaniu, lotników Luftwaffe w Lipiecku, niemieckich artylerzystów i specjalistów od gazów bojowych w Saratowie? Po I wojnie światowej pokonane Niemcy straciły prawo do posiadania okrętów podwodnych, bombowców, czołgów, ciężkiej artylerii. Kto i dlaczego pozwolił niemieckim konstruktorom na projektowanie czołgów i okrętów podwodnych w Leningradzie? Kto wpuścił konstruktorów Junkersa do Fili?

Tak, hitlerowcy popełnili ciężkie zbrodnie w ZSRR. Ale gdyby Stalin nie pozwolił Hitlerowi dojść do władzy, gdyby nie wyszkolił niemieckich konstruktorów, czołgistów i lotników, to nie byłoby wojny i wszystkich jej okrucieństw na naszych ziemiach.

Ale może nasze społeczeństwo nie ponosi winy za rozpętanie II wojny światowej? Może nasi obywatele po prostu nie wiedzieli, że komuniści dążą do zawładnięcia światem? Być może nie wiedzieli, że w Moskwie działa Komintern[3] – sztab Rewolucji Światowej? Być może nie wiedzieli, że Stalin przygotowuje Niemcy do wojny?

Być może nie wiedzieli.

I na tym właśnie polega jego zbrodnia. Ludzie mają obowiązek wiedzieć, kto nimi rządzi. Powinni kontrolować swoich rządzących. Mają obowiązek buntować się, jeżeli władza ta

---

[3] Komintern – Kommunisticzeskij Internacjonał – (tzw. III Międzynarodówka) zrzeszał partie komunistyczne różnych krajów. Powstał na początku 1919 roku, jego siedzibą była Moskwa, a pierwszym przewodniczącym G. Zinowiew – członek Politbiura RKP(b). Komintern był organizacją zdominowaną przez radzieckich komunistów, z czasem przekształconą w ekspozyturę wywiadów ZSRR. Skompromitowany poparciem udzielanym III Rzeszy (lata 1935–1940) oraz współpracą z RSHA i Abwehrą, został – decyzją Stalina – rozwiązany w 1943 roku [przyp. red.].

popełnia zbrodnie. W przeciwnym razie stają się współwinni zbrodni. Jeżeli społeczeństwo dopuściło komunistów-przestępców do władzy, to znaczy, że powinno odpowiadać za wszystkie ich zbrodnie.

Najpierw nasz lud, pod światłym przewodnictwem partii komunistycznej, wyhodował faszystowską bestię, a następnie mścił się za to, że bestia zagryzła nas prawie na śmierć.

IV

W końcowej fazie wojny i zaraz po jej zakończeniu wszystkim (prócz samych Niemców) rujnowanie Niemiec bardzo się podobało. Aleksander Twardowski w znanym poemacie *Wasyl Tiorkin* smakowicie opisał te grabieże. Pamiętacie?

> *Droga wiedzie wprost na Berlin.*
> *Z pierzyn szary puch się kłębi.*

Prawda, u Twardowskiego grabież jest ze wszech miar szlachetna. Zobaczyli wyzwoliciele ruską babuszkę w Niemczech i postanowili podzielić się łupami:

> *W drogę kubek, cukru krzynkę,*
> *Masła, chleba mały zapas,*
> *I poduszkę, i pierzynkę –*
> *Nam w sam raz, a wrogom – klapa...*
> *– Ależ, dziatki, tyle tego? –*
> *Chłopcy się krzątają znowu,*
> *Ciągną jakiś ścienny zegar*
> *I prowadzą jakiś rower.*[4]

Za ten poemat Twardowski otrzymał Nagrodę Stalinowską I klasy. Twardowski jakby zapomniał uściślić, że chłopaki nie zawsze tachali ze sobą zegary specjalnie dla biednej babci. O sobie też nie zapominali.

Jednak dosyć wcześnie zauważono, że maruderzy szkodzą

---

[4] Twardowski, *op. cit.*, s. 216, 221.

Armii Czerwonej. Proceder ten tolerowano, dopóki trwała wojna. Lecz wojna się skończyła, a grabieże nie ustawały. Nie bez powodu we wszystkich armiach świata maruderów rozstrzeliwuje się na miejscu. Tysiące lat temu zauważono, że armia zarażona szabrownictwem jest niezdolna do walki. Tam, gdzie pojawiają się szabrownicy, tam natychmiast sypie się dyscyplina. Dowódca dla szabrownika to osobnik, który przeszkadza mu zajmować się ulubionym procederem. Żołnierz-szabrownik, wzbogaciwszy się bez większego trudu, nagle rozumie, że zagrabionym dobytkiem można wykupić się od warty, ciężkiej pracy, od walki, od wojny.

Tam, gdzie szabrownicy, tam natychmiast zaczyna szerzyć się korupcja. Do dowódców nieprzerwanym potokiem płyną cenne łupy, które oni z kolei wykorzystują do przekupywania swoich zwierzchników. Kiedy tylko jedni zaczynają wykupywać się od ciężkiej i niebezpiecznej służby, od walk i zbrojnych wypadów – wśród reszty pojawia się zrozumiałe niezadowolenie. Zaczynają szemrać.

Tam, gdzie szabrownicy, tam nieuchronnie pojawiają się paserzy: handlarze kradzionym towarem. A tam gdzie paserzy, tam króluje złodziejski kodeks. Szabrownictwo i maruderstwo zawsze szło w parze z pijaństwem. No i proszę: naokoło wojna, a maruder wykupił się od walki. Ma broń w ręku, walczyć nie musi, co ma zatem robić? Pozostaje mu tylko w dalszym ciągu grabić, gwałcić i pić.

Wielką Armię Napoleona zniszczyły nie mróz i pożary. Żołnierze rzucili się grabić Moskwę. Nikt nie słuchał rozkazów, każdy starał się nagrabić jak najwięcej. Dyscyplina padła w mgnieniu oka. Zresztą z tego też powodu Napoleon nie dostał się do niewoli. Podczas kiedy Wielka Armia uciekała z Rosji, oddział Kozaków dońskich ruszył wprost na kwaterę Napoleona. Kozacy zobaczyli mnóstwo błyskotek i rzucili się w te pędy napychać sakwy.

Później wszystko im skonfiskowano, a wszystkie te przedmioty trafiły do moskiewskiego Muzeum Historycznego: widelec i łyżka Bonapartego, łóżko polowe, dzbanek i brzytwa. Sam Bonaparte zbiegł.

Z szabrownictwem ostro walczono w 1812 roku. Tymczasem

szabrownictwo należało ukrócić latem 1945 roku. Niebawem osiągnęło rozmiary, jakich Europa nie widziała od czasów upadku cesarstwa rzymskiego. Skutkiem gwałtów i grabieży była nie tylko całkowita demoralizacja Armii Czerwonej, ale i masowy exodus mieszkańców wschodnich Niemiec. Uciekali do strefy okupowanej przez wojska amerykańskie, brytyjskie i francuskie. Wschodnie Niemcy pustoszały w oczach. Przeklęci amerykańscy imperialiści otrzymali wspaniały argument: oto, jak radzieccy komuniści sięgają po władzę nad światem. Patrzcie ludzie, co z wami będzie, kiedy przyjdą!

Sytuacja faktycznie nie była wesoła. Szabrownictwo Armii Czerwonej w Niemczech przeszkadzało towarzyszowi Stalinowi w realizacji jego planów. Trzeba było natychmiast podjąć jakieś kroki.

Stalin polecił Żukowowi zaprowadzić porządek. A Żukowowi nie starczyło siły charakteru.

V

Ale czy Żukow nie wrzeszczał? Nie pienił się? Nie tupał nogą i nie walił pięścią w stół?

Owszem, wszystko to robił: wrzeszczał, pienił się i tupał nogami, walił pięściami. Ale szabrownictwo dalej kwitło. Żukow wydawał wściekłe rozkazy, zrywał pagony, aresztował i rozstrzeliwał. I dalej nic się nie zmieniało.

Przyczyna tkwiła w tym, że głównym szabrownikiem Armii Czerwonej był sam Żukow. Kradł obrazy całymi galeriami, meble wagonami, cenne księgi – bibliotekami, cenne materie i jedwab – kilometrami, kamienie szlachetne – na kilogramy. Nie wypieram się tego, co już powiedziałem: Żukow rzeczywiście miał stalowy charakter i niezłomną wolę. Jednak prawdziwą słabością największego dowódcy XX wieku były pieniądze. I nie mógł nic na to poradzić ten genialny strateg. Kradł coraz więcej i więcej – i nie mógł przestać.

W dawnych czasach, kiedy byłem młodym oficerem, miałem dowódcę batalionu, który na każdej odprawie groził, że zaprowadzi porządek. Odgrażał się: „Niech no tylko przestanę pić – dobiorę się do was".

Jeżeli dowódca sam pije, to nie ma kontroli nad pijaństwem podwładnych. Jeżeli dowódca sam nie potrafi trzymać rąk przy sobie, jeżeli z byle powodu rwie się do bicia po pysku, to swoim zachowaniem daje przyzwolenie podwładnym robić to samo w stosunku do niższych rangą. Jeżeli sam dowódca kradnie, to nie może mieć pretensji, że podwładni robią to samo. Dokładnie tak rzecz miała się z Żukowem. Kradł, grabił Niemców – a równocześnie żądał, by ukrócić grabieże. Tymczasem należało zacząć od siebie, od własnego ogródka. Dać przykład otoczeniu: stwierdzam wszem i wobec, że dosyć już się nakradłem, i tego samego oczekuję od was.

Ale Żukow nie umiał przestać. Nie umiał się opanować, nie potrafił powściągnąć chciwości graniczącej z obłędem. A dopóki sam kradł, nie było szans, aby ukrócić szabrownictwo żołnierzy.

Żukow pozostawał pod stałą kontrolą. Kontrolerem z ramienia partii był generał porucznik Konstanty Tielegin. Jego zadaniem było dbać o morale i kręgosłup ideowy radzieckiego żołnierza, a przede wszystkim o morale i kręgosłup samego Żukowa. Więc Żukow powiedział: kradnij, Konstanty Fiodorowiczu, ile dusza zapragnie, ja na twoje złodziejstwo przymknę oko, a ty nie zwracaj uwagi na moje ciemne sprawki.

Sam tego nie słyszałem, ale rezultaty zmowy nie dały na siebie długo czekać. Tielegin kradł, przymykając oko na złodziejstwa Żukowa, a Żukow kradł przymykając oko na Tielegina. I żyli tak sobie po przyjacielsku, kontroler i jego podopieczny. Tielegin kradł nie tylko dla siebie. Kradł również dla swoich przełożonych w Moskwie, żeby na niego z kolei nikt nie donosił.

Do historii Tielegina jeszcze powrócimy.

Z ramienia resortu spraw wewnętrznych Żukowa kontrolował generał pułkownik Iwan Sierow. Był wiceministrem spraw wewnętrznych i jednocześnie zastępcą Żukowa do spraw administracji cywilnej w Niemczech. Żukow od razu dał mu do zrozumienia: ręka rękę myje. Nie upieram się, że padły dokładnie te słowa, w każdym razie faktem jest, że Żukow i Sierow doszli do porozumienia. I zaczął kraść Sierow tak, jak to było przyjęte wśród czekistów – z rozmachem. Ale też nie dla siebie kradł, lecz i dla swoich moskiewskich przełożonych, by nie wierzyli podłym donosom. Kradł też Sierow dla swoich podwładnych, aby takich donosów nie pisali. O złodziejstwie Sierowa trochę już wiemy.

Na tym szczeblu krąg szabrowników znacznie się powiększył. Byli też inni towarzysze, których należało przyhołubić, wychodząc z założenia: nie posmarujesz – nie pojedziesz. Przecież to nie Żukow osobiście myszkował po piwnicach banków czy w muzeach. To nie on sam załadowywał i rozładowywał wagony z łupami. Do tego procederu Żukow wciągnął wiele osób ze swego najbliższego otoczenia, począwszy od zastępców i doradców, a skończywszy na adiutantach i ordynansach. Każdy z nich, kradnąc dla Żukowa, nie zapominał i o sobie. W interesie Żukowa leżało, aby inni również kradli. Trzeba było ich w to wciągnąć, żeby nie wydali. A każdy z pomocników Żukowa miał swoich ordynansów. I o nich też nie można było zapomnieć...

I Sierow miał swoich ordynansów. Także Sierow sam nie ładował wagonów. Również Tielegin sam skrzynek nie nosił. A za wszystko trzeba płacić. Za transport. Za kontrolę graniczną. I wszystkim trzeba było dać w łapę.

Ryba zaczyna gnić od głowy. Złodziejstwo Żukowa to wir czarnej lodowatej wody nad tonącym „Titanikiem". Wir, który wsysa wszystko, co pływa na powierzchni. To czarna dziura w centrum galaktyki, wokół której w szalonym pędzie wirują inne obiekty kosmiczne, a potem wpadają w nią – i znikają. Im bliżej czarnej dziury, z tym większą prędkością wirują, tym szybciej są przez nią wchłaniane.

W Moskwie postawiono Żukowowi pomnik. Miejsce na pomnik wybrano fatalnie. Żukow to złodziej. Pomnik złodziejowi należało postawić na Butyrkach[5]. Niestety, zwyciężyły współczesne, abstrakcyjne trendy w sztuce. Ja jestem zwolennikiem realizmu. Dla większego realizmu objuczyłbym spiżowego konia Żukowa sakwami z zagrabionym mieniem. Oto Żukow – bohater na koniu, do domu pomyka z Niemiec, wszelakie barachło wiezie: z juków wystaje zegar z kukułką, garnki, damskie reformy i kierownica od roweru. A na przedzie, dla większego realizmu, wielki, potężny parowóz, który ciągnie dla Żukowa pociąg ze skarbami Göringa.

---

[5] Butyrki – słynne moskiewskie więzienie [przyp. tłum.].

Nasze społeczeństwo nieśmiało utyskuje: złodzieje rozkradli Rosję. Wszystko, co lud stworzył własną pracą przez dziesięciolecia, znikło nie wiadomo gdzie i w nie wiadomo których szwajcarskich bankach. Ale inaczej być nie mogło. Drodzy towarzysze, będą was okradać dopóty, dopóki w centrum Moskwy będzie stał pomnik złodzieja. Złodziejstwo będzie kwitło, ponieważ młodemu pokoleniu stawia się za wzór głównego moskiewskiego oligarchę:

– Będziecie kraść z rozmachem, jak Żukow – to i wam pomnik postawią!

Złodziejstwo Żukowa i jego najbliższego otoczenia wciągało coraz to nowych ludzi. Zaraza pleniła się na wszystkich szczeblach władzy. Jak za Jelcyna. Żukow ryczał jak dzika bestia, żądając ukrócenia łajdactwa, ale nikt go nie słuchał. Gdy jakiś dowódca rozkazywał podwładnym zaprzestać grabieży, odpowiadali: sam jesteś złodziej!

Dlatego też w Berlinie patrole na chybił trafił łapały radzieckich żołnierzyków, którzy ukradli rower, a potem karano ich dla przykładu. Ale tak naprawdę nic się nie zmieniało i zmienić się nie mogło.

VI

Żukow był pierwszym radzieckim oligarchą. Miał prawie nieograniczoną władzę. Miał ogromne znajomości w strukturach władzy. Dysponował potężną siłą finansową na tle powszechnej biedy i głodującego narodu.

Nie on jeden. W czasie wojny generałowie, czekiści i działacze partyjni poczuli smak luksusowego życia, połączyli swe siły i zaczęli stosować zasadę: żyj i daj żyć innym. Narodem się nie przejmowali. Brali pod uwagę tylko sobie równych, rangą i pozycją: nie donoś o ciemnych sprawkach czekisty, to cię nie ruszy.

Stalin wiedział, że regularna wymiana najwyższej nomenklatury to główna zasada socjalizmu. Przy czym wszystkich usuniętych należy od razu zlikwidować. W przeciwnym razie nie pogodzą się tak łatwo z usunięciem. W latach 1937–1938 Stalin rozstrzeliwał swoich generałów, najwyższych rangą czekistów i przywódców partyjnych dziesiątkami tysięcy. Jednak Stalin czegoś nie dopilnował. Rozstrzelał za mało komunistów, czekistów i najwyższych rangą dowódców. Minęło zaledwie siedem lat i dusze młodych komunistów z nizin społecznych, wiejskich chłopaków w łapciach, którzy rozsmakowali się we władzy, przesiąkły moralną zgnilizną. Także w czasie terroru i powszechnego strachu kradli tak, jak nigdzie się nie kradło. A co by było, gdyby nie było terroru? Co by było, gdyby Stalin nie zastraszył partyjnych i wojskowych wielmożów? Gdyby nie paraliżował ich strach? Gdyby Stalin masowo ich nie rozstrzeliwał?

Odpowiedź jest tylko jedna: rozkradliby ten kraj już przed 1941 rokiem.

Stalin wiedział lepiej niż inni: socjalizm nie może istnieć bez regularnej, przeprowadzanej raz na 5–7 lat, masowej likwidacji głównej kadry dowódczej: od komitetów rejonowych do Politbiura, od oddziałów rejonowych NKWD do naczelników Łubianki. Kiedy tylko zakończyło się masowe rozstrzeliwanie przywódców, system zgnił, po czym runął.

Proces gnicia rozpoczął się dlatego, że Rosja ma pecha. Przypadły jej w udziale niezliczone bogactwa naturalne. Przeklęta ropa i przeklęty gaz, przeklęte złoto i uran, przeklęty mangan i nikiel, podarowane naszemu krajowi w niewiarygodnych ilościach! Niezliczone bogactwa to nasze nieszczęście, jak banany w kraju Papuasów. Papuasi też mają pecha, przyszło im żyć tam, gdzie nigdy nie ma mrozów. Nie muszą budować domów, mogą zasłaniać się od deszczu palmowymi liśćmi. Nie muszą pracować ani myśleć – banany rosną na każdym drzewie. I to łatwe życie jest hamulcem ich rozwoju.

Mój kraj także ma pecha. Kraj może gnić przez dziesięciolecia, nauka może stać w miejscu lub cofać się. Lecz nie trzeba niczego zmieniać, wszystko można kupić w Ameryce. Nawet chleb. I zapłacić surowcami naturalnymi. Dlatego proces gnicia ciągnął się przez dziesięciolecia. W innych okolicznościach radziecki socjalizm runąłby jeszcze szybciej.

Stalin zdawał sobie sprawę z tego stanu rzeczy i wiedział, że pomóc może tylko zdecydowana interwencja chirurgiczna.

Rozdział 22

O bolszewiku, który płakał

W punkcie celnym w Jagodzińsku (niedaleko Kowla) zatrzymano 7 wagonów, w których znajdowało się 85 skrzyń z meblami. Podczas kontroli dokumentów okazało się, iż należą one do marszałka Żukowa.[1]

GENERAŁ ARMII BUŁGANIN

I

Zacząć trzeba było od najważniejszego oligarchy. Stalin podejmuje pierwsze kroki, mogące świadczyć o tym, iż Żukow znalazł się w niełasce. Odwołuje go do Moskwy, na stanowisko, które utworzono specjalnie dla niego: Naczelny Dowódca Wojsk Lądowych.

Jest to stanowisko właściwie niepotrzebne, bez którego armia jakoś obchodziła się do tej pory. Rozkazy z Ministerstwa Obrony przekazywano bezpośrednio do okręgów wojskowych. Całkowicie zbędne było tworzenie pośredniego ogniwa w osobie Naczelnego Dowódcy Wojsk Lądowych. Potrzebny był jak piąte koło u wozu. Stalin wymyślił to stanowisko w jednym, jedynym celu: aby móc dyskretnie ściągnąć Żukowa z Niemiec, po czym rozprawić się z szabrownikami i złodziejami w Berlinie.

Po pewnym czasie Stalin oddelegował Żukowa, by dowodził Odeskim OW.

W tamtych czasach dla marszałka wstydem było nie do-

---

[1] Meldunek dla Stalina z dnia 23 sierpnia 1946 [w:] „Wojennyje archiwy Rossii", nr 1/1993.

wodzić okręgiem wojskowym. Ponieważ w Moskwie miejsca dla nich nie było, to rozjechali się po całym kraju. Koniew pojechał do Lwowa. Gorodow do Leningradu. Miereckov na Daleki Wschód, na ussuryjskie wzgórza. Malinowski do Czyty. Timoszenko do Baranowiczów. A Żukow siedzi w Odessie.

To prawda, Odessa to nie Czyta i nie ussuryjska tajga, i nie Baranowicze. Na Zabajkalu, Dalekim Wschodzie i w Baranowiczach siedzą marszałkowie dużo bardziej utalentowani niż Żukow. Żaden z nich nie czuje się urażony. Tylko marszałek Żukow się dąsa.

II

Każdy człowiek w jakimś stopniu jest egoistą, każdy dba o swój sukces i dostatnie życie. Jednak osobnik z tak bezwzględnym charakterem jak Żukow jest zapatrzony w siebie dużo bardziej niż ludzie przeciętni. Oportunizm, egocentryzm i egoizm Żukowa były klasą same dla siebie.

Stalin nie kazał rozstrzelać Żukowa ani go aresztować, ani nie usunął go z armii. Również nie zdegradował i nie zabrał odznaczeń. Za to wysłał go, aby dowodził Odeskim OW.

Nadszedł nowy, 1947 rok. Żukow z niejasnych przyczyn postanowił spędzić sylwestra nie w Odessie, lecz w swojej podmoskiewskiej daczy. Wiadomo, że w święta zdarzają się najmniej oczekiwane wypadki, że obniżona jest gotowość bojowa armii, dlatego wszyscy dowódcy, od plutonowego w górę, mają obowiązek być ze swoimi podwładnymi. Jednak dowódca Odeskiego OW wita Nowy Rok z dala od Odessy i powierzonych mu wojsk.

Cóż, marszałku, zdegradowali cię, dali ci stanowisko, które wedle twojego mniemania ubliża twej godności! Ale w takiej samej sytuacji znajdują się wszyscy w armii. Wielu spośród tych, którzy do niedawna dowodzili pułkami i batalionami, zostało zwolnionych z wojska. Przeminęła młodość, na emeryturę jeszcze za wcześnie, zdrowie i nerwy zabrała wojna, a umiejętności zawodowych brak. Lecz cóż to obchodzi tych na górze?

Ty, marszałku, jesteś żołnierzem. Masz wypełniać powierzone ci zadania, służyć tam, dokąd cię poślą. Wiadomo, że nie zawsze wszystko układa się po twojej myśli. Służba nie drużba. Masz być tam, gdzie ci rozkażą. I nie ma się co oburzać! Skoro jesteś dowódcą, powinieneś być ze swoimi żołnierzami. Twoje miejsce jest w sztabie w Odessie! Tam są twoi zastępcy, dowódcy, szefowie sztabu i jego wydziałów. Co jeden to bohater, wszyscy wielokrotnie odznaczeni. Zaproszę ich wraz z żonami do swojej daczy pod Odessą, wypijcie wódki, przegryźcie, znów się napijcie, pogadajcie po ludzku, pograjcie na harmoszce. Może służba będzie lżejsza. Może coś się odmieni na lepsze.

Ale urażony Żukow porzuca placówkę i jedzie do Moskwy. I tu świętuje Nowy Rok. Zaprosił wielu gości.

Opowiada pułkownik Tielegin, syn tego samego generała porucznika, który z ramienia partii miał pilnować Żukowa w Niemczech.

„Dacza przywitała ich ciszą, która wzbudzała nieokreślony lęk. Żukow wyszedł na ganek, potem zaprowadził do holu, pomógł rozebrać się, otworzył drzwi do znajomego salonu. Mama opowiadała, że spojrzała – i ciarki ją przeszły: olbrzymi stół, który rok temu był suto zastawiony, przy którym siedziało mnóstwo ludzi, stał pusty. I tylko jeden jego koniec był nakryty obrusem, na którym stały cztery nakrycia. Gieorgij Konstantynowicz popatrzył na gości z poczuciem winy i powiedział:

– Dziękuję, że przyszliście. Zapraszałem wiele osób. Ale wszyscy odmówili, z różnych powodów.

Nastrój Gieorgija Konstantynowicza i Aleksandry Diewny zmienił się tak bardzo, że mimo ich usilnych starań ukrycie tego okazało się niemożliwe. A po spełnieniu lampką szampana tradycyjnego noworocznego toastu Żukow opadł na krzesło i gorzko zapłakał. Mama wyciągnęła chusteczkę z torebki i zaczęła ocierać mu łzy i uspokajać. Z ogromnym trudem wziął się w garść"[2].

A przecież nie było powodu do płaczu. Dostałeś, marszałku, pod komendę okręg wojskowy. W czasie pokoju jest to stanowisko prestiżowe dla dowódcy każdej rangi. Cała armia, miliony

---

[2] „Nasz sowriemiennik", nr 5/1993, s. 16.

ludzi po wojnie zostało zdegradowanych albo zwolnionych z armii – ale nikt nie płacze.

Nikt oprócz Żukowa.

Jeżeli rok wcześniej przy tym ogromnym stole zasiadało liczne grono gości, a dziś tylko dwoje, to winien temu był sam Żukow. Obowiązkiem dowódcy jest być ze swoimi żołnierzami. Gdyby Żukow został w Odessie, to w sylwestra przyszliby wszyscy generałowie ze sztabu okręgu. Zaproszenie dowódcy uznaliby za wielki zaszczyt. Ale Żukow nie chce bratać się z niższymi rangą. Z kolei w moskiewskich wyższych sferach uchodził za *persona non grata*.

I oto siedzi przy pustym stole. Moskiewscy towarzysze nie śpieszą do niego w gości. Wczorajsi pochlebcy uciekają niczym szczury z tonącego okrętu. Jest to wyłącznie wina samego Żukowa. Przez prawie całą wojnę Żukow był zastępcą Stalina, przed wojną był szefem Sztabu Generalnego. Pod jego dowództwem znajdowała się cała armia. Przez jej szeregi w ciągu wojny przewinęło się bez mała trzydzieści milionów ludzi. Każdego z nich mógł Żukow awansować, uczynić swoim podwładnym i przyjacielem. W czasie wojny praktycznie całe wyższe dowództwo Armii Czerwonej było wymieniane, i to nie jeden raz. Wybieraj, kogo chcesz, nagradzaj albo goń precz.

Żukow pozbywał się ludzi silnych, tych, którzy nie bali się mieć własnego zdania i nie bali mu się sprzeciwić. Hołubił lizusów i pochlebców. Wszyscy oni byli jak chorągiewki na wieży. Kiedy wiatr powiał w inną stronę, Żukow został sam jak palec. A generał porucznik Tielegin przyszedł z żoną w goście nie z powodu wielkiej przyjaźni. Powód był inny. Otóż do niedawna Tielegin był członkiem Rady Wojskowej Radzieckich Wojsk Okupacyjnych i Radzieckiej Administracji Wojskowej w Niemczech. W Głównym Zarządzie Politycznym był człowiekiem numer dwa. Wyższe stanowisko od niego zajmował tylko szef Głównego Zarządu Politycznego Armii Czerwonej. Tielegin, jak pamiętamy, miał dbać o morale wszystkich żołnierzy radzieckich w Niemczech, począwszy od samego Żukowa. Miał osobiście świecić przykładem dla innych. I nie wywiązał się

313

z tych obowiązków. Nie tylko nie ukrócił złodziejstwa Żukowa, ale i sam zaczął kraść. Z rozmachem!

Stalin odwołał Żukowa z Niemiec. Odwołał także Tielegina, skierował go na kursy dokształcające dla członków partii. Cóż, wczoraj był człowiekiem numer dwa w Głównym Zarządzie Politycznym, a dziś siedzi w jednej ławce z młodymi komsomolcami i partyjniakami. Kiedy Stalin wysyłał na taki kurs wyższych dowódców, to był sygnał, że znaleźli się w wielkiej niełasce. Najczęściej taki kurs sygnalizował zbliżające się aresztowanie. Tak było w przypadku generała porucznika Pawła Ryczagowa. Dziś Stalin ma do niego pełne zaufanie i Ryczagow jest zastępcą ludowego komisarza obrony, jutro Stalin jest niezadowolony i posyła go na kursy do akademii, żeby posiedział w ławce z kapitanami i porucznikami. Chce go poniżyć, nim wyda rozkaz aresztowania. Pouczyłeś się kilka miesięcy? Wystarczy. Pewnego pięknego dnia, w przerwie między zajęciami, przyjdą po ciebie dziarscy chłopcy i wezmą cię pod ręce.

Podobny scenariusz czekał Tielegina. Niezbyt długo posiedział na kursach dokształcających. O jego aresztowaniu zadecydowano już wcześniej. Ale na razie nie wie o tym ani sam Tielegin, ani jego przyjaciele. Jednak opuścili go równie szybko jak przyjaciele Żukowa. Tielegin zamierzał spędzić sylwestra w domu z żoną, ale zadzwonił Żukow, więc wybrali się do niego.

Możecie się ze mną nie zgodzić, ale myślę, że gdyby Stalin nie strącił Tielegina z niebotycznych wyżyn, gdyby Tielegin wciąż był wysokim rangą dowódcą, a nie słuchaczem wykładów z materializmu dialektycznego, to w żadnym wypadku nie spędzałby nocy sylwestrowej u Żukowa.

III

Powiecie, że za bardzo się rozwodzę nad cechami charakteru Żukowa. Czy nie pora zacząć pisać o strategii? Nie, towarzysze. Nie rozmawiamy o cechach charakteru, tylko o zdolnościach dowódczych naszego bohatera. Właściwy dobór ludzi na stanowiska jest jednym z najważniejszych zadań stawianych przed

314

dowódcą. Inteligentny i energiczny dowódca dobiera podwładnych podobnych z charakteru do siebie. Będę się odwoływał do Machiavellego: „Pierwsze przypuszczenie, jakie się czyni o panu i jego umyśle, wysnuwa się z tego, jakich przy nim widzi się ludzi"[3].

Kiedy Żukow siedział mocno w siodle, wkoło kłębiły się tłumy przyjaciół, których sam sobie dobrał. Wystarczyło, żeby nieco się zachwiał, a przyjaciele rozpierzchli się jak spłoszone wróble. Oto skutki wyborów Żukowa. Otaczał się samymi łajdakami. Z niejasnych przyczyn ludzi silnych, wiernych i uczciwych w jego najbliższym otoczeniu nie było.

Dziwią również łzy Żukowa. Chce ci się płakać, no to schowaj się w kącie i płacz do woli. Ale sam, nie przy gościach!

Żukow to szabrownik i złodziej mienia państwowego. Każdego żołnierza, oficera, generała postawiono by pod ścianą nawet za tysięczną, za milionową część tego, co nakradł Żukow. A tymczasem Stalin go nie rozstrzelał, nie wsadził do więzienia, nie aresztował, pagonów nie zerwał, nawet nie skonfiskował ukradzionych brylantów. A ten łzy leje.

W Moskwie nie ma pracy dla Żukowa. Stanowisko wymagające myślenia go nie pociąga. Do Niemiec wysłać go nie można, dość już tam się nakradł, a wojsko radzieckie, które miał pod komendą, doprowadził do całkowitej demoralizacji. Stalin przekazuje mu okręg wojskowy – a ten płacze. Miereckow i Rokossowski siedzieli w więzieniu, przeszli przez śledztwo i tortury, cele śmierci, nawet pozorowane egzekucje, kiedy do końca nie wiedzieli, czy to rozstrzelanie, czy tylko okrutny żart. Przeżyli i to.

A gdyby Stalin zdegradował Żukowa? Ciekawe, jak wtedy by zareagował?

IV

Pułkownik Tielegin kontynuuje opowieść, jak wyglądała dalsza część sylwestrowego wieczoru 1947 roku.

---

[3] N. Machiavelli, *Książę* [w:] *Wybór pism*, Warszawa 1972, s. 218.

„Około drugiej w nocy nieoczekiwanie przyjechali Kriukow i Rusłanowa, «uciekinierzy» z przyjęcia, na którym, jak wyjaśniła Lidia Andriejewna, sama występowała. Jako że była to osoba niesłychanie wrażliwa, od razu zorientowała się w nastrojach wśród obecnych. Rozwinęła sporych rozmiarów paczkę i rzuciła na stół dwa ustrzelone cietrzewie:

– Życzę wam, Gieorgiju Konstantynowiczu, żeby tak skończyli wszyscy wasi wrogowie"[4].

Ach, jakich Żukow ma odważnych przyjaciół! I jakich głupich! Wiadomo, że dacza Żukowa jest na podsłuchu. Jeśli się coś chlapnie, to zostanie doniesione tam, gdzie trzeba.

Na świątecznym stole Żukowa leżą dwa cietrzewie z przestrzelonymi głowami. Lidia Rusłanowa życzy Żukowowi, aby taki sam los spotkał jego wrogów.

A kim są ci wrogowie Żukowa? Kto odsunął go od niemieckiego koryta? Kto doprowadził towarzysza Żukowa do łez?

Niegodziwców jest dwóch, tak jak dwa są cietrzewie. Pierwszy z nich to minister spraw wewnętrznych ZSRR Wiktor Abakumow, który chce się rozprawić ze złodziejstwem Żukowa, Tielegina i Sierowa oraz ich otoczenia.

Drugi, który postanowił odciągnąć ich, od niemieckiego koryta, to niejaki Dżugaszwili, o pseudonimie Stalin.

I oto Rusłanowa życzy Żukowowi, aby jego wrogowie leżeli z przestrzelonymi głowami. Podobne słowa w pierwszej kolejności przekazywano Abakumowowi. Ten z kolei przekazywał je Stalinowi. Oprócz tego był równoległy kanał, za pomocą którego treści rozmów docierały najpierw do Stalina. Następnie Stalin słuchał meldunków Abakumowa, sprawdzając, czy ten donosi mu o wszystkim.

Wyobraźcie sobie, że jesteście towarzyszem Stalinem. Jest 1 stycznia 1947 roku. Budzicie się w południe, głowa pęka. Wtedy życzliwi donoszą wam, kto, komu i czego życzył, wznosząc sylwestrowe toasty i wskazując na dwa ptaszyska z przestrzelonymi głowami.

A teraz zapamiętajmy najbliższe otoczenie Żukowa. Zapamiętajmy, kto witał z nim Nowy Rok. Generał porucznik Tie-

---

⁴ „Nasz sowriemiennik", nr 5/1993, s. 16.

legin z żoną, generał porucznik Kriukow i jego żona, artystka Rusłanowa. Ta szajka nie jest związana wielkimi ideałami, tylko wspólnym złodziejskim interesem. W trudnych chwilach przy Żukowie nie było nikogo. Nikogo prócz złodziei.

V

Minęło kilka lat. Stalina już nie ma. Może głowy mu nie przestrzelili, ale umrzeć pomogli. Za to znienawidzonemu Abakumowowi, który próbował rozprawić się ze złodziejstwem na wyższych szczeblach państwowych, przestrzelili. Jak cietrzewiowi.

A Żukow wspiął się prawie na sam szczyt władzy. Jest ministrem obrony ZSRR i jednym z dwóch przywódców narodu. Na razie jest zmuszony dzierżyć ster pospołu z Chruszczowem. Nie ma jeszcze takiej władzy, aby móc rozstrzeliwać ludzi niewygodnych. Ale jego bezwzględne postępowanie przekracza już wszelkie granice.

Wizyty Żukowa w okręgach wojskowych i flotach stają się prawdziwymi pogromami. Wystarczy wspomnieć o dwóch w 1957 roku. Pierwsza pięciodniowa wizyta miała miejsce we Flocie Północnej. Druga – nad Bałtykiem, również pięć dni. W ciągu tych dziesięciu roboczych dni Żukow osobiście zdegradował i zwolnił z Sił Zbrojnych ZSRR 273 oficerów, jednego generała i jednego admirała.

Wychodzi około 27 osób dziennie.

Jasne, że Żukow nie zrywał porucznikom naramienników. To nie ten poziom. Natomiast zwalniał bez litości i bez prawa do emerytury dowódców krążowników, niszczycieli, okrętów podwodnych i flotylli, ich zastępców, dowódców pułków, brygad, dywizji lotnictwa morskiego i obrony brzegowej. Gdyby Żukow przez te dziesięć dni nie spał, to średnio raz na godzinę zrywałby pagony z kolejnego starszego oficera, generała lub admirała. A gdyby chciał jednak wypocząć, to tempo zrywania pagonów musiałoby wzrosnąć.

Przyjmijmy, że Żukow pracował po dziesięć godzin na dobę. To znaczy, że pozbawiał pagonów średnio co dwadzieścia minut. Czy w trakcie tak wytężonej pracy mógł się czymś jeszcze zajmować? Raczej na nic innego nie starczało mu czasu.

Gdyby jedna dymisja zabierała zamiast dwudziestu minut tylko dwie–trzy, to zostałoby jeszcze parę chwil na gorzałkę i dziewczynki, których sobie nie żałował.

Każdy, kogo Żukow zdegradował i wyrzucił, wcześniej miał za sobą wojenny szlak bojowy. W latach 1941–1945 niejeden raz zmieniało się kierownictwo Ludowego Komisariatu Obrony, Sztabu Generalnego, wszystkich frontów i armii – lecz kierownictwa Ludowego Komisariatu Marynarki Wojennej Stalin nigdy nie zmieniał. Ludowy komisarz marynarki wojennej Nikołaj Kuzniecow pozostawał na swoim stanowisku od pierwszego do ostatniego dnia wojny. Pod swoimi rozkazami miał cztery floty. Dowódcy żadnej z tych czterech flot nie zmienili się przez całą wojnę. To dowód, że Stalin miał zaufanie do ludzi morza.

Ale pojawił się Żukow. Kosi wszystkich równo, jak leci.

Były cztery floty, w dwóch już złożył wizytę, zamierzał odwiedzić dwie następne.

VI

Pogrom w marynarce wojennej rozpoczął się od samej góry. Po wielu latach admirał marynarki wojennej Kuzniecow pisał do KC: „15 lutego 1956 roku zostałem wezwany przez ówczesnego ministra obrony i w ciągu 5–7 minut w wyjątkowo grubiańskiej formie zostałem poinformowany o tym, iż zdegradowano mnie i zwolniono z sił zbrojnych, bez prawa powrotu do służby. Po tych wydarzeniach nikt mnie nie wezwał, aby formalnie załatwić sprawę. Jakiś przedstawiciel działu kadr podczas mojej nieobecności przyniósł do domu i zostawił dokumenty potwierdzające moje zwolnienie. [...] W związku z tym, że nie znałem powodów dymisji, poprosiłem o przedstawienie mi zarzutów i dokumentów dotyczących mojej sprawy, jednak odmówiono mi w nie wglądu"[5].

---

[5] „Krasnaja zwizda", 21 maja 1988.

Kuzniecow pisze dalej: „Chcieli mnie po prostu zniszczyć. Bez wezwania do Ministerstwa, bez wyjaśnień, bez przedstawienia mi dokumentów o powodach mojego zwolnienia zostałem odcięty od marynarki wojennej. Marszałek Żukow w grubiański, typowy dla niego sposób poinformował mnie, że zostałem zwolniony ze stanowiska i zdegradowany do stopnia kontradmirała. Kiedy zapytałem, na jakiej podstawie i dlaczego mnie nie przesłuchano, odpowiedział z uśmieszkiem, że to nie było konieczne"[6].

Nikołaj Kuzniecow objął stanowisko ludowego komisarza marynarki wojennej w 1939 roku. W tym samym czasie Żukow był tylko komdywem. Kuzniecow rozpoczął wojnę na stanowisku ludowego komisarza marynarki wojennej i tam ją skończył. W historii Związku Radzieckiego tylko trzy osoby miały stopień admirała marynarki wojennej. Kuzniecow był pierwszym z nich. A admirał marynarki wojennej Związku Radzieckiego jest pełnym odpowiednikiem stopnia marszałka Związku Radzieckiego.

Lecz porównywać Kuzniecowa z Żukowem nie przystoi. Kuzniecow był wykształconym człowiekiem. Ukończył szkołę i Akademię Marynarki Wojennej. Dość powiedzieć, że Kuzniecow swobodnie mówił po angielsku, niemiecku, francusku i po hiszpańsku. Gdzie tam do niego dzisiejszym generałom i admirałom. Który z nich włada czterema językami?

A Żukow nie miał wykształcenia. Tak jest napisane w jego autobiografii. Cztery klasy i kursy kawaleryjskie, na których uczyli Żukowa szabelką machać. Nawet po rosyjsku Żukow mówił niezbyt dobrze – per „wy" potrafił zwracać się tylko do ważniejszych od niego. A swobodnie potrafił wypowiadać się jedynie w wulgarnej gwarze wojskowej. „Żukow uśmiechnął się, popatrzył na mnie i odpowiedział, używając słów o sporym natężeniu chamstwa i ostrych w znaczeniu"[7].

Żukow wyrzuca z sił zbrojnych Kuzniecowa, który jest mu równy stopniem. A co skrywa się pod terminem „w wyjątkowo grubiańskiej formie", domyślcie się sami. Żukow wyrzuca Ku-

---

6 „Krasnaja zwiezda", 24 lipca 1999.
7 N. Chruszczow, „Ogoniok" nr 34/1989, s. 10.

zniecowa, degradując go o trzy stopnie. Cóż, jeżeli na pozbycie się admirała marynarki wojennej Związku Radzieckiego potrzebował „5–7 minut", to nasze przypuszczenie się potwierdza: na zadecydowanie o losie jakichś tam generałów majorów czy kontradmirałów nie mógł przeznaczyć więcej czasu.

VII

Córka największego dowódcy XX wieku Ełła Gieorgiewna opowiada: „Ojciec był człowiekiem ufnym i sentymentalnym"[8]. Co prawda, to prawda. Nie można zaprzeczyć, że Żukow był sentymentalny. Jest to fakt powszechnie znany. Ludzie w typie Żukowa są zawsze sentymentalni. Niesłychanie sentymentalny był na przykład SS-Reichsführer Heinrich Himmler. Pewnego razu zemdlał podczas wizyty w obozie koncentracyjnym. To, co tam zobaczył, poruszyło go do głębi. Himmler już nigdy więcej nie odwiedził podobnej instytucji. Kierował nimi zza biurka.

Tak samo wzruszająco sentymentalny był Żukow. Kiedy sprawa dotyczyła jego własnej kariery, wielki strateg nie był po prostu sentymentalny: był poruszony do łez. Pod tym względem Żukow i Himmler są podobni do siebie. Co prawda były i różnice. Gdy sprawy dotyczyły towarzyszy frontowych, z którymi Żukow przeszedł cały szlak bojowy, wtedy nie omdlewał, lecz epatował groźnym majestatem. Żukow nie słabł, kiedy zrywał pagony generałom i admirałom, kiedy rąbał szablą ruskich chłopów w guberni tambowskiej[9], kiedy palił wsie i topił w bagnach zakładników, kiedy podpisywał rozkazy o masowych egzekucjach i deportacji dziesiątków milionów ludzi.

Chcą nam wmówić, że siła woli i sadyzm to jedno i to samo. Mówią: popatrzcie na Żukowa. Ten umiał głośno krzyczeć!

---

[8] „Magazin", 16 września 1999, s. 37.
[9] W latach 1920–1921 w guberni tambowskiej – środkowa Rosja, dorzecze Wołgi – doszło do antybolszewickiej rewolty chłopskiej pod dowództwem esera Antonowa. Została krwawo stłumiona przez Tuchaczewskiego. Żukow brał udział w pacyfikacji jako dowódca szwadronu kawalerii [przyp. tłum.].

A jak wybornie przeklinał! Z jakim smakiem walił w mordę podwładnych. Oto siła woli!

Być może. Lecz spójrzcie na Stalina. Na nikogo nie krzyczał. Nie był grubiański. No i nikt nie widział go płaczącego. Oto siła.

Rozdział 23

Najbliższe otoczenie

Wokół Żukowa nagromadziło się już zbyt dużo łajna[1].

A. BUSZKOW

I

Wróćmy do tych, którzy nie opuścili Żukowa w trudnych chwilach.

Jak pamiętamy, niepocieszony i łkający Żukow witał Nowy Rok z generałem porucznikiem Tieleginem i jego żoną. Nieco później dołączyli do nich generał porucznik Kriukow z żoną Lidią Rusłanową. Naszą opowieść zaczniemy od Tielegina. W czasie wojny był członkiem Rady Wojskowej 1. Frontu Białoruskiego, a następnie Rady Wojskowej Grupy Radzieckich Wojsk Okupacyjnych w Niemczech. Członek Rady Wojskowej to komisarz polityczny, który zostaje przydzielony dowodzącemu armią, okręgiem wojskowym, flotą albo frontem, aby patrzył mu na ręce i donosił gdzie trzeba o jego decyzjach. W tym przypadku dowódcą był Żukow, a Tielegin był inspektorem z ramienia partii. Jednak stała się rzecz niewiarygodna. Dowódca i inspektor dogadali się i działali ręka w rękę.

Niestety, generał Tielegin wpadł, i to z powodu błahostki. Otóż z okupowanych Niemiec wysłał do kraju transport z nagrabionym mieniem. Tielegin pochodził z Tatarska w okręgu

---

[1] Buszkow, *op. cit.*, s. 560.

nowosybirskim i tam też ów transport wyekspediował. Transport został przechwycony. W trakcie śledztwa nasz dziarski generał wyjaśniał: nie dla siebie wiozłem, dla krajan, poprosili i nie mogłem odmówić. I dodaje: przeklęci hitlerowcy zniszczyli naszą ukochaną Ojczyznę i teraz trzeba ją odbudować.

Tielegin pomyślał słusznie: jeśli powiem, że transport był mój, to oskarżą mnie o szabrownictwo, jeśli jednak powiem, że dla krajan, będzie to okoliczność łagodząca.

Oczywiście każdy wywoził z Niemiec, co tylko się dało i ile się dało: w walizach, workach, skrzyniach. Kto wyższy rangą, wywoził furmanką, samochodem, samolotem albo wagonem. Jednak nie było pozwolenia, aby wywozić całymi transportami.

Transporty, owszem, szły z Niemiec, jednak były to transporty rządowe i tylko dla skarbu państwa. Poza tym Stalin wydał rozkaz: można wywozić mienie, ale tylko w te rejony Związku Radzieckiego, które ucierpiały w wyniku wojny i okupacji. A okręg nowosybirski nie znajdował się na liście terenów dotkniętych działaniami wroga.

A zatem Konstanty Tielegin naruszył rozporządzenia Stalina naraz we wszystkich punktach. I za to został aresztowany, osądzony i skazany. Wyrok dostał solidny – 25 lat. „Wojenno--istoriczeskij żurnał" opublikował nawet spory artykuł na ten temat: „Transport długi na 25 lat"[2]. Sens artykułu jest następujący: ot, gadziny stalinowskie! Człowieka za nic wsadzili do więzienia! Za taką bzdurę – do paki! Może i towarzysz Tielegin kradł, ale nie udowodniono mu tego. Przecież wpadł nie z powodu setek transportów, lecz tylko jednego. A bestiom stalinowskim nie żal było człowieka. Za głupi transport kradzionego towaru dali mu 25 lat.

Wprawdzie w artykule o nieszczęsnym generale wspomina się mimochodem, że oprócz transportu „dla krajan" wziął sporo i dla siebie. Podczas rewizji znaleziono „dużą ilość wartościowych przedmiotów" było tam m.in.: „ponad 16 kilogramów wyrobów ze srebra, 218 bel wełny i jedwabiu, 21 strzelb myśliwskich, wiele porcelany i fajansu o znacznej wartości

---

[2] „Wojenno-istoriczeskij żurnał", nr 6/1989.

antykwarycznej, futra, gobeliny francuskich i flamandzkich mistrzów z XVII i XVIII wieku i wiele innych cennych przedmiotów"[3].

W tym miejscu wypada przytoczyć zeznania, które złożył generał major Sidniew. On także był zapalonym kolekcjonerem gobelinów, które wyszły spod ręki tych samych mistrzów i były z tego samego okresu, co gobeliny ukradzione przez Tielegina. Czy przez przypadek to nie z tego samego skarbca towarzysze generałowie kradli dzieła sztuki, a potem sprawiedliwie je dzielili między siebie? I jeszcze jedno: generał major Sidniew zeznawał w śledztwie, że towarzysze generałowie nie przywozili pierwszych lepszych strzelb, tylko, jak się okazało, generał armii Sierow odnalazł staruszka Sauera, właściciela słynnej na całym świecie fabryki i tam kazał wyprodukować specjalne egzemplarze broni dla towarzyszy zwycięzców.

II

Generał porucznik Tielegin kradł z takim rozmachem, że jego poczynania stały się czymś w rodzaju punktu odniesienia. Kiedy prowadzono jakieś większe śledztwo w sprawie zagarnięcia mienia, mówiono z podziwem: kradł prawie jak Tielegin!

I kiedy przyszła kolej na Żukowa, skalę jego złodziejstwa i bezwzględności zestawiono z działaniami Tielegina. Żukowowi polecono napisać wyjaśnienie. Śledztwo w sprawie przestępczej działalności Żukowa prowadził sekretarz KC Andriej Żdanow. Pismo z wyjaśnieniami było skierowane właśnie do niego. Żukow pisał „obwinianie mnie o to, że współzawodniczyłem z Tieleginem w złodziejstwach jest oszczerstwem. O Tieleginie powiedzieć nic nie mogę. Wydaje mi się, że Tielegin niesłusznie przywłaszczył sobie meble w Lipsku. Zresztą mówiłem mu o tym. Dokąd je wysłał – nie wiem"[4].

Z pisemnego wyjaśnienia Żukowa wynika, że generał Tielegin bezprawnie zajął meble w Lipsku. Śmiem przypuszczać, że nie chodziło tu o żołnierskie taborety. Żukow przyznaje, że wie-

---

[3] *Ibid.*
[4] „Wojennyje archiwy Rossii", nr 1/1993, s. 243.

dział o złodziejstwie Tielegina. Żukow podobno wyrażał swoje niezadowolenie z powodu jego bezprawnych poczynań. Cóż, nie wiemy, czy tak było naprawdę. Lecz nawet jeśli Żukow wyraził swoje niezadowolenie, to wyżej o tym nie doniósł. Z pisemnego wyjaśnienia Żukowa wynika tylko jedno: że nie wiadomo gdzie jest mienie, które przywłaszczył sobie Tielegin. A z tego z kolei wynika, że prócz przechwyconego transportu, który Tielegin wysłał dla „krajan", i prócz przedmiotów znalezionych podczas rewizji w jego mieszkaniach i daczach znajdowały się jeszcze inne drogocenne przedmioty, które Tielegin bezprawnie zagarnął i posłał w niewiadome miejsce. I właśnie z tym problemem próbował się uporać sekretarz KC Żdanow.

III

Osobę, która skupuje kradzione przedmioty, nazywa się paserem, a właścicielkę domu publicznego – burdelmamą. W najbliższym otoczeniu Żukowa pojawiła się para, która zamieniła się rolami. On był właścicielem domu publicznego, ona paserem. On nazywał się Władimir Kriukow, ona zaś Lidia Rusłanowa.

Oprócz prowadzenia domu publicznego Kriukow zajmował się szabrownictwem i paserstwem na szeroką skalę. Jako przykrywkę miał jeszcze jedną profesję – był generałem porucznikiem, dowódcą II Korpusu Kawalerii Gwardii. Z Kriukowem spotkaliśmy się w rozdziale o orderach. Kriukow był dowódcą pułku w dywizji Żukowa już w 1932 roku. Później Żukow ciągnął go za sobą i obwieszał orderami, naruszając rozkazy Stalina i prawo Związku Radzieckiego.

Kriukow został przyłapany na kradzieży, aresztowany i osadzony w więzieniu. Z materiałów śledczych wynika, że wywiózł z Niemiec ogromnego, czarnego horcha 951A, dwa mercedesy i audi.

Opowiem teraz o horchu 951A. Otóż ten pojazd wyprodukowano jako Hitlerwagen, czyli samochód dla Hitlera. Była to ośmioosobowa limuzyna napędzana silnikiem o pojemności 4944 cm^3. Pojazd był wyposażony we wszelkie możliwe udogodnienia. Na przykład prawy przedni błotnik można było unieść i pod nim znajdowała się umywalka, w oknach były zasłony, a na tylnych drzwiach przytwierdzono uchwyty na wazoniki. Kabina szofera była oddzielona dźwiękoszczelną, ruchomą przegrodą, a nad częścią dla pasażerów znajdował się szyberdach. W tamtych czasach chłodnice aut były ozdabiane miniaturowymi figurkami: psami gończymi, biegnącymi jeleniami, jastrzębiami, srebrnymi statuetkami. Symbolem firmy Horch była lecąca kula armatnia. Aby podkreślić, że kula owa nie leży na masce samochodu, tylko leci, przyozdobiono ją parą rozpostartych orlich skrzydeł: potrafimy zmieniać bajki w życie – na naszym horchu możemy polecieć, dokąd zechcemy, jak baron Münchausen na kuli armatniej. Ten subtelny humor podobał się wszystkim, tylko nie przywódcy III Rzeszy. Hitler nie chciał dopuścić, aby wiązano jego imię z imieniem słynnego barona.

Horch 951A to ogromny, wygodny i niewiarygodnie drogi pojazd. Produkowano go tylko na indywidualne zamówienie, jedynym mankamentem było to, że na chłodnicy nie miał trzyramiennej gwiazdy. Mercedes był symbolem Niemiec i dlatego Hitler wybrał właśnie tę markę, a nie inną. Jednak ludzie z najbliższego otoczenia Hitlera, na przykład Göring i Rosenberg, woleli horcha 951. Taki samochód Hitler podarował marszałkowi Mannerheimowi, jako dowód wdzięczności za to, że Mannerheim uniemożliwił Armii Czerwonej zajęcie terenów, gdzie znajdowały się złoża szwedzkiej rudy, i tym samym uratował Niemcy od natychmiastowej klęski w wojnie.

I taki to właśnie samochód wziął dla siebie generał porucznik Kriukow – dowódca II Korpusu Kawalerii Gwardii, menedżer burdelu i ulubieniec Żukowa, Bohater Związku Radzieckiego. W języku rosyjskim dla określenia takiej sytuacji istnieje wyrażenie: nie według rangi bierzesz. Albo dosadniej: wyżej srasz, niż dupę masz. Auto przeznaczone dla przywódcy III Rzeszy, które mieli prawo posiadać tylko najbogatsi, najbardziej wpływowi ludzie w Niemczech, nie było odpowiednie dla komunisty Kriukowa, który podczas wojny zabił niezliczoną liczbę ludzi w imię powszechnej równości materialnej.

Mercedesy, które Kriukow przy okazji przytargał z Niemiec, też nie były byle jakie, tylko szczególne, wybrane ze znajomością rzeczy. Na przykład mercedes 540K – sportowy kabriolet o niezwykłym wdzięku i elegancji.

Generałowi Kriukowowi oprócz aut, trzech mieszkań w Moskwie i dwóch dacz skonfiskowano jeszcze 700 tysięcy rubli w gotówce. A było to już po reformie monetarnej z 1947 roku, kiedy to pod hasłem stabilizacji rubla Stalin doprowadził do bankructwa wielu „podziemnych" milionerów. Szczęściarz Kriukow przetrwał nawet wymianę pieniędzy oraz potrafił przy tym uratować ponad pół miliona w gotówce. Dla porównania, generał MGB zarabiał w tamtych czasach 5–6 tysięcy rubli miesięcznie.[5]

Poza tym u bohaterskiego generała znaleziono 107 kilogramów wyrobów ze srebra, 35 cennych dywanów, gobeliny, wiele serwisów o znacznej wartości antykwarycznej, futra, rzeźby z brązu i marmuru, dekoracyjne wazony, ogromną bibliotekę niemieckich starodruków, 312 par eleganckich butów, 87 garniturów, ogromną ilość jedwabnej bielizny osobistej i pościelowej itd., itp.

Wszystko to zostało ukradzione przez Kriukowa i wywiezione z Niemiec tylko dzięki protekcji Żukowa. Dlatego też w śledztwie Kriukowowi zadano pytanie: „Powiedzieliście, że upadliście nisko i staliście się szabrownikiem i grabieżcą. Czy można uważać, że takim samym szabrownikiem był Żukow, który przyjmował od was prezenty, znając ich pochodzenie?"

I cóż miał odpowiedzieć właściciel burdelu na takie pytanie?

IV

Żoną bohaterskiego generała Kriukowa była paserka Lidia Rusłanowa, która profesją piosenkarki kamuflowała swoją rzeczywistą działalność. Rusłanowa i Kriukow – paser i burdelmama, żyjący w formalnym związku – byli najbliższymi przyjaciółmi quasi-świętego, Gieorgija Żukowa.

Na pewno znajdą się tacy, którzy zaprzeczą: Rusłanowa nie

---

[5] List generała pułkownika Sierowa do Stalina z 8 lutego 1948 [w:] „Wojennyje archiwy Rossii", nr 1/1993, s. 212.

udawała, że wykonuje zawód śpiewaczki, naprawdę była artystką. Chcecie tak uważać – proszę bardzo. Pozostanę przy swoim zdaniu. Nauczono mnie odróżniać właściwy zawód człowieka od przykrywki. Najważniejsze w życiu Lidii Rusłanowej było bogactwo. Chciwość była pasją i celem życia. Na złodziejstwie, szabrownictwie, paserstwie zbiła bajeczny majątek.

W swojej galerii Rusłanowa miała 132 obrazy najsłynniejszych mistrzów malarstwa rosyjskiego: Szyszkina, Riepina, Sierowa, Surikowa, Basniecowa, Wereszczagina, Lewitana, Kramskiego, Briułłowa, Tropinina, Wrubla, Makowskiego, Ajwazowskiego i innych. Pewnego razu zaszedłem, ot, tak sobie, do londyńskiej National Gallery przy Trafalgar Square i zacząłem odliczać pierwsze 132 obrazy. Chciałem się zorientować, jaka powierzchnia jest niezbędna do wystawienia tylu obrazów. Płótna bywają różnych rozmiarów: małe, średnie, duże. Ale wszystko jedno, które weźmiemy pod uwagę, nawet te małe – okaże się, że potrzeba naprawdę sporo miejsca, aby rozwiesić tyle obrazów.

Lidię Rusłanową „Krasnaja zwiezda" pieszczotliwie nazywa socjalistycznym słowiczkiem. Chciałbym się dowiedzieć, jakim cudem ten słowiczek zagarnął tyle pieniędzy.

W tamtych czasach było wiele sposobów, jak zbić majątek, nie dysponując kapitałem. W Leningradzie były zgromadzone ogromne bogactwa. Podczas blokady w Leningradzie panował taki głód, że dochodziło do przypadków kanibalizmu. Po wojnie otwarto Muzeum Blokady i kilka sal poświęcono temu zjawisku. Jednak z czasem eksponaty pochowano lub zniszczono. Zrozumiałe – przecież to niemożliwe, żeby jeden człowiek radziecki skonsumował drugiego radzieckiego człowieka. Coś takiego nie miało prawa się zdarzyć. A skoro nie miało prawa, to znaczy, że tego nie było.

Pieniądze w oblężonym Leningradzie nie miały żadnej wartości, tak samo jak w całym kraju. Po co wam pieniądze, kiedy umieracie z głodu? Potrzebny wam chleb, a tego za pieniądze nie dostaniecie. Chleb dają na kartki. I w ten sposób w okrążonym Leningradzie bujnie rozkwitł czarny rynek. Najtwardszą walutą Leningradu stały się amerykańskie konserwy. Do miasta nieprzerwanym strumieniem po skutej lodem

Ładodze ciągnęły samochody. Wiozły chleb, słoninę, mięso, kaszę i cukier. „W tamtych czasach za plaster «krakowskiej» można było dostać Lewitana, Kandinskiego albo Somowa. Za kilo szpiku – ikonę Rublowa"[6]. Były tysiące ton prowiantu, które ktoś musiał rozdzielić. Wystarczyło, żeby ściągnąć na lewo ciężarówkę załadowaną skrzyniami z konserwami i kiełbasą – a solidny nabywca za taki towar mógł zapłacić nie tylko płótnami Niestierowa czy szmaragdami z kolekcji cara. Mógł dostarczyć, czego dusza zapragnie.

Proszę nie zrozumieć mnie opacznie. Wcale nie twierdzę, że dowódca Frontu Leningradzkiego, zastępca Naczelnego Wodza generał armii Żukow organizował na lewo takie transporty. Ja nawet nie czynię takiej aluzji. Po prostu mówię, że Żukow miał takie możliwości, a przyjaciółka Żukowa Lidia Rusłanowa podczas wojny w zagadkowy sposób weszła w posiadanie nieprzebranego bogactwa. Sam Żukow również nie zbiedniał. Oczywiście, że nie mogło być żadnego związku między bogactwami Rusłanowej, Kriukowa i Żukowa a konserwami, które przysyłał dobry wujaszek Sam, a które rozdzielał dobry wujaszek Żukow. Postawmy sprawę jasno: bogactwo swoją drogą, a konserwy swoją.

Tylko pozostaje pewna niejasność: skąd te bogactwa?

V

Mówi się, że Lidia Rusłanowa wiele koncertowała, a za zarobione pieniądze kupowała dzieła sztuki. Trudno mi w to uwierzyć.

A przyczyn po temu jest sporo. Przede wszystkim w Związku Radzieckim wszyscy artyści byli zrzeszeni w odpowiednich stowarzyszeniach i kolektywach. Nad tymi związkami czuwały mocno rozbudowane struktury państwowe. W czasie wojny (a także w czasie pokoju) artyści wypełniali wolę państwa: wyzwalali szerokie masy ludowe ze złych nastrojów. Artysta był sługą państwa. A państwo radzieckie było skąpe.

---

[6] J. Aleszkowski, *Ruka. Powiestwowanie pałacza*, Nowy Jork 1980, s. 74.

Oto przykład: Oleg Popow. W księdze rekordów Guinnessa jest napisane: najśmieszniejszy klown na świecie. Oleg Popow cieszył się powszechną sławą. Znali go wszyscy. Niósł w szeroki świat chwałę swojej Ojczyzny i dostarczał jej ogromne dochody, liczone w dziesiątkach milionów dolarów. Spędził na cyrkowej arenie całą drugą połowę XX wieku, zaczynając dokładnie w 1950 roku. Zjeździł cały świat, od Melbourne do Toronto, od Rzymu po Pekin, od Caracas do Sydney. W podzięce za to wszystko radzieckie państwo ograbiło go do kopiejki i wyrzuciło na bruk, przydzieliwszy mu głodową rentę. Niewiele brakuje, by musiał iść po prośbie.

Lidia Rusłanowa nie cieszyła się nawet setną częścią tej popularności co Oleg Popow. Poza Rosją znano ją tylko w Mongolii. I nie przynosiła skarbowi państwa żadnych dochodów. Tym bardziej że w czasie wojny ani żołnierze na froncie, ani ranni w szpitalach, ani robotnicy w zakładach zbrojeniowych, ani kołchoźnicy pracujący w polu za koncerty raczej nie płacili. Organizowało je państwo dla podnoszenia ducha bojowego mas ludowych, a następnie skąpą państwową ręką rozliczało się z artystami – kartkami na chleb, pieniędzmi, za które tak naprawdę nic nie można było kupić. I z tego też powodu artysta nie mógł zarobić zbyt wiele. Ale nawet gdyby coś mu skapnęło, to obywatele w czasie wojny przestali wierzyć w pieniądze. Wciąż pamiętali wojnę domową: na początku za rubla możesz się zabawić do woli, a wkrótce za milion tych samych rubli nie kupisz nawet szczypty soli. Dziś banknoty z dwugłowym orłem i koronami, a jutro kierenki – pieniądze Rządu Tymczasowego. A po nich pierwsze komunistyczne pieniądze ze swastyką. Jeżeli ktoś jeszcze pamięta, to do czasu zaprojektowania symbolu sierpa i młota był młot i pług, a przed nimi nasza swojska, komunistyczna swastyka. Później Hitler przejął ją od Lenina.

Zatem ludzie nie wierzyli w pieniądze. Dziś jeszcze mają jakąś wartość – jutro będzie inflacja. Albo wymiana pieniędzy. Dlatego w czasie wojny jedyną walutą był towar. Kto umierał z głodu, oddawał za chleb wszystko, co miał. A ten, kto rozdzielał chleb i słoninę, nagle znacznie się wzbogacał. Za gotówkę nie można było kupić nawet kromki chleba. Dlatego właśnie droga Rusłanowej do bogactwa nie mogła być usłana pieniędzmi zarobionymi na koncertowaniu. A skoro nie była usłana koncertami ani konserwami – to czym? Powiedzcie mi, naiwnemu, jakim cudem tak ogromne bogactwa z oblężonego Leningradu mogły znaleźć się w pałacach Lidii Rusłanowej, skoro nie można ich było kupić za pieniądze?

VI

Rusłanowa i jej protektor Żukow mieli wiele możliwości wzbogacenia się. Oto jeszcze jedna. Hitlerowcy grabili radzieckie muzea i zagrabione dzieła sztuki wywozili do Niemiec. Później do Niemiec wkroczyli wyzwoliciele i przywłaszczyli sobie skradzione dobra. Pewien towarzysz z czasopisma „Litieraturnaja gazieta" uznaje takie postępowanie za naturalne: „na usprawiedliwienie znakomitej śpiewaczki Rusłanowej możemy powiedzieć, że ma znakomity gust, a obrazy, które przywiozła z Niemiec, «132 autentyczne malowidła», to w większości dzieła znakomitych rosyjskich malarzy (Riepina, Ajwazowskiego, Szyszkina i innych), które swego czasu zostały wywiezione przez nazistowskich okupantów z Rosji i Ukrainy"[7].

No i proszę. Jeżeli hitlerowcy wywieźli z naszych muzeów dzieła sztuki, to znaczy, że są szabrownikami. Jeżeli potem Rusłanowa przywłaszczyła sobie ukradzione przez hitlerowców mienie Rosji i Ukrainy, to nie uważa się tego za szabrownictwo, gdyż dzieła raz ukradzione przestały stanowić własność państwa.

Mnie interesuje tylko jedno: za jakie to zasługi dowodzący 1. Frontem Białoruskim Żukow bezprawnie odznaczał bojowymi orderami sowieckiego słowiczka i na dodatek pozwalał mu myszkować w niemieckich muzeach i galeriach, zabierać sobie, co się mu żywnie spodoba, i bez przeszkód wywozić do swoich pałaców i dacz?

Sam Żukow też nie zasypiał gruszek w popiele. Też był znawcą sztuki i zbieraczem. W jego kolekcji znajdowały się

---

[7] „Litieraturnaja gazieta", 5 sierpnia, 1992 rok.

obrazy z zasobów galerii drezdeńskiej. Tu oczywiście obeszło się bez konserw. Po wojnie Żukow został panem okupowanych Niemiec. Dlatego mógł spokojnie powiedzieć: dawać mi tę gołą babę w złoconych ramach do mojego salonu! I tamtą też! Poza tym proszę zwrócić uwagę na następujący szczegół. Kiedy wiosną 1942 roku totumfacka Żukowa wzbogacała się w oblężonym Leningradzie, w 2. Armii Uderzeniowej generała porucznika Własowa panował straszliwy głód. Armia przedzierała się w stronę osaczonego Leningradu, jednak nikomu się nie udało przerwać blokady, a armie wsparcia zostały w tyle. Armia Własowa, osamotniona, znalazła się na tyłach wroga. Armii trzeba było wydać rozkaz odwrotu, ale towarzyszom na Kremlu szkoda było oddać zdobyte przez nią tereny. Dlatego też armii rozkazano, aby utrzymała pozycję, chociaż nie było żadnych możliwości udzielenia jej wsparcia logistycznego. Powtórzył się scenariusz z wiosny 1942 roku, kiedy Żukow wyprowadził 33. Armię na głębokie tyły nieprzyjaciela i zostawił na pewną śmierć: nie mogę wysłać wam zaopatrzenia, ale cofnąć się nie pozwalam!

Zastępcę dowódcy Frontu Wołchowskiego generała porucznika Własowa wysłano, aby ratował 2. Armię Uderzeniową. Przyszło mu odpowiadać za cudze błędy, chybione decyzje i przestępstwa. Złożono na jego barki ciężar odpowiedzialności za 2. Armię Uderzeniową, za operację, której nie planował, której nie przygotowywał i nie przeprowadzał. Kazano mu dowodzić armią, której nie można było zapewnić dostaw sprzętu i żywności, ale której zabraniano wycofać się. Kiedy wreszcie przyszedł rozkaz, aby 2. Armia próbowała przebić się z okrążenia, nie miał kto wykonać tego rozkazu, ci bowiem, którzy przetrwali, z wycieńczenia nie mogli stać na własnych nogach.

To nie Własow zdradził, to jego zdradzono.

W lasach pod Lubanią, gdzie armia Własowa utrzymywała pozycje obronne, kora na drzewach, pączki i listki były objedzone do wysokości człowieka. Żołnierz dostawał 50 gramów okruchów z sucharów na dzień. I nic więcej. Zjedzono wszystkie konie – nawet trupy koni, które padły, także skórzane torby, rzemienie i buty. A później skończyła się sielanka i nie wydawano nawet tych 50 gramów sucharów. Własow zameldował 21 czerwca 1942 roku do sztabu Frontu Wołchowskiego: „żołnierze umierają masowo z głodu". Samoloty zrzucały bardzo mało sucharów i konserw. Wszystkiego, co zrzuciły, trzeba było szukać na bagnach, a znalezione – oddawać. Jeżeli ktoś ukrył konserwę, rozstrzeliwano go.[8]

W Armii Czerwonej surowo traktowano szabrowników i maruderów. Szeregowy Tołoczko opowiada: „w lipcu 1944 roku sierżant baterii artylerii 179. DP zarekwirował konia należącego do litewskiego chłopa, aby przetransportować armatę na pozycje ogniowe. Zachowanie sierżanta uznano za maruderstwo. Wyrok zapadł natychmiast – rozstrzelać"[9].

Olga Iwanienko, lekarz wojskowy, mówi: „1942 rok, 128. DP, spalone miasto, rozpadający się, opuszczony dom, dwóch żołnierzy wyciąga spod gruzów zniszczone łóżko. Zostają na tym przyłapani. Ich zachowanie ocenione zostaje jako maruderstwo. Wyrok jedyny możliwy w tym przypadku: rozstrzelanie. Wyrok zatwierdza szef sztabu pułku porucznik Kapustianski. Nawet nie zwołał trybunału. Jego władza jest wystarczająca"[10].

Mogę przytoczyć wiele takich przypadków, przedstawiając świadków, archiwalne dokumenty, publikacje, listy żołnierzy. A tymczasem socjalistyczny słowiczek uwił sobie gniazdko: galerię obrazów... I to nie byle jakich malunków, ale obrazów stanowiących dziedzictwo narodowe. Ale wybaczono jej: w końcu jest przyjaciółką prawie świętego, bohatera, największego dowódcy XX wieku.

VII

W 1948 roku aresztowano Tielegina, Kriukowa i Rusłanową. Wyrok odsiadywali w komfortowych warunkach. Pianistka Barysznikowa opowiadała, w jakich okolicznościach pojawiła się Rusłanowa w obozowym baraku: „w futrze z czarno-brązowymi mankietami, w pantoflach z cieniutkiej koźlej skóry,

---

[8] „Krasnaja zwiezda", 28 lutego 1996.
[9] „Wojenno-istoriczeskij żurnał", nr 1/1992, s. 49.
[10] „Russkaja mysl", 21 czerwca 2001.

w ogromnym, białym, puchowym szalu"[11]. W takim ubraniu niestraszne są nawet mrozy syberyjskie. Więzień Rusłanowa popisywała się w obozach i na etapach takimi strojami, wywiezionymi z wyzwolonych Niemiec, o jakich nie śniło się nie tylko żonie naczelnika Ozierłagu, ale i żonie pierwszego sekretarza irkuckiego obwodowego komitetu KPZR. Zrozumiałe, że więzień Rusłanowa miała szczególną pozycję i korzystała z licznych przywilejów. I nie dźwigała szyn kolejowych na plecach i taczek też nie pchała. Siedziała sobie ta wesoła kompania jak na wczasach. Nie posiedziała długo. Sekretarza KC towarzysza Andrieja Żdanowa, który próbował zaprowadzić porządek w kraju, dosyć szybko dosięgła tajemnicza śmierć. Aresztowany został minister bezpieczeństwa państwowego generał pułkownik Abakumow. Następnie równie tajemniczą śmiercią umarł Stalin. I Tielegina, Kriukowa i Rusłanową wypuścili. Ci sami sędziowie, którzy wcześniej skazali tych złodziei i szabrowników, teraz ich uniewinnili.

A dlaczego?

Z powodu ujawnienia nowych okoliczności.

A cóż to za nowe okoliczności? Akta spraw przyjaciół Żukowa tego nie precyzują. Pojawiły się nowe okoliczności, i tyle. Wychodźcie, towarzysze, z mamra.

Niezbyt długo spekulowano o przyczynach tak szybkiego uwolnienia owych towarzyszy. Na sam szczyt władzy dostał się towarzysz Żukow. To właśnie były te nowe okoliczności, i dlatego też wypuszczono tych złodziejaszków – towarzyszy broni wielkiego stratega.

Wyjaśniło się też, że towarzysz Tielegin wcale nie wywoził dóbr dla swoich ukochanych krajan, tylko dla siebie. Kiedy wyszedł z więzienia, zażądał, aby zawartość transportu zwrócono jemu, a nie jego krajanom. Powstała dziwna sytuacja. Z jednej strony generał porucznik to złodziej, szabrownik, człowiek, który przywłaszczył sobie zdobyczne mienie; z drugiej strony z rozkazu Żukowa wypuszcza się go na wolność i uniewinnia. Okazuje się, że wcale nie jest złodziejem ani szabrownikiem.

---

[11] „Russkaja mysl", 8 lutego 2001.

Co zatem zrobić ze skonfiskowanym transportem łupów wojennych? Jeżeli uzna się, że Tielegin nie był złodziejem, będzie to znaczyło, że zarekwirowane mienie należy do niego, co z kolei będzie oznaczało, że zawartość wagonów trzeba będzie mu oddać albo zwrócić równowartość w gotówce. Nie wszyscy wiedzieli, że za swoje oszczędności generał porucznik nie mógł kupić nawet jednego 60-tonowego wagonu jedwabnej bielizny, a co dopiero całego transportu.

W Wojskowej Prokuraturze Generalnej i Prokuraturze Generalnej ZSRR wydano salomonowy wyrok. Generałowi Tieleginowi oznajmiono: nie jesteście złodziejem, jesteście uczciwym obywatelem, żyjcie sobie na wolności, ale transportu zwrócić wam nie możemy, bo go ukradliście. Prokurator generalny Armii Radzieckiej Czepcow „w imieniu prokuratora generalnego ZSRR Rudenki niedwuznacznie dał do zrozumienia natrętnemu petentowi, iż przedmioty, które chce odzyskać, «zostały przywłaszczone na drodze przestępstwa» i dlatego nie podlegają zwrotowi"[12].

Rusłanowa również zażądała zwrotu swoich dóbr. Za skonfiskowaną szkatułkę z brylantami zaproponowano jej rekompensatę w wysokości 100 tysięcy rubli. „A ona zażądała miliona. Według zeznań Rusłanowej, wśród zarekwirowanej biżuterii znajdowały się unikatowe wyroby, a wartość całej zarekwirowanej szkatułki wynosiła 2 miliony"[13].

Ile tak naprawdę były warte dwa miliony w 1948 roku, kiedy zaaresztowano Rusłanową? Po wymianie pieniędzy w 1947 aż do 1953 roku, kiedy zwolniono Rusłanową z więzienia, inflacji praktycznie nie było. Przypomnijmy sobie w tym miejscu przytoczony wyżej fragment listu generała pułkownika Sierowa do Stalina z 8 lutego 1948 roku: generał MGB otrzymywał wtedy 5–6 tysięcy rubli na miesiąc. To daje 60–72 tysięcy rocznie. Co z kolei oznacza, że generał-czekista musiał przez 28–33 lat aresztować ludzi, przesłuchiwać ich i torturować, wyrywać paznokcie i rozrywać nozdrza, łamać kręgosłupy, palić wsie, rozstrzeliwać zakładników i jeńców wojennych, wysyłać

---

[12] „Wojenno-istoriczeskij żurnał", nr 6/1989, s. 82.
[13] „Russkaja mysl", 22 lutego 2001.

całymi transportami Rosjan i cudzoziemców do łagrów albo na rozstrzelanie, żeby nazbierać pieniędzy na jedną szkatułkę Rusłanowej. Przy założeniu, że przez te wszystkie lata generał nie wydał na życie ani kopiejki.

Według starego, dobrego komunistycznego zwyczaju oficer w armii zarabiał dwukrotnie mniej niż czekista, który miał tyle samo gwiazdek na pagonach. Czyli – generał armii, aby zebrać odpowiednią ilość pieniędzy na szkatułkę biżuterii, musiał dowodzić dywizją czy też korpusem dwukrotnie dłużej niż czekista: 56–66 lat. I nie wydać ani kopiejki.

Córka słynnej śpiewaczki i bohaterskiego generała Margarita Kriukowa w tym samym artykule, w którym mowa jest o szkatułce z brylantami wartej dwa miliony rubli, opowiada o swoim kryształowo czystym ojcu: „W. Kriukow całe swoje życie nie odróżniał brylantu od kostki bruku: miał inne zainteresowania. Był mądrym, wykształconym człowiekiem. Szczególną miłością darzył literaturę rosyjską, a to, co jadł i na czym spał, nie obchodziło go zupełnie"[14].

Wielbicielowi literatury klasycznej Kriukowowi było wszystko jedno, z czego je: z miedzianego żołnierskiego kociołka czy z aluminiowej miski. Dlatego też jadał na srebrnej zastawie ze złotym zdobieniem, skradzionej z pałacu w Poczdamie. Było mu wszystko jedno, czym jeździ: rozklekotanym moskwiczem, czy na zardzewiałym rowerze. Dlatego też jeździł samochodem wyprodukowanym dla wodza III Rzeszy. Nie odróżniał brylantów od kostki brukowej, lecz nie wiadomo dlaczego w szkatułce trzymał nie kostkę brukową, ale brylanty.

VIII

Ani Tielegin, ani Rusłanowa, ani Kriukow nigdy po uwolnieniu nie dochodzili swojej niewinności.

Prokuratura Generalna ZSRR podporządkowała się rozkazom Żukowa i zadecydowała o zwolnieniu jego przyjaciół z więzienia. Jednakże w oficjalnych dokumentach podkreślano, że zostaje im zwrócona tylko część skonfiskowanego mienia,

---

[14] „Russkaja mysl", 22 lutego 2001.

ponieważ reszta została przywłaszczona w drodze kradzieży i szabrownictwa.

Żukow w swoim wyjaśnieniu do KC KPZR nie zaprzecza, że generał porucznik Tielegin kradł.

I oto problem dla agitatorów: jak oczyścić z zarzutów szabrowników i złodziei: Tielegina, Kriukowa, Rusłanową? Chyba zbyt szemrane otoczenie, jak na kandydata w poczet świętych? Wyjaśnienie pojawiło się szybko. I to nie jedno. Wyjaśnienie pierwsze: kradli tylko piękne przedmioty, mieli artystyczne natury. I to ich usprawiedliwia. Brylantów mniejszych niż dwa karaty nie brali. Czyż to nie jest oznaka znakomitego wyczucia smaku? Czyż nie jest to usprawiedliwieniem dla nieszczęsnych ofiar stalinizmu? Mnie ten argument przekonuje. Za Jelcyna rozgrabiono Skarbiec Diamentowy Rosji. Doszło do tego, że dyrekcja kremlowskiego muzeum była zmuszona urządzić wystawę – trzeba było pokazać: owszem, wiele rozkradziono, ale coś tam jednak zostało. Ogłośmy, że nie będziemy szukać tych, którzy okradli Skarbiec, gdyż połasili się oni nie na byle łajno, ale na rzeczy szczególnie wartościowe, piękne i wspaniałe. Bądźmy dla nich pobłażliwi, gdyż zaiste mają znakomity gust.

Wyjaśnienie drugie: Kriukow, Tielegin, Rusłanowa są przyjaciółmi Żukowa, a przyjaciołom quasi-świętego wybacza się prawie wszystko. Tak jak i samemu quasi-świętemu Gieorgijowi.

Wyjaśnienie trzecie: Rusłanowa ogłosiła, że cały jej majątek należy do jej męża Kriukowa. I wybaczono jej. A jej mąż Kriukow ogłosił, że jego cały majątek należy do jego żony Rusłanowej. I jemu także przyszło wybaczyć.

Po aresztowaniu śledczy major Griszajew przesłuchiwał Rusłanową:

„ŚLEDCZY: W materiałach śledztwa oskarża się was o to, że w czasie pobytu w Niemczech zajmowaliście się grabieżą i szabrownictwem na ogromną skalę. Przyznajecie się do tego?

RUSŁANOWA: Zdecydowanie się nie przyznaję.

ŚLEDCZY: Ale podczas rewizji na waszej daczy znaleziono ogromną ilość cennych rzeczy. Jakie jest ich pochodzenie?

RUSŁANOWA: Te przedmioty należą do mojego męża. Otrzymał je w prezencie z Niemiec. Najprawdopodobniej od towarzyszy broni"[15].

W 1951 roku Kriukow przyznał się do wszystkiego przed sądem. Lecz już wkrótce, w 1953 roku, Żukow stanął na szczycie władzy i rozkazał wypuścić wszystkich przyjaciół z więzienia, ich sprawy ponownie rozpatrzyć. I prokuratorzy pokornie wznowili te sprawy. Oto rezultaty.

„Kriukow nie zaprzeczał w sądzie, że przywłaszczył sobie mienie państwowe. W tym czasie, jak wynika ze stanowiska Wojskowej Prokuratury Generalnej, sformułowanego na podstawie dodatkowego dochodzenia przeprowadzonego w 1953 roku, zajęte podczas aresztowania Kriukowa kosztowności należały do jego żony Rusłanowej, która kupiła je za własne pieniądze"[16].

W ten sposób krąg się zamknął. Jak w starym szmoncesie o ruskim porządku.

– Obywatelu Kriukow, skąd bierzecie tyle pieniędzy?
– Z szafki.
– A kto je tam wkłada?
– Moja żona, Lidia Rusłanowa.
– A skąd ona je bierze?
– Ja jej daję.
– A wy skąd je bierzecie?
– Obywatelu śledczy, przecież już wam powiedziałem – z szafki.

A oto morał: ręka rękę myje. Przyjaciele Żukowa nie mogliby prowadzić burdelu w szpitalu polowym II Korpusu Kawalerii Gwardii, nie mogliby kraść na wojnie tak otwarcie, gdyby nie mieli obrońcy w osobie zastępcy Naczelnego Wodza, marszałka Związku Radzieckiego Żukowa.

Współcześnie taką sytuację określa się eufemistycznie: mieć plecy.

---

[15] Buszkow, *op. cit.*, s. 560.
[16] N. Smirnow, *op. cit.*, s. 156–157.

Rozdział 24

Negatywny cud

Żukow jest jedną z najstraszniejszych postaci w historii Rosji. Jego charakter najlepiej oddaje portret pędzla Konstantego Wasiliewa. Przedstawiona na nim nieziemska istota nie ma nic wspólnego ze światem ludzi, jakby przybyła z jakiejś innej rzeczywistości. To nie człowiek, to pogański bóg wojny z wyszczerzonymi wilczymi kłami na sinej twarzy. Płaszcz jakby odlany ze stali, chłodnym matowym złotem świecą krążki medali, za jego plecami tańczą purpurowo-złociste języki ognia piekielnego i przeraźliwie bieleje szkielet jakiegoś budynku.[1]

A. Buszkow

I

Aby Żukowa można było zaliczyć w poczet świętych, kandydat musiałby spełniać określone wymagania.

Przede wszystkim musimy stwierdzić, czy był cudotwórcą. Z ręką na sercu potwierdzam: tak, Żukow dokonał niemało cudów.

Jeden z nich wydarzył się 14 września 1954 roku o godzinie 9.53 na wchodzącym w skład Południowouralskiego Okręgu Wojskowego poligonie pod Tockiem. Dla upamiętnienia tego zdarzenia w miejscu cudu wmurowano tablicę pamiątkową z inskrypcją: „We wrześniu 1954 roku na tym poligonie przeprowadzono taktyczne ćwiczenia wojskowe pod dowództwem marszałka Związku Radzieckiego Żukowa".

---

[1] Buszkow, *op. cit.*, s. 559.

Na każdym większym poligonie manewry odbywają się praktycznie bez przerwy. Dlaczego właśnie te ćwiczenia postanowiono upamiętnić wmurowaniem tablicy?

Trzy dni później, 17 września 1954 roku, „Prawda" opublikowała depeszę agencji prasowej TASS o dokonanym cudzie: „W ostatnich dniach, zgodnie z planem prac naukowo-badawczych i eksperymentalnych, na terytorium Związku Radzieckiego przeprowadzono próbę jednego z rodzajów broni jądrowej. Celem próby było zbadanie przebiegu wybuchu atomowego. Doświadczenie dało cenne rezultaty, które pomogą naukowcom i inżynierom pomyślnie rozwiązywać zadania z zakresu obrony przed atakiem nuklearnym".

Z informacji TASS nie wynikało, czym te doświadczenia różniły się od poprzednich ani komu ta genialna myśl wpadła do głowy, ani też kto zorganizował ów eksperyment i kto nadzorował jego przebieg. Dziś znamy już odpowiedzi na te pytania: „Badanie terenu i inne prace przygotowawcze rozpoczęto już w okresie zimowym, a pełną parą ruszyły wiosną i latem. Ważną rolę odegrał marszałek Związku Radzieckiego Żukow. Po powrocie do Moskwy po śmierci Stalina zajmował wtedy stanowisko pierwszego wiceministra obrony ZSRR"[2].

Eksperymenty były dość niezwykłe. Prymat Związku Radzieckiego w tej dziedzinie jest niezaprzeczalny. Nikt na świecie nie mógł poszczycić się podobnymi osiągnięciami. Nawet w ZSRR nie każdemu taki pomysł mógłby przyjść do głowy. Marszałek wojsk pancernych profesor Oleg Łosik, Bohater Związku Radzieckiego, prezes Klubu Kawalerów Orderu Żukowa, ogłaszając swego idola „wielkim dowódcą", stwierdził: „Dokonał on prawdziwego przewrotu w przygotowaniach operacyjnych i wojskowych. Pod jego dowództwem we wrześniu 1954 roku na poligonie tockim po raz pierwszy przeprowadzono wojskowe ćwiczenia z praktycznym zastosowaniem broni jądrowej"[3].

---

[2] „Krasnaja zwiezda", 28 grudnia 1996.
[3] *Ibid.*

II

A było tak: bombowiec zrzucił bombę z pułapu 13 kilometrów. Jej moc wybuchu to ekwiwalent 40 kiloton trotylu, zatem równoważna sile eksplozji w Hiroszimie i Nagasaki razem wziętych. Wybuch ładunku w atmosferze, na wysokości 350 metrów. W jakim celu? Założenia eksperymentu były następujące. I wojna światowa była wojną pozycyjną. Nie dlatego, że komuś się tak spodobało czy że ktoś tak zdecydował. Nie, po prostu żadna armia nie była w stanie przełamać obrony strategicznej nieprzyjaciela, poza jednym, jedynym wyjątkiem, jakim był przełom brusiłowski[4].

W trakcie II wojny światowej nauczono się przełamywać strategiczną obronę nieprzyjaciela. Ale nadal dla każdego dowódcy było to najtrudniejsze zadanie. Za przełamanie linii nieprzyjaciela trzeba było zapłacić ogromną ilością amunicji, kolosalnymi stratami sprzętu wojskowego, a przede wszystkim krwi żołnierskiej. Zresztą nie zawsze przełamywanie frontu kończyło się sukcesem. Przykład: bezskuteczne i nonsensowne poczynania Żukowa pod Syczewką od stycznia do grudnia 1942 roku.

Kiedy po II wojnie światowej marszałkowie radzieccy dostali w swoje ręce broń jądrową, zadecydowali: jeśli będzie trzeba, przełamiemy front uderzeniem jądrowym, w powstały wyłom wprowadzimy wojska i w ten sposób wtargniemy na tyły nieprzyjaciela!

Ale najpierw trzeba było spróbować tego manewru na ćwiczeniach.

Odnotujmy na marginesie, że stronie, która szykuje się do wojny obronnej, takie ćwiczenia w ogóle nie są potrzebne. Gdyby Moskwa była zaniepokojona groźbą agresji, to należało

---

[4] Aleksiej Brusiłow (1853–1926) rosyjski generał; w okresie I wojny światowej m.in. dowodził Frontem Południowo-Zachodnim, latem 1916 roku zdołał przełamać front austro-węgierski na Wołyniu [przyp. tłum.].

obwieścić wszem i wobec: jesteśmy bardzo słabi, bardzo się boimy, dlatego uderzymy tylko jeden raz, ale za to mocno, w samo serce wroga. Takie ostrzeżenie byłoby wystarczające dla Paryża, Londynu, Waszyngtonu. Przy takiej koncepcji strategicznej nie trzeba przeprowadzać ćwiczeń. Wystarczyłoby zrzucić bombę na pustyni i wyobrazić sobie, co się zdarzy, jeśli huknie na Manhattanie. Ale Armia Radziecka nie planowała burzyć miast wroga. Zamierzała je zajmować. Do tego konieczne było przełamanie frontu nieprzyjaciela. Stąd decyzja o przeprowadzeniu odpowiednich ćwiczeń.

III

Tak więc na poligonie tockim odtworzono umowną linię obrony nieprzyjaciela i pozycje wojsk radzieckich.

„Bombę zrzucono nad obszarem, gdzie w schronach znajdowały się zwierzęta. Wobec obu stron – broniącej się oraz atakującej – zastosowano wszystkie znane w tym czasie środki bezpieczeństwa. Ćwiczenia zaowocowały niezwykle bogatym materiałem naukowym, wyniki eksperymentu dokładnie analizowano. Na ich podstawie opracowano teorię nowych rodzajów działań bojowych – ataku i obrony w warunkach użycia broni jądrowej. Zweryfikowano istniejące podręczniki i regulaminy"[5].

Dochodzimy tu do rzeczy najważniejszej. Oprócz zwierząt, na których przeprowadzono doświadczenie, na poligonie byli również ludzie. Były tam całe jednostki. Jedne dywizje broniły się w warunkach realnego użycia broni jądrowej, a inne atakowały. Ogólna liczba uczestników ćwiczeń to 45 000 ludzi. 45 000 młodych, zdrowych mężczyzn. Według innych źródeł atakujących było 45 000 i dodatkowo 15 000 broniących się. Nieraz można natknąć się na informacje, że ogólna liczba uczestników sięgała 60 000.[6] Oficjalne źródła zachowują milczenie. Osobiście skłaniam się ku drugiej liczbie, ale do-

---

[5] „Krasnaja zwiezda", 31 maja 1996.
[6] „Wriemia", 27 stycznia 2001.

póki nie została potwierdzona oficjalnie, pozostaniemy przy pierwszej.

Broniący się mieli za zadanie przeżyć wybuch atomowy w bezpośredniej bliskości – w okopach i podziemnych schronach. Ponadto mieli „pozostawać w gotowości, by zamknąć wyłom w rubieży obronnej «niebieskich», powstały w wyniku ataku jądrowego ze strony «czerwonych»"[7]. Natomiast nacierający mieli za zadanie uderzyć wprost przez epicentrum wybuchu i przełamać obronę umownego nieprzyjaciela. Słowem, coś jakby frontalne natarcie po szerokiej, uprzątniętej alei.

Przebieg ćwiczeń opisano tak: „Wokół panowała przerażająca cisza. Świeciło słońce, zarośla leciutko kołysały się na wietrze. Gdzieś wysoko leciał samolot z bombą atomową. [...] Każdy miał własne, osobiste odczucia, ale jeśliby je zebrać w całość, ułożyłyby się w dwa słowa: niezłe tarapaty. [...] Wreszcie jest sygnał do ataku. Pierwsze, co rzuciło się w oczy po wyjściu z podziemnych schronów – to ogromny na pół nieba obłok. Od spodu jakby popychał go huczący purpurowy płomień, który zmieniał barwę, stawał się malinowy, mniej jaskrawy – wszystko kłębiło się, podnosiło wyżej, ciągnąc za sobą, zasysając z ziemi słup kurzu. Przerażało jeszcze jedno: nie do poznania zmieniła się położona przed nami okolica. Ziemia była równa, obsypana kamieniami, jakby zorana. Gdzieniegdzie stopiona, właśnie zastygała. Gdzieniegdzie dymiła. Nie było żadnych roślin ani niczego innego. [...] I rzecz nieoczekiwana: licznik Geigera prawie nie reaguje na promieniowanie. Dowódca plutonu czołgów ze strachem donosi przez radio: przyrząd jest niesprawny. To samo z innymi czujnikami. [...] Po drodze, bliżej epicentrum, widziano kilka czołgów, również ciężkich. Niektóre z nich roztopiły się i jakby osiadły na ziemi, inne leżały gąsienicami do góry, odrzucone na kilkadziesiąt metrów. Wybuch obejmował całe wzgórza. Ile obiektów zostało zniszczonych – trudno się nawet domyślać"[8].

Wszyscy, którzy wspominali ten dzień, mieli podobne odczucia.

---

[7] „Krasnaja zwiezda", 9 lipca 1992.
[8] „Krasnaja zwiezda", 29 września 1989.

„Naraz poczułem na szyi, przez niedopiętą maskę, lekkie i ciepłe muśnięcie. Podobne odczucie ma się na plaży, gdy słońce, które schowało się na chwilę, wychodzi zza chmur. Zrozumiałem, że wybuch już nastąpił. Po kilku chwilach dotarła do nas fala akustyczna. [...] Przeszedł podmuch uderzenia, a ja wydałem komendę: «Działon na stanowiska!» i wyskoczyłem z okopu. Wysoko nad główną pozycją obrony «nieprzyjaciela», kłębiąc się i wylewając z ogromnej kipiącej kuli, w której buzował jeszcze płomień, wznosił się ku niebu kolosalny, niesamowity obłok. Grzyb podobny był do tego ze zdjęć, lecz ileż on wydzielał złej mocy! Jakie przerażenie wywołał w umyśle naocznego świadka!

[...] Tego, co zobaczyliśmy, nie da się opisać słowami i nie mieści się to w głowie, nie można się do tego przyzwyczaić ani tego zapomnieć. [...] Zbliżając się do epicentrum, ujrzeliśmy obraz bezlitosnej rozprawy atomowego demona z przyrodą. Najpierw las (dęby, graby, wiązy) powitał nas swoimi zwiędłymi i pomarszczonymi liśćmi, połamanymi gałęziami i koronami. Dalej były powalone drzewa, z których każde upadło zgodnie z kierunkiem fali uderzeniowej. Bliżej epicentrum cały las zamieniony był w drzazgi i drobne odłamki, jakie można zobaczyć na niektórych porębach. I wreszcie – pustynne i ciemne pole, zniwelowane jak plac budowy, z roztopioną powierzchnią, z małymi otworami od spopielonych albo porwanych przez atomowy huragan drzew. [...] Na roztopionym gruncie poniewierały się zerwane wieże czołgowe, postawione na sztorc, jak pudełka zapałek, kadłuby czołgów, powyginane lawety dział, powiązane w wymyślne węzły lufy armatnie, pomięte jak stare chusteczki do nosa kadłuby transporterów opancerzonych i karoserie samochodów"[9].

„W chwili wybuchu ziemia jakby poruszyła się, usunęła spod nóg, rozległ się łoskot, grzmot, trzask, ku niebu wzbił się oślepiający grzyb ognia"[10].

„Przykro było patrzeć na ślepe i zwęglone zwierzęta domowe, strach wspominać powalone drzewa, starły z powierzchni

---

[9] G. Ambraziewicz, „Niezawisimost'", 23 kwietnia 1997.
[10] „Krasnaja zwiezda", 9 lipca 1992.

ziemi piękny zagajnik, kilka spopielonych wsi, nędzne szczątki sprzętu wojskowego"[11].

„Co krok w okopach i na otwartym polu można było spotkać skazane na atomową rzeź krowy, kozy, owce i inne zwierzęta domowe. Jedne jeszcze stały i żuły trawę, innym wypłynęły oczy i tliła się sierść, jeszcze inne (zwłaszcza konie) już leżały, odsłaniając okropne rany"[12].

„Jak się później okazało, żołnierze, którzy brali udział w tajnych ćwiczeniach, a wraz z nimi okoliczni mieszkańcy, dostali niemałą dawkę promieniowania"[13].

Oto świadek z Łotwy, Michaił Arensburg. Był podoficerem w batalionie wojsk inżynieryjnych na poligonie tockim. Opisuje schron dla dowództwa.

„Schron, nawiasem mówiąc, był bardzo ładny, wyglądał jak stacja metra. Budowali go nasi chłopcy"[14]. Obok fotografia autora – młodego sapera. I fotografia plutonu: porucznik, jego żołnierze i podoficerowie. Z tych 22 uśmiechniętych saperów przeżył jeden. I zaraz prosi dziennikarza: „Proszę mnie nie fotografować, wyglądam okropnie". A oto jego wrażenia: „Chociaż wybuch nastąpił nad ziemią i byliśmy tak daleko, i tak poczuliśmy, jak przez jakąś chwilę ziemia pod nami zaczęła się ruszać jak fala na morzu. [...] Na naszych przyrządach zabrakło skali, przestały działać. [...] Ku miejscu wybuchu runęły czołgi, rzucili się żołnierze, oczywiście z okrzykiem «Hura!» Wieżę jednego z czołgów po wybuchu wyrzuciło aż na 150 metrów. A las dębowy z wiekowymi drzewami legł na ziemi jak trawa pod podmuchem jesiennego wiatru. Wysocy urzędnicy wyjechali od razu po zakończeniu działań, dosłownie w ciągu kilku minut. Żadnych obiadów i uroczystych przemówień o umacnianiu pokoju na świecie. A na poligonie zostało nie tylko leżące zwałami bydło z oderwanymi kończynami i zwęglonymi bokami. Zostały tam też ludzkie trupy. Akcja zaplanowana była tak źle, że w czasie inscenizowanego natarcia czołgi często najeżdżały

---

[11] „Litieraturnaja gazieta", 15 września 1999.
[12] G. Ambraziewicz, *op. cit.*
[13] „Krasnaja zwiezda", 19 lipca 1996.
[14] „Wriemia", *op. cit.*

na namioty w krzakach, w których znajdowali się żołnierze. Naturalnie te straty przemilczano. Wydaje mi się, że przede wszystkim chciano przeprowadzić doświadczenie na ludziach i zwierzętach. [...] Chyba dopiero teraz zrozumiałem, że my wszyscy odgrywaliśmy rolę królików doświadczalnych"[15].

„Tę okolicę pokazano oficerom przed i po wybuchu. Z leśnego masywu dębowego zostały jedynie czarne zgliszcza, spalone kikuty. Sprzęt wojskowy – nasz i «nieprzyjaciela» – był stopiony, powyginany. Okopy i schrony znikły, górna warstwa ziemi jakby się przemieściła. Widok był straszny"[16].

Należy jeszcze dodać coś o masywie leśnym: okoliczne dąbrowy sadzono z dekretu Piotra I. Było tam wiele tysięcy olbrzymich dębów. Liczyły prawie 250 lat. Żeby spalić w okamgnieniu takie mnóstwo dębów?! Czyż to nie wymaga udziału sił nadprzyrodzonych? Wy byście potrafili? Ja nie, mimo najszczerszych chęci. To był w stanie zrobić tylko Gieorgij Żukow. Jest on więc nie tylko zwycięzcą, ale też cudotwórcą.

IV

Tylko w ZSRR przeprowadzano podobne eksperymenty na tak wielką skalę! Tylko u nas i nigdzie indziej! Znów Związek Radziecki jest na pierwszym miejscu na całej planecie!

Ćwiczenia zakończyły się pomyślnie, ale co dalej?

Dalej oczywiście przyszedł awans dla Żukowa. Promieniowanie na niego nie podziałało, był w bezpiecznej odległości od epicentrum. Miał inne odpowiedzialne zadania, w pewnym oddaleniu od poligonu tockiego.

A co się stało z 45 000 młodych mężczyzn? W okolicy, w której pozorowali działania bojowe, bronili się i atakowali, poziom promieniowania był na tyle wysoki, że na przyrządach zabrakło skali. Przestały reagować na promieniowanie! Co stało się z ludźmi? O nich Żukow NIGDY nie wspomniał. „Krasnaja zwiezda" przypomniała sobie o nich po 38 latach, 9 lipca 1992 roku: „Kierujący ćwiczeniami Żukow podziękował wszystkim

---

[15] *Ibid.*
[16] „Krasnaja zwiezda", 9 lipca 1992.

uczestnikom za wyszkolenie, wytrzymałość i odwagę. [...] Takie elementarne środki ostrożności jak dezaktywacja sprzętu, broni i umundurowania nie zostały przedsięwzięte. W ćwiczeniach uczestniczyła ogromna liczba ludzi. Nie zarządzono żadnej specjalistycznej obserwacji ich stanu zdrowia. Objęci ścisłą tajemnicą i zapomniani, żyli, jak mogli, bez żadnej pomocy ze strony państwa. [...] Każdy podpisał zobowiązanie, że będzie milczał przez 25 lat".

Milczeć przez ćwierć wieku? W jakim celu? Wyobraźmy sobie, co mógł opowiedzieć uczestnik tych ćwiczeń. Że byli tam ludzie? O tym wszyscy wiedzieli, przecież trzy dni po wybuchu, 17 września 1954 roku, pojawiła się depesza TASS. Co jeszcze mógł opowiedzieć uczestnik ćwiczeń? Że bomba ma niesamowitą siłę niszczącą? A kto o tym nie wie? Przecież wystarczy, żeby jeden z uczestników manewrów opowiedział komuś, że przy wybuchu powstaje kula ognia, że promieniowanie cieplne spopiela domy i drzewa, topi pancerze czołgów, że fala uderzeniowa roznosi w drzazgi wszelkie budowle, zrywa wieże czołgowe... Załóżmy, że ktoś to usłyszał i przekazał dalej, że w końcu informacja dotarła do wywiadu nieprzyjaciela. Pytanie: a czy dla wrogów ta informacja stanowi jakieś *novum*?

Trzeba nadmienić, że zaraz po ćwiczeniach żołnierze i oficerowie, którzy brali w nich udział, zaczęli szybko podupadać na zdrowiu. Pierwsza dolegliwość to krwawa biegunka. Ale lekarzowi nie wolno powiedzieć o przyczynie: tajemnica wojskowa! Lekarz patrzy i dziwi się: ani to czerwonka, ani cholera. Człowiek cześnie w oczach i w żaden sposób nie można mu pomóc. W wojsku biedak też nie ma czego szukać. Takich odsyłano do domu: niech cywilni lekarze się domyślają, co to za przypadłość. Ale przecież cywilnym lekarzom też nie wolno nic mówić.

Następna dolegliwość to impotencja. Przypomnijmy opisy uczestników: gdy tylko obłok wybuchu jądrowego popłynął do nieba, natychmiast padały komendy: „Na stanowiska...!", „Do wozów!", „Naprzód!"

Wybuch jądrowy to temperatura mierzona w milionach stopni. W chwili eksplozji spala się ogromna ilość tlenu, oprócz tego fala uderzeniowa rozpycha na wszystkie strony ogromne masy powietrza. W epicentrum wybuchu tworzy się próżnia. I ta pustka jak odkurzacz zasysa ziemię i kurz, które potem opadają na okolicę. Dziesiątki tysięcy żołnierzy i oficerów ruszyły do ataku przez epicentrum, a z góry sypało się na nich radioaktywne świństwo...

„Krasnaja zwiezda" nie używa terminu „impotencja". O uczestnikach eksperymentu mówi się inaczej. Jeden ma problemy rodzinne, od innego odeszła żona. Albo na przykład: „Zaczęły się nieporozumienia w rodzinie. [...] Żona zaczęła stawiać mu wydumane zarzuty, że jest niewierny. Aleksiej dość szybko doszedł do wniosku, że żona po prostu kręci, maskując własny brak satysfakcji, a może i zdradę"[17]. Mowa jest o poruczniku Rożkowie. Znajdował się w czołgu 15 kilometrów od miejsca wybuchu. „W chwili wybuchu czołgiści znajdowali się w swoich okopanych na głębokość około trzech metrów «trzydziestkach-czwórkach». Środków ochronnych, oprócz masek przeciwgazowych, nie było".

Siedział w czołgu, trzy metry pod ziemią i 15 kilometrów od epicentrum. A co z piechotą? Piechota nie była opancerzona, nie zalegała trzy metry pod ziemią, tkwiła w okopach 8 kilometrów od miejsca eksplozji...

Żeby w ciągu zaledwie kilku minut zamienić tysiące zdrowych mężczyzn w impotentów – czyż to nie wymaga nadprzyrodzonych zdolności? Nikt inny by tego nie powtórzył. Był to w stanie zrobić tylko zły czarownik Gieorgij.

Za impotencję nikt z armii nie pędził. Występowały jednak inne poważne schorzenia, i to na wielką skalę. Tymczasem wszystkim uczestnikom owego eksperymentu wpisano w dokumentach – dla zachowania tajemnicy – potwierdzenie, że we wrześniu 1954 roku przebywali na Dalekim Wschodzie, w strefie podbiegunowej lub w Azji Środkowej. Konsekwencje tego bywały dramatyczne.

Oto żołnierz przyjeżdża do rodzinnej wioski. Cierpi na jakąś nieznaną chorobę. Jak może mu pomóc wiejski felczer, skoro sołdat nie potrafi słowa powiedzieć o przyczynie choroby? A jeśli nawet cokolwiek powie, to nikt mu nie uwierzy,

---

[17] „Krasnaja zwiezda", 9 lipca 1992.

w dokumentach bowiem ma wpisane coś zgoła innego, co zostało uwierzytelnione odpowiednimi podpisami i pieczęciami. Dlatego uczestnicy tych ćwiczeń cicho, szybko i w milczeniu odchodzili na tamten świat.

Oficjalni historycy z Łubianki[18] apelują do mnie, abym pisał historię wyłącznie w oparciu o dokumenty. Racja, drodzy przyjaciele! Tylko należy brać pod uwagę fakt, że nasza ukochana władza do najuczciwszych nie należy. Dla niej skłamać to tak, jak wypić szklankę wody. Los uczestników ćwiczeń na poligonie tockim jest tego jaskrawym przykładem, jest wzorcem masowego fałszowania dokumentów. Władza odgrodziła się od skutków swej zbrodni podwójnym murem: zobowiązaniem uczestników do milczenia oraz fałszywymi dokumentami.

Po cóż żądano od dziesiątków tysięcy uczestników pisemnej gwarancji dochowania tajemnicy, przysięgi, że będą milczeć przez 25 lat?

Odpowiadam: po to, żeby inwalidzi nie naprzykrzali się Żukowowi. Żeby mógł spokojnie żyć i pisać książki o tym, jak kocha swój naród, swoją wspaniałą Ojczyznę, mądrą partię komunistyczną oraz jej Komitet Centralny.

Za Stalina, w okresie masowych egzekucji, wprowadzono oryginalny wyrok: „10 lat bez prawa do korespondencji". Człowieka likwidowano, a jego rodzinę informowano, że siedzi za kratkami. O ile po dziesięciu latach ktoś z krewnych w ogóle jeszcze o nim pamiętał, wówczas informowano, iż dany osobnik zmarł w więzieniu, przykładowo na katar sienny. I wpisywano pierwszą lepszą datę zgonu.

„25 lat milczenia", „10 lat bez prawa do korespondencji" – te wyroki mają wspólne korzenie. Żukow dobrze to skalkulował: za 25 lat niech sobie gadają do woli... Kto im da wiarę, skoro w dokumentach wszystko zmieniono?

Ludziom, którzy pomagali likwidować skutki katastrofy w Czarnobylu, nie wydawano żadnych zaświadczeń. Powód? Pośpiech, niedopatrzenie, zwyczajne niedbalstwo.

Wszystkim nakazano milczenie pod groźbą pociągnięcia do odpowiedzialności karnej: tym, którzy przyczynili się do

---

[18] Centrala KGB w Moskwie [przyp. tłum.].

likwidacji skutków awarii na „Majaku" (1957) i próbnych wybuchów jądrowych na poligonie tockim i nowoziemielskim (1954), oraz tym, którzy zostali napromieniowani przy innych okazjach... A kiedy pozwolono już o wszystkim mówić, to od nieszczęśników zaczęto żądać odpowiednich zaświadczeń. Skąd mieli je wziąć, skoro nawet w archiwach nie ma takich dokumentów? Albo zostały zniszczone, albo w ogóle nigdy ich nie sporządzano. Iluż ludzi odeszło przedwcześnie na tamten świat tylko dlatego, że nawet lekarzowi nie mogli powiedzieć, co w rzeczywistości jest powodem choroby?! Czasami przychodzą do głowy wywrotowe myśli: czy to aby nie jest świadoma polityka państwa? Myśl jest faktycznie wywrotowa. Ale trafia w sedno.

V

W ZSRR nikt nie przejmował się losem ofiar zbrodniczych eksperymentów Żukowa. Ale Związek Radziecki, chwała Bogu, runął, a kolejne oderwane segmenty stawały się niepodległymi państwami. Niektóre z nich wykazują pewną troskę w omawianej materii. Łotewski dziennik „Czas" rozpoczął poszukiwania ludzi, którzy przeżyli owe dramatyczne wydarzenia. Wiosną 2001 roku gościłem w Rydze na zaproszenie redakcji „Czasu" i spotykałem się z ocalałymi. Te spotkania zasługują na osobną książkę. Zebrane relacje nie są dla ludzi o słabych nerwach. Opowiadali, jak trzeciego dnia zaczęły się masowe zachorowania. Jak w okolicy Czkałowa, w stepie, postawiono miasteczka namiotowe, otoczone zasiekami z drutu kolczastego, gdzie tysiące ofiar zbrodniczych eksperymentów wegetowały w oczekiwaniu na kres swej udręki. Opowiadali, jak doszło tam do buntu – i jak go zdławiono.

Naiwnie sądziłem, że skoro człowiek nie umarł po tygodniu, po roku ani po dziesięciu latach, to znaczy, że był daleko od miejsca wybuchu albo że nie jest podatny na promieniowanie. Myliłem się. Przede mną zasiedli krzepcy staruszkowie, którzy na pierwszy rzut oka mieli szczęście i po sztuczkach Żukowa przeżyli prawie pół wieku. Ale okazało się, że szczęście miał tylko Żukow. Wszystkich pozostałych promieniowanie nie oszczędziło. Ludziom na pozór zdrowym rodziły się dzieci z nieznanymi chorobami. Konsekwencje igraszek na poligonie tockim niespodziewanie z ogromną siłą ujawniają się w kolejnych pokoleniach. Rodzą się dzieci z wodogłowiem, z miękkimi kośćmi.

Nigdy nie zapomnę rozżalonego szlochu starca: dlaczego nas nie uprzedzono, że nie wolno nam mieć dzieci? Dlaczego?!

VI

Uważa się, że na poligonie tockim były dwie kategorie istot żywych, poddawanych doświadczeniu.

Pierwsza z nich to dziesiątki tysięcy koni, krów, owiec, świń, psów i kotów. Druga to 45 000 (albo 60 000) żołnierzy i oficerów.

Ale była jeszcze jedna kategoria – więźniowie.

Opowiada kapitan w stanie spoczynku Młladlen Makrowicz. Dziwne imię zasługuje na kilka słów wyjaśnienia. Po II wojnie światowej w Związku Radzieckim szkolono tysiące oficerów do armii bratnich państw: Polski, Czechosłowacji, Węgier, Bułgarii, Rumunii, Jugosławii, Albanii. Lecz nagle stosunki z Jugosławią zostały zerwane. Młodzi Jugosłowianie mają do wyboru: wracać do domu, gdzie ich wsadzą za kratki jako szpiegów stalinowskich, lub też zostać w Związku Radzieckim. Wybór ten był czysto teoretyczny. Wszystkich, którzy wyrażali chęć powrotu, z rozkazu towarzysza Stalina wsadzano za radzieckie kratki jako szpiegów marszałka Tito. Młladlen Makrowicz został. Wraz z wieloma innymi przyjął obywatelstwo radzieckie i znalazł się w szeregach Sił Zbrojnych ZSRR. W eksperymencie tockim odegrał szczególną rolę. Wybór padł na niego, gdyby bowiem zginął, nikt by się o niego nie upomniał. Oto jego opowieść.

„Dowódca wojsk obrony chemicznej Okręgu Południowouralskiego pułkownik Czichladze wprowadził mnie do dużego gabinetu, gdzie za stołem siedzieli nieznani mi cywile, przedstawił mnie, odwrócił się i wyszedł. Nieznajomi nie przedstawili się i nie zadali ani jednego pytania. Moja zgoda do niczego nie była potrzebna. Wysłuchałem rozkazu: «Od jutra zostajecie mianowani szefem kursów pomiaru promieniowania podczas praktycznego użycia broni jądrowej w Armii Radzieckiej. Macie nauczyć skazanych pomiaru promieniowania i wykonać z nimi te pomiary po wybuchu bomby atomowej. Dostaniecie wszystko, co będzie wam potrzebne do pracy». Następnie poinformowano mnie o mojej odpowiedzialności i nieograniczonych prerogatywach: za jakikolwiek przejaw niesubordynacji ze strony podwładnych miałem prawo kazać rozstrzelać ich na miejscu, bez obawy o jakiekolwiek konsekwencje. Na koniec wręczono mi do podpisania zobowiązanie do zachowania tajemnicy wojskowej przez ćwierć wieku. Miałem wtedy 27 lat.

A więc: nieznajomi cywile ustnym rozkazem mianowali mnie na nieetatowe stanowisko i bez jakiegokolwiek dokumentu zlecili mi szkolenie oddziału skazańców o nieznanych dla mnie biografiach. Jedynym śladem na papierze był mój podpis na zobowiązaniu do milczenia.

Dwaj wartownicy z automatami cały czas strzegli kontenera i aparatury. Wstęp na teren, gdzie mieszkałem i pracowałem ze swoimi kursantami, był zakazany. [...]

Cały nasz sprzęt ochrony osobistej składał się z ogólnowojskowej maski przeciwgazowej, spodni impregnowanych pokostem i bawełnianej peleryny. Falę uderzeniową wybuchu atomowego przeżyliśmy w otwartych okopach. I gdy «strona atakująca» przy pomocy artylerii i lotnictwa rozprawiała się z «nieprzyjacielem» na skrzydłach, ja w czołgu posuwałem się w kierunku epicentrum wybuchu. Skażenie radioaktywne w promieniu 10 kilometrów było wyraźnie zwiększone, a w epicentrum wynosiło 48 rentgenów. Gdy wróciłem do punktu dowodzenia i zameldowałem przełożonym o wynikach pomiarów, przebyłem już ze wszystkimi drogę do epicentrum, oznaczywszy chorągiewkami stopień skażenia okolicy. Na tym moja rola na poligonie tockim się skończyła.

Nie mogłem ustać na nogach. Skazańców wyprowadzono i nigdy nie dowiedziałem się o ich losie. Mnie położono na nosze, na których przeleżałem kilka dni bez jakiejkolwiek pomocy medycznej. Badania stopnia skażenia nie były już przeprowadzane. O tym, że moje leczenie nie znalazło się w tockim scenariuszu, dowiedziałem się dokładnie po 40 latach, gdy na własny wniosek otrzymałem z archiwów kopię wykazu przebiegu służby, gdzie czarno na białym było napisane, że od 7 sierpnia, tzn. 37 dni przed wybuchem atomowym, znajdowałem się «w dyspozycji dowódcy Północnokaukaskiego Okręgu Wojskowego». Czyli daleko od miejsca tych zdarzeń. [...] Nic dziwnego, że przez następne pół wieku mój los, jak również los tysięcy «poddanych doświadczeniu» tworzono w oparciu o oficjalną dezinformację i kłamstwo, my zaś byliśmy związani podpisami o «nierozpowszechnianiu». Spróbuj tylko otworzyć usta! Natychmiast staniesz się przestępcą państwowym. A cała «tajemnica państwowa» polega na tym, że do dzisiaj nie mam mieszkania, że armia, która zabrała mi młodość i zdrowie, nie przyznała mi prawa do leczenia w swoich szpitalach wojskowych".[19]

Mówią mi: w *Akwarium* pisałeś o eksperymentach na więźniach, ale takie wypadki zdarzały się tylko za Stalina. Niestety, moi przyjaciele – za Żukowa też się zdarzały. I po nim także.

VII

W depeszy TASS napisano: „Celem próby było zbadanie przebiegu wybuchu atomowego. Doświadczenie dało cenne rezultaty, które pomogą naukowcom i inżynierom pomyślnie rozwiązywać zadania z zakresu obrony przed atakiem nuklearnym".

Ci, na których Żukow przeprowadzał swój eksperyment, mają na ten temat inne zdanie: „Życie udowodniło, że doświadczenie, które tak drogo kosztowało, straciło jakikolwiek sens. Ludzie, którzy znaleźli się w strefie promieniowania jądrowego, nawet jeśli nie umarli, to stracili zdolność bojową i wolę walki, niezależnie od ich morale i predyspozycji fizycznych.

Nasz udział w tym oryginalnym eksperymencie atomowym przez długie lata pozostawał tajemnicą wojskową i państwową, po ćwiczeniach nikt nas nie zbadał i nie leczył. [...] 20 listopada

---

[19] „Litieraturnaja gazieta", 15 września 1999.

1954 roku na badaniach profilaktycznych wykryto w moim lewym płucu «narośl wielkości orzecha włoskiego»[20].

Potem – gruźlica, dziewięć miesięcy w szpitalu wojskowym, następnie autora tych wspomnień odesłano z Sił Zbrojnych na rentę. Potem nawet rentę mu odebrano. Jest to relacja oficera, który też był w czołgu.

Mieszkańcom okolicznych wiosek towarzysz Żukow nie wyrażał swojej wdzięczności, choć oni swoją dawkę też dostali. I była między nimi różnica: uczestnicy ćwiczeń zrobili swoje – i wyjechali. Natomiast okoliczni mieszkańcy dalej tkwili na skażonym obszarze. Na czas ćwiczeń wysiedlono ich, ale po ćwiczeniach wrócili. Nie będę nużyć czytelników statystyką zapadalności na schorzenia onkologiczne w okolicy poligonu tockiego. Nie jest bynajmniej optymistyczna.

Wszystko to odnotowujemy w kontekście zapewnień, jak bardzo Żukow kochał swój naród, swoich żołnierzy i oficerów.

Oceńmy teraz z grubsza wartość przeprowadzonych doświadczeń z bronią jądrową. Tysiące uczestników ćwiczeń zwolniono z armii i nigdy do niej nie wrócili. Do czego im się przyda zdobyta podczas eksperymentów na poligonie umiejętność przełamywania frontu przez epicentrum wybuchu, skoro nigdy więcej nie będą służyć w wojsku? Z nikim nie mogą podzielić się nabytym doświadczeniem, nikomu nie mogą opowiedzieć o tym, co widzieli. Jaki jest sens takich doświadczeń?

Gdyby Żukow wywołał chorobę popromienną, białaczkę i inne paskudztwa u tysięcy ludzi, ale później kazał ich leczyć – byłoby to pouczające doświadczenie przynajmniej dla lekarzy wojskowych. Ale nikt się tym nie zajął.

Gdyby po wybuchu przeprowadzono u uczestników eksperymentu kontrolę medyczną, kontrolę stopnia napromieniowania i kontrolę chemiczną, byłoby to przydatne dla wojskowych służb medycznych, dla wojsk obrony chemicznej i radiacyjnej. Ale tym także nikt się nie zainteresował.

Gdyby po wybuchu przeprowadzono dezaktywację sprzętu technicznego, byłoby to z korzyścią dla różnych innych specjalistów. Ale dezaktywacji nie przeprowadzono.

[20] Giennadij Ambraziewicz, *op. cit.*

Dlatego pytam: kto zdobył nowe doświadczenie podczas tych ćwiczeń? Czyż nie zaskakująca logika: dziesiątki tysięcy ludzi nauczono, jak się zachować w przypadku użycia broni jądrowej – a oni umarli. Jaki więc był sens ich uczyć? Wkrótce po wydarzeniach na poligonie tockim zamówiono film dla naszych enerdowskich przyjaciół. Tytuł: *Biała krew*. Fabuła filmu: przeklęci zachodnioniemieccy rewanżyści wyciągają ręce po broń jądrową. Wysyłają do Stanów Zjednoczonych swoich oficerów na ćwiczenia. Ale Amerykanie też nie w ciemię bici: kilkunastu niemieckich oficerów wykorzystują jako króliki doświadczalne w ćwiczeniach z użyciem broni nuklearnej. I oto wybuch jądrowy na pustyni. Oddział niemieckich oficerów ubranych w srebrne, prawie kosmiczne skafandry rzuca się do ataku. Jeden z nich ma uszkodzoną maskę. Nawdychał się radioaktywnego pyłu... Następnie wraca do domu, leczą go najlepsi specjaliści, lecz niestety: gaśnie w oczach. W końcowej scenie umierający oficer patrzy w stronę widzów i wygłasza wzniosłą kwestię: „Ludzie, kochałem was! Bądźcie czujni!" Cała sala tonęła we łzach. Pięści same się zaciskały. A serca wypełniał sprawiedliwy gniew.

Porównajmy film o okropnościach broni jądrowej i radziecką surową rzeczywistość. W filmie *Biała krew* mamy kilkunastu bohaterów, na poligonie tockim – 45 000 albo i więcej. Tamci to oficerowie-ochotnicy – u nas nikt nikogo nie pytał o zgodę. W filmie biegają w srebrzystych skafandrach – u nas w bawełnianych pelerynach. U nich leczą – u nas nie. Źli Amerykanie badają skutki użycia broni jądrowej na cudzoziemcach. Nasi – na swoich.

VIII

Istnieją dwie prasowe interpretacje wydarzeń na poligonie tockim.

Wersja pierwsza: wybuch jądrowy to jedno ze szczytowych osiągnięć radzieckiej myśli wojskowej. Tylko my i tylko pod przywództwem największego geniusza militarnego towarzysza Żukowa mogliśmy tego dokonać.

Oto cytaty.

„Ćwiczenia na tak wielką skalę i tak bardzo zbliżone do realnych warunków bojowych, nie rozpoznanych jeszcze przez nasze wojska, obyły się bez strat. Nikt nie zginął, nikt nie został ranny ani kontuzjowany, żaden sprzęt nie uległ uszkodzeniu. Oto, jak wysoki był poziom organizacyjny ćwiczeń, osobiście nadzorowanych przez Żukowa"[21].

Naturalnie, 45 000 impotentów to pestka.

I jeszcze jeden artykulik:

„Do najważniejszych wydarzeń tego okresu należy zaliczyć manewry wojskowe, które odbyły się we wrześniu 1954 roku w Południowouralskim OW na poligonie w Tocku. W trakcie przygotowań operacyjnych ćwiczono działania wojsk w natarciu i obronie w warunkach użycia broni jądrowej. Koncepcja, plan i przygotowanie tych ćwiczeń, które do tej pory nie mają odpowiedników w rodzimej praktyce wojskowej, powstały przy bezpośrednim udziale marszałka Związku Radzieckiego Żukowa, któremu powierzono nad nimi pieczę. Ćwiczenia miały charakter eksperymentalny. Podczas manewrów badano oddziaływanie bomby atomowej średniej mocy na sprzęt, uzbrojenie i zasoby ludzkie"[22].

I wersja druga: to zbrodnia!

Oto, jak opisuje te wydarzenia „Litieraturnaja gazeta". Tytuł: „Atak jądrowy na Rosję" i podtytuł jako kontynuacja: „przeprowadziła Armia Radziecka 45 lat temu".

„Lokalizacja tych doświadczeń nie była pomyłką. Była zbrodnią. Trudno o gęściej zaludniony region niż tereny położone między Wołgą i Uralem. Trudno też znaleźć bardziej żyzną glebę. Czy rzekę równie piękną jak 600-kilometrowa Samara, która zaopatruje w wodę ponadmilionowe miasto, po czym wpada do jednej z najważniejszych rzek Europy – Wołgi. W Wołdze zażywali kąpieli przywódcy naszego kraju, przybyli na ćwiczenia. Po wybuchu żadnemu z nich nie przyszło do głowy, aby się w niej ochłodzić.

Wskażmy z nazwiska działaczy państwowych, którzy ode-

<hr>

[21] „Krasnaja zwiezda", 25 października 1998.
[22] Generał pułkownik Baryńkin [w:] „Krasnaja zwiezda", 31 maja 1996.

grali decydującą rolę w wyborze miejsca wybuchu: Beria, Bułganin, Kaganowicz, Mołotow, Malenkow"[23].

Mamy oto dwa odmienne punkty widzenia.

Pierwszy punkt widzenia: wybuch jądrowy na poligonie pod Tockiem był wielkim sukcesem. W tym wypadku Żukow przedstawiany jest jako największy geniusz wojskowy. To on wybierał najbardziej malownicze tereny Rosji, najlepsze gleby. To jemu wpadła do głowy nowatorska idea, by przeprowadzać doświadczenia na żywych ludziach. I to samodzielnie, bez pomocników, zastępców i zwierzchników! Chwała mu za to! A na poligonie tockim umieszczono tablicę pamiątkową: „...pod dowództwem marszałka Związku Radzieckiego Żukowa".

Drugi punkt widzenia: wybuch jądrowy na tockim poligonie był straszliwą zbrodnią. Ale w tym przypadku nazwiska Żukowa z jakichś przyczyn się nie wymienia. Tylko: Beria, Bułganin, Kaganowicz, Mołotow, Malenkow. To oni popełnili tę zbrodnię. I od razu znajduje się jakiegoś poczciwego generała porucznika Osina, który doskonale pamięta Berię, a Żukowa sobie nie przypomina, mimo że Żukow oficjalnie nadzorował doświadczenia, a Beria miał żelazne alibi: 26 czerwca 1953 roku – tj. ponad rok przed przeprowadzeniem wybuchu – został aresztowany i trzy miesiące później rozstrzelany. Egzekucja odbyła się 23 października 1953 roku o godzinie 19.50, tj. prawie dziewięć miesięcy przed wybuchem. Lecz naszych generałów wcale to nie peszy: wszystkie sukcesy odnosił Żukow, wszystkie zbrodnie popełniał Beria!

Tylko jeden uczestnik wydarzeń, kapral Michaił Arensburg, opowiedział o złym duchu tej zbrodni. Arensburg nie był jednym z tysięcy żołnierzy, którzy przyjechali na ćwiczenia. Służył w batalionie stacjonującym na tym poligonie, wchodził w skład jego obsługi. Dlatego jego udział w ćwiczeniach wyjątkowo został oficjalnie potwierdzony zaświadczeniem z Centralnego Archiwum Ministerstwa Obrony Rosji – w odróżnieniu od dziesiątków tysięcy pozostałych uczestników eksperymentu. Oto fragment jego relacji.

---

[23] Na podstawie wspomnień generała porucznika Osina [w:] „Litieraturnaja Gazieta", 15 września 1999.

„Na poligonie był klub, w którym żołnierzom wyświetlano filmy, dorabiałem tam jako operator. Tak się składa, że wiele widziałem przez swoje okienko – na przykład generalskie obiady. Widziałem marszałka Żukowa, który przyjeżdżał do nas kilkakrotnie. Wszyscy się go strasznie bali. Kiedy przyjeżdżał, generałowie rozbiegali się spłoszeni jak kury, aby tylko zejść mu z widoku. Pewnego razu z satysfakcją zerwał pagony jednemu z generałów – i pognał precz".

À propos zrywania pagonów: Żukow uwielbiał to robić. Z poczuciem głębokiej satysfakcji zrywał pagony oficerom, generałom i admirałom. Sadysta rozpruwa ofierze brzuch i powolutku wywleka wnętrzności, tak, by nieszczęśnik ujrzał to na własne oczy. Żukow nie rozpruwał brzuchów – tymczasem nie ma na to dowodów. Jednak osobiście zdzierał pagony. Napawał się tym. Dowodów mam aż nadto. Nie przytaczam ich tylko dlatego, że to nużąca lektura.

No, ale spójrzmy na proceder zrywania pagonów z innego punktu widzenia. Z punktu widzenia Komitetu Centralnego KPZR.

Nadawanie stopni admiralskich i generalskich, a w związku z tym ich odbieranie, nie było w gestii ministra obrony i jego zastępców. Stopnie admiralskie i generalskie przyznawała Rada Ministrów ZSRR. I tylko Rada Ministrów miała prawo degradować admirałów i generałów.

Tak to wygląda w teorii. W praktyce było tak: kontrolę nad sprawami kadrowymi sprawował KC KPZR. Każdy dowódca dywizji – wszystko jedno, czy generał major czy tylko pułkownik – należał do nomenklatury KC. Awansuje wyżej – i trafia do nomenklatury Politbiura. W KC i Politbiurze podejmowano nieoficjalne decyzje. Mówiło się, że „instancja zdecydowała". Następnie Rada Ministrów ogłaszała tę samą decyzję, tym razem we własnym imieniu.

Żukow zrywał pagony nie z powodu bezwzględnego charakteru i sadystycznych skłonności. Z powodu głupoty. Żukow nie znał i nie chciał znać granic swojej władzy. Robił to, czego nie wolno było robić bez zgody KC i Politbiura. W istocie Żukow przypisywał sobie władzę tak zwanych „najwyższych instancji". Nie ma co się spierać, czy Żukow szykował zamach stanu czy nie szykował. Już ciągnął do siebie kołdrę władzy. Tyle że czynił to niezdarnie – i głupio.

Chcecie wiedzieć, na czym polegała głupota Żukowa? Proszę bardzo: podporządkuj sobie KC i Politbiuro – i rób wtedy, co ci się żywnie podoba. Nawet rozpruwaj brzuchy i wyciągaj generalskie kiszki. Ale dopóki nie podporządkowałeś ich sobie, musisz trzymać się wyznaczonych ram, porządku i zasad. Krótko mówiąc, nie mów „hop", póki nie przeskoczysz.

Komunistyczni agitatorzy w Rosji sugerują młodemu pokoleniu, że nie należy wstydzić się za Żukowa. Mówią: w każdym stadzie znajdzie się parszywa owca, każdy naród wydał jakieś monstrum. W Niemczech był Hitler, u nas Żukow.

Na pierwszy rzut oka wszystko jest w porządku. Hitlerowcy przeprowadzali zbrodnicze eksperymenty na ludziach – i Żukow przeprowadzał zbrodnicze eksperymenty na ludziach. Wydawałoby się, że to łajdacy tego samego kalibru.

Zwróćmy jednak uwagę na subtelne różnice. Hitlerowcy przeprowadzali swoje zbrodnicze eksperymenty, ale nie na taką skalę jak marszałek Żukow. Nie ma też dowodów na to, że Hitler osobiście w nich uczestniczył. A Żukow tak, jak najbardziej. Miejsca tych eksperymentów upamiętniają tablice pamiątkowe. Każą nam szczycić się tymi eksperymentami.

I jeszcze jedno: hitlerowcy przeprowadzali eksperymenty na wrogach narodu niemieckiego.

A Żukow na swoich rodakach.

Bibliografia

Aleszkowski J., *Ruka. Powiestwowanie pałacza*, Nowy Jork 1980.

Anfiłow W., *Biessmiertnyj podwig*, Moskwa 1971.

Anienkow J., *Dniewniki moich wstriecz. Cykł tragiedij*, Moskwa 1991.

Bagramian J., *Tak wykuwaliśmy zwycięstwo*, Warszawa 1980.

Batiechin L., *Wozdusznaja moszcz rodiny*, Moskwa 1988.

Bażanow B., *Byłem sekretarzem Stalina*, Krytyka, Warszawa 1985.

Beer H., *Moskaus As im Kampf der Geheimdienste*, Monachium 1983.

Briekhill P., *The Dam Busters*, Londyn 1951.

Bukowski W., *Moskiewski proces*, Warszawa 1998.

Buszkow A., *Rossija, kotoroj nie było*, Moskwa 1997.

Dietrich O., *12 Jahre mit Hitler*, Monachium 1955.

Ejdus J., *Żidkoje topliwo w wojnie*, Moskwa 1943.

Gregory J., Batchelor, *Airborne Warfare 1918–1941*, Leeds 1978.

Guderian H., *Wspomnienia żołnierza*, Warszawa 1991.

Hoth G., *Tankowyje opieracji* (tłum z niem.), Moskwa 1961.

Halder F., *Dziennik wojenny. Codzienne zapisy szefa Sztabu Generalnego Wojsk Lądowych 1939–1942*, t. 1/3, Warszawa 1971–1974.

Hitler A., *Moja walka*, Kraków 1992.

Hitler A., *Rozmowy przy stole 1941–1944. Rozmowy w Kwaterze Głównej zapisane na polecenie Martina Bormanna przez jego adiutanta Heinricha Heima*, Warszawa 1966.

Karpienko A., *Obozrienie otieczestwiennoj bronietankowoj tiechniki. 1905–1995*, Sankt-Petersburg 1996.

Kuzniecow A., *Babij jar*, Frankfurt/M 1970.

Liddell Hart B., *Stratiegia nieprjamych diejstwij* (tłum. z ang.), Moskwa 1957.

Liddell Hart B., *Wtoraja mirowaja wojna* (tłum. z ang.), Moskwa 1976.

Machiavelli N., *Wybór pism*, Warszawa 1972.

Manstein E. von, *Verlorene Siege*, Bonn 1995; *Utieriannyje pobiedy* (tłum. z niem.), Moskwa 1999.

Mellenthin F. W. von, *Panzer Battles 1939–1945: a study of the employment of armour in the Second World War*, Londyn 1955.

Middeldorf E., *Taktyka w kampanii rosyjskiej*, Warszawa 1961.

Müller-Hillebrand B., *Das Heer 1939–1945*, t. 1/3, Frankfurt/M. 1954–1956; *Suchoputnąja armija Giermanii 1933–1945* (tum. z niem.), Moskwa 1956–1958.

Picker G., *Zastol'nyje razgowory Gitliera* (tłum. z niem.), Smoleńsk 1993.

Pietrow N., Sorokin K., *Kto rukowodił NKWD 1934–1941*, Moskwa 1999.

Proektor D., *Wojna w Ewropie*, Moskwa 1963.

Reinhardt K., *Die Wende vor Moskau*, 1978.

Ribbentrop I. von, *Mieżdu Londonom i Moskwoj*, Moskwa 1996.

Rokossowski K., *Żołnierski obowiązek*, Warszawa 1973

Rosenberg A., *Zukunftweg einer deutschen Aussenpolitik*, Monachium 1927.

Ruge F., *Wojna na morie 1939–1945*, Moskwa 1957.

Rybin A., *Stalin i Żukow*, Moskwa 1994.

Samsonow A., *Znat' i pomnit'*, Moskwa 1989.

Sandałow L., *Bojewyje diejstwija wojsk 4. Armii Zapadnowo fronta w naczalnyj pieriod Wielikoj Otiecziestwiennoj Wojny*, Moskwa 1961.

Sandałow L., *Pierieżytoje*, Moskwa 1966.

Sandałow L., *Trudnyje rubieży*, Moskwa 1965.

Sandałow L., *Na moskowskom naprawlienii*, Moskwa 1970.

Smirnow N., *Wpłot' do wysszej miery*, Moskwa 1997.

Sokołow B., *Nieizwiestnyj Żukow: portriet biez rietuszy*, Mińsk 2000.

Sołoniewicz I., *Narodnaja monarchija*, Mińsk 1997.

Sołoniewicz I., *Rosja w obozach koncentracyjnych*, t. 1/2, Warszawa 1990.

Stefanowskij P., *Trista nieizwiestnych*, Moskwa 1968.

Szaposznikow B., *Wspomnienia. Rozważania teoretyczne*, Warszawa 1976.

Triandafiłłow W., *Charaktier opieracyj sowriemiennych armij*, Moskwa 1929.

Triandafiłłow W., *Rozmach opierracyj sowriemiennych armij*, Moskwa-Leningrad 1926.

Ustinow D., *Wo imja pobiedy. Zapiski narkoma woorużenija*, Moskwa 1988.

Żukow G., *Wspomnienia i refleksje*, Warszawa 1970.

Prace zbiorowe

1941 god, Moskwa 1998.

Bojewoj put' Sowietskowo wojenno-morskowo fłota, Moskwa 1968, s. 537.

British and American Tanks of World War II, Nowy Jork 1969.

Encyclopedia of German Tanks of World War Two, Londyn 1978.

The Fatal Decisions, Londyn 1956; (tłum. z niem.) *Rokowyje rieszenija*, Moskwa 1958.

Gotowił li Stalin nastupatie'lnuju wojnu protiw Gitliera?, red. W. Niewieżyn, Moskwa 1995.

Historia Drugiej Wojny Światowej 1939–145, t. 1/12, Warszawa 1964–1967.

Historia Wielkiej Wojny Narodowej Związku Radzieckiego 1941–1945, t. 1/6, Warszawa 1976–1985.

Istorija russkoj wojennoj mysli, Moskwa 1980.

Konstruktor bojewych maszyn, Leningrad 1988.

Krasnoznamionnyj bałtijskij fłot w bitwie za Leningrad, Moskwa 1973.

Marszał Żukow. Kakim my jewo pomnim, Moskwa 1988.

Marszały Sowietskowo Sojuza, Moskwa 1996.

Nakanunie wojny. Materiały sowieszczanija wysszewo rukowodjaszczewo sostawa RKKA 23–31 diekabrja 1940, Moskwa 1993.

Oktjabr'skij plenum CK KPSS. Stienograficzeskij otcziet, Moskwa 1957.

Ordiena Lenina Moskowskij wojennyj okrug, Moskwa 1985.

XVII sjezd partii. Stenograficzeskij otcziet, Moskwa 1934.

Soobszczenija Sowietskowo Informbiuro, Moskwa 1945–1947.

Sowierszenno sekritno! Tol'ko dlja komandowanija, Moskwa 1967.

Sowietskaja wojennaja encikłopiedija, t. 1–8, Moskwa 1976–1980.

SSSR-Giermanija. 1939–1941, red. J. Flietuszynskij, Nowy Jork 1983.

Wojennyje parady na Krasnoj płoszczadi, Moskwa 1980.

Wozdusznaja moszcz rodiny, Moskwa 1988.
VIII Zjazd Komunistycznej Partii (bolszewików) Rosji. Marzec 1919.
Protokoły, Warszawa 1966.

Pisma i periodyki

„Biulietien' oppozicji", Paryż-Berlin-Zurych-Nowy Jork 1929–1941.
„22", Tel Awiw.
„Czas", Mińsk.
„Izwiestija", Moskwa.
„Krasnaja zwiezda", Moskwa.
„Litieraturnaja gazieta", Moskwa.
„Magazin", Moskwa.
„Moskowskije nowosti", Moskwa.
„Moskowskij komsomoliec", Moskwa.
„Nasz sowriemiennik", Moskwa.
„Niezawisimaja gazieta", Moskwa.
„Niezawisimost'", Moskwa.
„Niezawisimoje wojennoje obozrienije", Moskwa.
„Nowaja i nowiejszaja istorija", Moskwa.
„Nowoje Russkoje Słowo", Nowy Jork.
„Ogoniok", Moskwa.
„Prawda", Moskwa.
„Rodina", Moskwa.
„Rossijskaja gazieta", Moskwa.
„Rossijskoje wozrożdienie", Moskwa.
„Russkaja mysl'" Paryż.
„Wiesti", Moskwa.
„Wojenno-istoriczeskij żurnał", Moskwa.
„Wojennyje archiwy Rossii", Moskwa.
„Woprosy istorii", Moskwa.
„Wriemia", Moskwa.
„Znamja", Moskwa.

Zbiory archiwalne

Archiwum Prezydenta Federacji Rosyjskiej
Centralne Archiwum Ministerstwa Obrony ZSRR
Rosyjskie Państwowe Archiwum Wojskowości